10 ANOS SEGUINTE

Também de Casey McQuiston:

Vermelho, branco e sangue azul
Última parada

CASEY McQUISTON

Tradução
GUILHERME MIRANDA

Copyright © 2022 by Casey McQuiston

Todos os direitos reservados, incluindo os direitos de reprodução no todo ou em parte, sob qualquer forma.

O selo Seguinte pertence à Editora Schwarcz S.A.

Grafia atualizada segundo o Acordo Ortográfico da Língua Portuguesa de 1990, que entrou em vigor no Brasil em 2009.

A citação original utilizada nesta edição foi retirada de *Emma*, Jane Austen (Trad. Julia Romeu. São Paulo: Penguin-Companhia, 2021).

TÍTULO ORIGINAL I Kissed Shara Wheeler: A Novel
CAPA Ale Kalko
ILUSTRAÇÃO E LETTERING DE CAPA Camila Gray
PREPARAÇÃO Helena Mayrink
REVISÃO Renato Potenza Rodrigues e Paula Queiroz

Dados Internacionais de Catalogação na Publicação (CIP)
(Câmara Brasileira do Livro, SP, Brasil)

McQuiston, Casey
    Eu beijei Shara Wheeler / Casey McQuiston ; tradução Guilherme Miranda. — 1ª ed. — São Paulo: Seguinte, 2022.

    Título original: I Kissed Shara Wheeler: A Novel.
    ISBN 978-85-5534-205-9

    1. Ficção norte-americana I. Título.

22-106557   CDD-813

Índice para catálogo sistemático:
1. Ficção : Literatura norte-americana 813

Eliete Marques da Silva – Bibliotecária – CRB-8/9380

[2022]
Todos os direitos desta edição reservados à
EDITORA SCHWARCZ S.A.
Rua Bandeira Paulista, 702, cj. 32
04532-002 — São Paulo — SP
Telefone: (11) 3707-3500
www.seguinte.com.br
contato@seguinte.com.br

para Pepper,
minha melhor amiga

Nota da autora

Caro leitor,

Se você vem de um lugar como o Sul dos Estados Unidos ou de uma família evangélica, talvez reconheça parte da cultura descrita nesta história. Quase tudo é tratado com humor, porque às vezes precisamos rir. E, embora Chloe Green não acredite, o ponto de vista dela não é o único que você encontrará neste livro. Há espaço para as partes boas e as ruins, as engraçadas e as dolorosas e todo o resto, porque a vida de uma adolescente é assim — ainda mais no pedacinho de mundo da Chloe. Para explorar tudo isso, *Eu beijei Shara Wheeler* inclui elementos de trauma religioso e homofobia.

Para mais informações, veja:

Centro de Valorização da Vida (cvv)
www.cvv.org.br
Telefone: 141

Casa 1 — Casa de Cultura e Acolhimento LGBT
www.facebook.com/casaum
Rua Condessa de São Joaquim, 277
São Paulo — SP

Fênix — Associação Pró Saúde Mental
www.fenix.org.br
Telefone: (11) 3271-9315

Disque Denúncia de Violência contra Crianças e Adolescentes
(Disque Direitos Humanos)
www.disque100.gov.br
Telefone: 100

It started out with a kiss...
— The Killers

1

HORAS DESDE QUE SHARA WHEELER SUMIU: 12
DIAS PARA A FORMATURA: 42

Chloe Green está prestes a dar um murro na janela.

Normalmente, quando ela pensa algo do tipo, quer dizer que está esgotada no quesito *espiritual*. Mas neste momento, diante da porta dos fundos na casa dos Wheeler, sente que está fisicamente disposta a isso.

O horário aparece na tela do celular: 11h27. Trinta e três minutos para o fim do culto na Igreja Willowgrove, onde os Wheeler estão passando a manhã fingindo ser pessoas boas e normais cuja filha boa e normal não fingiu um desaparecimento no baile de formatura doze horas atrás.

Só pode ser fingimento, essa é a questão. É óbvio que Shara Wheeler está ótima. Shara Wheeler não está desaparecida. Shara Wheeler está fazendo o que sempre faz: fingindo ingenuidade e inocência, o que leva todos a pensar que ela deve ser muito profunda, complexa e encantadora, quando, na verdade, é a chata mais sem graça de toda esta cidade insuportavelmente chata e sem graça.

Chloe vai provar isso. Porque é a única pessoa inteligente o bastante para enxergar a verdade.

Ela pretendia *curtir* a noite do baile de formatura depois de um ano todo correndo atrás de prazos antecipados de admissão a universidades e tentando ficar entre os melhores alunos da turma de 2022. Levou semanas para garimpar o vestido perfeito (chiffon preto e renda, como uma assassina vampira sexy), e esse era para ser um baile de formatura perfeito. Não *o* baile de formatura perfeito — sem acompanhantes, nem flores — mas o baile de formatura perfeito para *ela*. Seus amigos usando roupas chiques, se espremendo no carro de Benjy, gritando Lil Yachty em um salão com um lustre e desmaiando em uma mesa da Waffle House à uma da madrugada.

Mas trinta minutos antes da corte do baile de formatura ser anunciada, ela a viu: Shara, com seus lábios rosados e uma cascata de tule rosa-bebê, passando pelos comes e bebes a caminho da porta. Chloe a tinha observado a noite toda, esperando a oportunidade perfeita para pegá-la sozinha.

Mas, quando ela chegou à porta, Shara tinha sumido, e quando a presidente do grêmio estudantil, Brooklyn Bennett, subiu ao palco para coroar Shara como a rainha do baile, ela ainda estava desaparecida. Ninguém a viu sair, e ninguém a viu desde então, mas seu Jeep branco não está na garagem da família Wheeler.

Então, ali está Chloe, na manhã seguinte, com a maquiagem borrada em volta dos olhos e o cabelo estaladiço de tanto laquê, prestes a invadir a casa de Shara.

Ela encontra a chave reserva dentro de uma pedra estranhamente lisa com Josué 24,15 gravado nela. *Quanto a mim e à minha casa serviremos ao Senhor.*

Durante todo o caminho até o condomínio, ela imaginou a cara de Shara quando a visse à sua porta. Os grandes olhos verdes chocados, o susto teatral, a ficha caindo de que seu truquezinho para chamar atenção não vai funcionar como o planejado porque Chloe é uma baita gênia impossível de ser enganada. Essa satisfação daria energia para Chloe durante as provas finais e, provavelmente, até os dois primeiros anos de faculdade.

Mas, quando ela abre a porta e dá uma olhada na enorme cozinha dos Wheeler, Shara não está em lugar nenhum.

Então, ela faz o que qualquer pessoa em sua posição faria. Fecha a porta e faz uma varredura no primeiro andar.

Shara não está lá.

Certo. Tudo bem. Mas ela com certeza está em *algum lugar*. Provavelmente no andar de cima, no quarto.

No corredor do andar de cima, uma porta entreaberta revela um banheiro que deve ser de Shara. Papel de parede bege e rosa, bancada de porcelana coberta de cosméticos e um vidro de seu inconfundível esmalte (Essie, Ballet Slippers). Chloe hesita diante do batente; esse não é o objetivo dela, mas tem um elástico de seda florido perto da pia que ela nunca viu, apesar de todas as aulas da turma avançada em que passou olhando para a parte de trás da cabeça de Shara. Shara sempre usa o cabelo loiro brilhante solto. É meio que o lance dela. Ela deve prendê-lo para lavar o rosto à noite.

Irrelevante.

Chloe para diante da próxima porta. Está um pouco entreaberta e tem um S rosa pintado à mão.

Seria uma mentira — uma enorme mentira do tamanho do orçamento do time de futebol americano da Escola Cristã Willowgrove — dizer que ela nunca imaginou em que tipo de incubadora da perfeição Shara Wheeler entra quando vai para casa todos os dias. Um tanque de gosma para preservar sua pele hidratada? Um cabeleireiro profissional à disposição? Aonde Shara vai quando não está tendo encontros pitorescos na Starbucks com seu namorado quarterback ou compondo trabalhos de literatura comparada estranhamente bons? Quem é ela quando, finalmente, não tem ninguém olhando?

Só existe um jeito de descobrir.

Ela empurra a porta com o pé, e…

O quarto está vazio.

O quarto de Shara é, obviamente, um belo quarto normal. Estranhamente comum, até. Cama, cômoda, mesa de cabeceira, penteadeira, um combo de estante e escrivaninha, um abajur redondo com uma corrente de prata. Há um minibuquê seco de um baile no batente da janela e um protetor labial em um prato em forma de concha na cômoda, junto com um frasco de desodorante de lilás e uma pilha de livros todos marcados para a escola. As paredes são de um azul-claro simples, com fotos emolduradas da família, do namorado e de seu bando de amigas idênticas de cotovelos pontudos e cabelo esvoaçante com rostos perfeitos de produtos de beleza.

Onde está a turminha da beleza agora? Cuidando da ressaca do baile, Chloe imagina. Claramente, nenhuma delas está ali procurando pistas. Esse é o lance de jovens populares: eles não têm o tipo de laço forjado no fogo de quem é esquisito e LGBTQIAP+ em cidades de pequeno e médio porte do Alabama. Se Chloe tentasse sumir desse jeito, haveria uma milícia de gays shakespearianos arrombando todas as portas da cidade de False Beach.

Por que a Shara não está aqui?

Chloe cerra os punhos, entra e começa pela escrivaninha.

Se não pode interrogar Shara, talvez o quarto dela tenha algumas pistas. Ela espia o conteúdo da escrivaninha e das prateleiras, procurando o calendário de *Garota exemplar* de Shara com dias da semana marcados com "juntar provisões" e "incriminar Chloe pelo meu assassinato". Tudo que encontra são folhetos de faculdades e uma caixa de papéis timbrados com as iniciais de Shara — cartões de agradecimento para o dilúvio iminente de cheques de formatura de parentes ricos. Nenhuma página de diário incriminatória amassada na lixeira, só a embalagem de papel de um brilho labial.

Caixa de joias: nada digno de nota. Closet: roupas, uma sapateira bem organizada, vestidos de baile dentro de capas de roupa com zíper. (Quem usa *capas de roupa*?) Gaveta de calcinhas: esvaziada pela metade, falta uma quantidade de peças suficiente para uma semana ou duas. Cama: em cima de um edredom arrumado cor de marfim, uma camiseta dobrada de Harvard. Deus perdoe quem esquecer que Shara entrou em sua primeira opção de faculdade, com ofertas de praticamente todas as outras universidades de elite do país.

Chloe solta um chiado entredentes. É só um monte de coisas perfeitamente normais, sugerindo a vida perfeitamente normal de uma menina perfeitamente normal.

Ela volta para a penteadeira, abrindo a gaveta. Tubos de brilho labial formam uma fila de tons quase idênticos de rosa neutro, a maioria pela metade, com o rótulo descascando. No fim da fileira, um é novinho, tão cheio e brilhante que só deve ter sido usado uma vez, e olhe lá. Ela reconhece a embalagem da lixeira.

Quando ela tira a tampa, o cheiro a atinge com tanta força quanto a atingiu na primeira vez em que ela o sentiu: baunilha e hortelã.

A janela se abre.

Chloe solta um palavrão, se agacha no carpete e rasteja para debaixo da escrivaninha.

Um par de Vans pretos surge no batente, trazendo consigo o corpo magro de um menino de calça jeans rasgada e camisa de flanela. Ele para — ela não consegue ver o rosto do garoto, mas ele vira o corpo como se estivesse confirmando se a barra está limpa — e então entra no quarto.

Cabelo cacheado escuro com luzes cor de caramelo, pele marrom-clara, nariz comprido e reto, um maxilar ao mesmo tempo quadrado e delicado como uma espinha de peixe.

Rory Heron. A resposta de Willowgrove a todos os bad boys melancólicos dos filmes do fim dos anos 1990. O solteiro mais cobiçado do círculo de maconheiros, skatistas e vagabundos da pirâmide social. Ela nunca teve nenhuma matéria com ele, mas ouviu dizer que ele não é muito de frequentar as aulas mesmo.

Ela observa enquanto os olhos dele traçam o mesmo caminho que os dela fizeram — a cômoda, a cama, as fotos na parede. Depois de notar que chutou o minibuquê do batente para o chão, ele o pega com delicadeza e examina as folhas secas antes de devolvê-lo ao lugar. Chloe estreita os olhos. O que Rory Heron está fazendo aqui, no quarto de Shara, acariciando os buquês dela?

Então ele vira para a escrivaninha, a vê e dá um grito.

Chloe se levanta de um salto e tapa a boca dele.

— Cala a *boca* — Chloe sussurra, furiosa. De perto, ela nota que os olhos dele são castanhos meio cor de avelã e estão arregalados de espanto. — Os vizinhos podem ouvir você.

— Eu *sou* os vizinhos — ele diz quando ela o solta.

Chloe o encara, tentando encaixar toda a persona de Rory com o ar certinho do Condomínio False Beach.

— Você mora aqui?

Rory a encara.

— Por que, não tenho cara de quem consegue bancar morar aqui?

— Você tem cara de quem preferiria morrer a morar aqui — Chloe responde.

—Acredite em mim, não é por escolha — Rory replica, com a cara ainda fechada, mas de um jeito diferente agora. — Você é a... Chloe, certo? Chloe Green? O que estava fazendo debaixo da escrivaninha da Shara?

— O que *você* está fazendo entrando pela janela da Shara?

— Você primeiro.

— Eu... eu, hum — Chloe balbucia. O susto da entrada de Rory a tirou um pouco dos eixos, e agora ela não sabe bem como se explicar. Seu rosto começa a arder; ela tenta se forçar a não corar. — Fiquei sabendo que ela fugiu ontem à noite.

—Também fiquei sabendo — Rory declara. Ele fala com o mesmo ar de desinteresse ensaiado com que se comporta, os ombros caídos e imparciais. — Você... sabe onde ela está?

— Não, eu só... queria ver se ela tinha sumido mesmo.

— Por isso invadiu a casa dela — Rory diz, inexpressivo.

— Eu usei uma chave!

— É, mesmo assim é um arrombamento.

— Só se eu quebrasse a porta.

— Certo, invasão de propriedade.

— E entrar pela janela é o quê, então?

Rory hesita, baixando os olhos para os Vans.

— É diferente. Ela me falou que deixaria a janela destrancada.

— Não é um convite, cara.

— Meu Deus, já disse, sou *vizinho* dela. As pessoas, tipo, vivem pedindo pros vizinhos darem uma olhada nas suas coisas quando estão fora de casa. Acontece.

— E é isso que você tá fazendo?

— Queria saber se ela estava bem.

Chloe faz uma cara cética.

— Nunca vi você falar com ela na vida.

— Você nem a conhece, certo? — Rory rebate. — O que *você* tá fazendo aqui? Por que você liga se ela desapareceu?

Por que ela liga? Porque ela e Shara passaram todos os dias de suas carreiras do ensino médio dedicadas ao único objetivo de ser a melhor aluna e oradora da formatura, e a única coisa que Chloe queria mais do que esse título era a satisfação de saber que Shara Wheeler não poderia tê-lo. Porque Shara Wheeler já tinha todo o resto.

Porque, se Shara tivesse sumido mesmo, ela perderia por desistência, e Chloe Green se recusava a ganhar pela ausência da adversária.

Porque, dois dias atrás, Shara a encontrou sozinha no elevador do Edifício B antes da quinta aula, a puxou pelo cotovelo e a beijou até ela esquecer um semestre inteiro de francês. E Chloe ainda não sabe o porquê.

— Por que *você* liga? — ela retruca para Rory.

— Porque eu... manjo qual é a dela, saca? As amiguinhas babacas dela não, mas eu manjo.

— Ah, você *manja qual é a dela*. — Chloe revira os olhos. — Então isso qualifica você pra liderar a equipe de busca.

— Não...

— Então o que o qualifica?

Há mais uma pausa. Rory passa o peso de um pé para o outro. E então baixa os olhos para a escrivaninha, ergue as sobrancelhas escuras e diz:

— Aquilo.

Quando Chloe segue o olhar dele, encontra um envelope pousado de forma inofensiva em um organizador de cartas rosa. O nome de Rory está escrito na frente, na letra cursiva de Shara.

O nome de *Rory*?

Os braços de Rory são mais compridos, mas Chloe reage mais rápido. Ela pega o envelope e o abre com um dedo, tirando de dentro uma folha daquele papel timbrado, e lê a cursiva impecável de Shara em voz alta.

Rory,

Obrigada pelo beijo. Se pensou que eu nunca havia notado você, estava enganado.

Beijos,
Shara

P.S.: pêssego100304
P.P.S.: Peça para o Smith dar uma olhada nos rascunhos. Chloe deve sacar o resto.

— Você a *beijou?* — Chloe questiona.

Rory parece prestes a desviar de um soco, algo que ele deveria guardar para quando o atual namorado de Shara descobrir.

— *Ela* me beijou!

A raiva volta com força.

— Quando? — Chloe diz entredentes.

— Ontem à noite. Antes do baile.

— Onde?

— Na... boca?

— *Geograficamente*, Heron.

— Ah. No telhado da minha casa.

Shara beijou Rory. E agora Rory está aqui, no quarto dela, defendendo-a para Chloe, porque ele... ai, Deus.

Ela é a vizinha gata, e ele está apaixonado por ela. Foi isso o que aconteceu. Que absoluta e irritantemente previsível.

— Bom, não fique muito animado — Chloe diz. — Ela também me beijou.

Rory a encara.

— Você tá zoando.

— Não mesmo — Chloe responde. — Na escola, na sexta.

Ele fecha bem os olhos, começa a passar a mão nos cachos, então para antes de estragar o jeito como os arrumou.

— Certo, então, isso — ele aponta para os dois e para o quarto como um todo — faz mais sentido.

Um silêncio terrivelmente constrangedor cai como uma nuvem de cecê de atletas em uma sexta-feira de jogo. Chloe abre a boca para falar...

A porta de entrada no andar de baixo se abre.

— Droga — Chloe diz.

Ela olha o relógio na mesa de cabeceira: 12h13. Rory a fez perder a noção do tempo.

— Você vai ter que pegar a escada — Rory diz, já em movimento.

— Maldita Shara Wheeler — Chloe murmura, e sai pela janela com tanta violência que quase não pega o primeiro degrau.

Ao chegar no gramado, Rory coloca a escada em cima de um dos ombros magros e tenta passá-la para o outro lado da cerca. Ele é mesmo um rostinho bonito em um corpo de cabo de vassoura, fisicamente falando. Ela entende por que tantas alunas do segundo e do primeiro ano são obcecadas com o ar dele de cara-gato-e-mal-humorado-com-o--violão-no-estacionamento-da-escola, mas vê-lo carregar peso chega a ser triste.

— Vem cá — ela diz, pegando o outro lado.

Ele resmunga, descontente, mas não recusa.

Eles pulam para o quintal dele, tão impecável e verdejante quanto o resto do condomínio. Quando morava na Califórnia, Chloe nunca tinha entrado em um condomínio fechado daqueles, uma área extensa com um segurança na portaria, como se fosse o leão de chácara de um campo de golfe. Ela precisou fingir ser a babá de alguém para entrar.

— Tá, dane-se — diz Chloe, limpando o resto do lápis no olho. O dorso da mão volta preto. — O que o lance do pêssego quer dizer? No bilhete?

— Não faço ideia — Rory diz.

— Então a gente vai ter que contar tudo pro Smith amanhã e ver se *ele* sabe.

Rory faz uma careta. Ele parece ridículo, dentro desse condomínio fechado, fingindo ser um canalha indie bonzinho.

— *A gente?* — ele diz. — Você quer *contar pro Smith* que beijou a namorada dele?

— Você não quer saber o que ela tá fazendo? Onde ela tá?

— Por que a gente não espera até ela voltar e pergunta pra ela?

— Por que você tem tanta certeza de que ela vai voltar assim tão rápido? — Chloe questiona. — E se ela tiver algum tipo de... vida pa- ralela secreta em outra cidade, ou algum cara rico a estiver bancando, ou qualquer do tipo? E se ela só voltar depois que todos tivermos ido para a faculdade? E se ela der um perdido em todo mundo pra sempre? E se você passar o resto da vida sem saber por que, em nome de Deus, Shara Wheeler te beijou?

Rory, que estava estreitando mais e mais os olhos conforme ela fa- lava, mordeu um lado do lábio e disse:

— Ela fodeu mesmo com a sua cabeça, hein?

— Tchau — Chloe diz, dando meia-volta. — Vou fazer isso sozinha.

— Espera — Rory a chama.

Ela para.

— Amanhã que horas?

— Logo cedo — Chloe diz. — Física do futebol americano é na primeira aula.

— Ótimo. — Ele abre o portão para ela. — Vou colocar meus as- suntos em ordem.

— Por que você nunca fez teste pro musical da primavera? Você é tão dramático.

— Não é a minha praia.

Eles ficam parados, as chaves de Chloe tilintando na mão dela, Rory com cara de quem vai começar a escrever poemas depressivos sobre Shara a qualquer momento. Ou seja lá qual for o lance dele. É inquie- tante, mas parece que ela acabou de entrar para o pior trabalho em grupo do mundo, e ela não imagina que a inclusão de Smith Parker vá melhorar as circunstâncias.

— Hum. — Chloe pigarreia. — Você pode... não contar para nin- guém? Que a Shara me beijou? Não sei se eu deveria... enfim, acho que é melhor não deixar isso se espalhar pela escola a menos que ela mesma decida contar.

Rory balança a cabeça.

— Não pretendia contar pra ninguém.

Satisfeita, Chloe ergue o queixo e dá meia-volta, empurrando o portão.

— Vejo você na escola amanhã. É melhor aparecer. Agora sei onde você mora.

— Ameaça recebida — Rory diz com uma continência mal--humorada, e ela fecha o portão na cara dele.

Ela atravessa o gramado dos Heron e dá a volta até um bosque com uma fonte cheia de detalhes e na forma de um golfinho muito feio, onde estacionou o carro.

No banco do motorista, ela finalmente deixa o corpo relaxar da forma como só consegue quando está sozinha de verdade. Seus ombros desabam. As chaves escorregam de sua mão e caem no tapete do carro. Sua cabeça se afunda sobre o volante. O gato da sorte em miniatura no painel acena para ela, sem entender.

Ela levou um beijo e um fora de Shara Wheeler. E nem foi a única.

Mas... aquele brilho labial. Baunilha e hortelã. É com certeza, cem por cento, o brilho labial que ela estava usando quando se beijaram. Chloe nunca, jamais, esqueceria daquele cheiro.

O que significa que Shara o comprou especificamente para beijar Chloe.

Prova de que, à noite, em seu quarto azul-bebê, enquanto penteia o cabelo e pinta as unhas e dá três voltas de elástico para prender uma pilha de fichas de estudos, Shara pensa em Chloe.

E *isso* já é uma vitória.

DA PILHA DA FOGUEIRA

Bilhete escrito à mão de Chloe para Georgia

POR FAVOR, NÃO REAJA EM VOZ ALTA se a madame Clark pegar esse bilhete e o ler em voz alta como fez com o ranking das bundas das meninas que o Tanner fez, vou literalmente te matar

Tá. Então.

Shara Wheeler acabou de me beijar. Tipo literalmente agora há pouco quando estava vindo pra quinta aula.

DE NOVO, POR FAVOR, NÃO REAJA você está calma, você é um lago plácido, você está igual às minhas mães depois de um jarro de chá de cânhamo.

Eu estava pegando o atalho do elevador dos professores, e ela entrou, e aí me beijou, DO NADA.

E acho que retribuí o beijo??? Ela é gata! Eu entrei em pânico! Ela pode ser a desgraça da minha vida, mas também parece que vive nas colinas da Suécia e passa o tempo todo bordando flores em camisas de linho como uma figurante de *Midsommar*. Ela tem cara de quem tem um cheiro bom e estou aqui para relatar que ela tem mesmo um cheiro bom, tipo, lilases, tirando o brilho labial, que era baunilha com hortelã. Tipo, o que *mais* eu deveria fazer quando uma menina como aquela está prestes a me beijar? Qualquer pessoa teria feito o mesmo.

ENFIM. Ela me beijou, tipo, me beijou de verdade, tipo, me BEIJOU, e então SUMIU.

O que isso quer dizer??? Shara Wheeler é a pessoa mais terrivelmente heterossexual que já botou um cropped da Brandy

Melville. É óbvio que ela estava zoando com a minha cara. Isso
é um comportamento típico de meninas héteros. Não é???
O que eu faço????
Lilases, Geo. LILASES.

2

DIAS DESDE QUE SHARA WHEELER SUMIU: 2
DIAS PARA A FORMATURA: 41

A primeira coisa que Chloe viu quando o Subaru das suas mães cruzou o perímetro urbano de False Beach foi o rosto de Shara Wheeler.

Não foi só uma sensação — embora pareça sim que Shara Wheeler está em todo lugar, o tempo todo. O rosto dela estava literalmente em um outdoor de doze metros de largura entre uma Waffle House e um supermercado sob o céu cinza cor de pântano: uma menina loira bonita com um sorriso bonito, segurando uma pilha de livros didáticos e um transferidor.

JESUS AMA GEOMETRIA!, o outdoor declarava, o que, para Chloe, pareceu uma declaração um tanto ousada. UMA EDUCAÇÃO CENTRADA EM CRISTO NA ESCOLA CRISTÃ WILLOWGROVE!

Há um total de cinco escolas de ensino médio em False Beach, e Willowgrove é a única com um programa razoável de matérias avançadas e um departamento de teatro com orçamento para encenar *O fantasma da ópera*. Para uma nerd literária de catorze anos em plena fase gótica, essas pareciam as coisas mais importantes que o ensino médio poderia lhe oferecer. Sua mãe havia estudado em Willowgrove nos anos 1990 e tentou alertá-la sobre como seria, mas Chloe insistiu. Se essa era sua única opção, ela conseguiria aturar as coisas de Jesus.

— Que tipo de nome é False Beach? — Chloe perguntou para a mãe pela quinta milésima fatídica vez naquele dia enquanto passavam debaixo do outdoor de Shara. Era uma pergunta que ela vinha fazendo desde a primeira vez que a mãe tinha falado o nome de sua cidade natal.

— É uma praia, mas não é — sua mãe respondeu, como sempre, e sua outra mãe virou uma página de *Contos da Cantuária*, e elas continuaram dirigindo, deixando para trás o pôr do sol da Califórnia rumo ao cu do Alabama.

False Beach fica às margens do lago Martin, o que dá a leve ilusão de que essa poderia ser uma cidade praiana como Gulf Shores ou Mobile, mais adiante na costa, mas não é. Fica a quatro horas do Golfo do México seguindo por dentro do continente, mais perto de Atlanta do que de Pensacola, quase bem no centro do estado. A beira do lago nem é de areia, porque o lago não é um lago de verdade. É um reservatório feito nos anos 1920, cercado por margens pantanosas, bosques e falésias.

É apenas uma cidade perto de um corpo de água onde nunca acontece nada de interessante. E, no que Chloe descobriu ser a natureza de cidades pequenas, quando uma coisa finalmente acontece, todos ficam sabendo. O que significa que, na segunda de manhã, todos só querem saber aonde Shara pode ter ido.

Sinceramente, não é lá *tão* diferente assim de qualquer outro dia em Willowgrove. Lá, Shara Wheeler é como Helena de Troia, se Helena fosse famosa por ser ao mesmo tempo bonita e trágica e terrivelmente brilhante demais para aquela cidade pequena, ou Regina George, se seu histórico não registrasse o dobro das horas de trabalho voluntário exigidas pela escola.

Shara Wheeler é tão *linda*. Shara Wheeler é tão *inteligente*. Shara Wheeler *nunca* fez mal a *ninguém* na *vida*. Shara Wheeler tem a voz de um anjo, na verdade, mas nunca fez teste para nenhum musical de primavera porque não quer tirar o foco de outros alunos que precisam mais. Shara Wheeler é o amuleto da sorte do time de futebol americano, e, se ela perder um jogo, eles estão condenados. No ano passado, houve todo um movimento de calouras usando cola para cílios no lábio superior para ficar com a boca igual à de Shara, cujo lábio é naturalmente carnudo e voltado para cima. É um milagre que ainda não tenham botado a cara dela até no pote de manteiga.

Hoje:

— Ouvi dizer que ninguém a vê desde a noite do baile.

— Ouvi dizer que o Smith terminou com ela e ela perdeu a cabeça.

— Ouvi dizer que ela fugiu para construir casa para pessoas em situação de rua.

— Ouvi dizer que ela está escondendo uma gravidez e que os pais a mandaram para longe até ela dar à luz pra ninguém descobrir.

— Esse é literalmente um enredo de *Riverdale*, idiota — Benjy grita para um aluno do segundo ano que passa.

Ele suspira e, com cuidado, coloca o uniforme dobrado da Sonic no fundo do armário para seu turno depois da aula. Chloe olha feio para o espelho na porta do armário. Irritada que sua vida *também* tenha que girar em torno de Shara Wheeler agora.

— Você está bem, Chloe? — Benjy pergunta.

— Lógico que estou — Chloe diz, ajeitando os prendedores de colarinho de prata cintilantes. Georgia descreve sua interpretação do uniforme como "extrapolação". Chloe a descreve como "por favor, me permita sentir uma dosezinha de individualidade antes que a arranquem de mim até o horário do almoço". É algo assim. — Por que eu não estaria?

— Porque você só maquiou um olho.

— Quê? — Ela olha seu reflexo de novo. Olho esquerdo: um delineado de gatinho bem preto feito com maestria. Olho direito: nu como um recém-nascido. — Ai, meu Deus.

Ela tira do armário um delineador da bolsinha de maquiagem para emergências. Está lá há tanto tempo que ela precisa riscar o dorso da mão para pegar no tranco. Nunca pensou que precisaria dele.

— Enfim — Benjy diz, retomando a conversa. — Falei para a Georgia que precisamos fazer a noite de filme na casa dela esta semana porque Ash quer ver aquele filme *Labirinto* de que a sua mãe comentou e, se meu pai entrar e ver as partes do David Bowie na calça branca de elastano, vai ter algumas perguntas que não estou muito disposto a responder. Então, vamos... — Ele se interrompe. — Hum. Por que o Rory Heron está vindo aqui?

Um vulto pequeno surge atrás do ombro de Chloe no espelho, logo abaixo do cabelo curto dela, mas chegando mais perto: Rory, parecendo profundamente indignado por ter que colocar os pés na escola antes da terceira aula.

— Devo dinheiro a ele pra um presente pra madame Clark — Chloe mente rápido, terminando a maquiagem e tampando o delineador.

— Divirta-se — Benjy diz, e sai para a primeira aula.

Chloe fecha o armário e encara Rory.

— Que bom que não tenho que voltar ao condomínio.

Rory pisca.

— Sabe que esse seu lance todo é, tipo... exaustivo, né?

— Obrigada — ela diz. — Vamos lá.

Ela vai cortando a multidão até o laboratório de física, se concentrando naquele em torno de quem todos os outros jogadores de futebol americano parecem orbitar. Smith Parker. Smith Parker: namorado de Shara, quarterback, vítima da tragédia de ter um primeiro nome com cara de sobrenome e um sobrenome com cara de primeiro nome.

Ela se lembra do dia em que Smith e Shara ficaram pela primeira vez. Na semana de volta às aulas do penúltimo ano, quando toda a escola estava consumida pelo ritual sulista bizarro de pagar um dólar para o grêmio estudantil enviar cravos para seu crush. Chloe foi obrigada a ser a parceira de laboratório de Shara em química avançada naquele ano, e Shara tinha acabado de riscar a fórmula de Chloe para escrever a dela — a de Chloe estava certa — quando duas dúzias de cravos foram deixadas em cima das anotações de laboratório delas. Todas eram de Smith para Shara, e, desde então, eles são o casal mais poderoso de Willowgrove, mas, francamente? Cravos nem são flores tão bonitas assim.

Na opinião de Chloe, Smith não é muito melhor do que os outros babacas do futebol americano, todos os quais ela é obrigada a desprezar por uma questão de princípios. Quando a maior parte do dinheiro das mensalidades do ano passado foi para as reformas do estádio e o treinador de líderes de torcidas passou a ensinar educação cívica, as prioridades de Willowgrove ficaram bem óbvias. Cada jogo que Smith ganha tira mais dinheiro do programa de artes, o único lugar para alunos com talento *de verdade*.

De perto, Smith Parker… não é tão gigante quanto Chloe pensava. Ele é mais delgado do que corpulento, mais um bailarino do que um jogador de futebol americano. Ele é um dos poucos atletas que Chloe considera bonito, ao contrário daqueles feios, porém gostosos de pescoço grosso: tem maçãs do rosto salientes, olhos castanhos marcantes com o canto interior afilado e sobrancelhas arqueadas, pele marrom-escura que, sabe-se lá como, continua imaculada durante a temporada de futebol americano. Ele é alto, ainda mais do que Rory. Será que ele cresceu um pouco desde o baile de formatura? Ele sempre teve aquele queixo quadrado e o corpo triangular? Ele parece um problema de geometria avançada.

— Smith — ela diz. A princípio, ele não responde, ainda gritando no corredor para um de seus colegas de time…, mas, sério, a temporada de futebol americano terminou há quatro meses, será que eles não conseguem encontrar outro traço de personalidade? Então ela tenta de novo. — Smith!

Quando ele finalmente olha, passa pela cabeça dela que Smith Parker talvez nem saiba quem ela é. Ele definitivamente ao menos a conhece como aquela menina queer de Los Angeles com as duas mães lésbicas, como todo o resto das pessoas a conhece, mas será que *sabe* quem ela *é*? Sua reputação de liderar a equipe de Perguntas & Respostas com punho de ferro pode não significar nada para ele. Será que Shara disse a ele que Chloe era sua única legítima arqui-inimiga acadêmica?

— E aí? — Smith diz.

Ele alterna o olhar entre ela e Rory, que está se encolhendo no moletom do uniforme, e responde com um leve aceno de queixo.

Chloe franze os lábios.

— Podemos conversar por um segundo?

Smith olha para trás, para onde Ace Torres está, na porta do laboratório de física, cumprimentando mais um cara do time de futebol. É de conhecimento geral em Willowgrove que a primeira aula de física do último ano é idiotizada e tem parâmetros bem baixos de avaliação para ajudar alunos atletas a manter suas médias altas.

— Preciso ir pra aula — ele diz.

Chloe sibila.

— É física do futebol americano.

— Eu sei — Smith replica —, mas...

— E é o último mês de aula — Chloe argumenta. — Ninguém liga se alguém chegar atrasado, muito menos você.

— Olha, tive um fim de semana longo — Smith diz, virando-se para ela. Dessa vez, ela nota um peso nos olhos dele. Ela se pergunta como será que ele passou o domingo... provavelmente dando rasteiras em vacas com os outros caras ou coisa assim. — A gente pode só...

— Eu beijei a Shara — Rory solta.

Smith fica paralisado. Rory fica paralisado. Todas as vacas que não levaram rasteiras na cidade ficam paralisadas.

Quando Smith volta a falar, sua voz está baixa.

— Quê?

— Quero dizer, hum — Rory diz. É quase engraçado como, em um estalo, todo aquele ar irreverente de garoto avoado que mata aula desaparece. Meninos dão tanta vergonha. — Ela, hum... antes de ela sumir, nós, hum...

— Ele beijou a Shara. E eu também — Chloe diz, dando um passo à frente como um *Spartacus* das pessoas que beijaram a namorada de Smith Parker. — Quero dizer, ela me beijou, se é para ser específica. Mas eu retribuí o beijo.

Smith a encara, depois Rory, depois Chloe de novo.

— Vocês acham isso engraçado? — ele pergunta. — Porque não é.

— É um pouquinho engraçado, sim — Chloe observa.

— Não é uma piada — Rory insiste.

Se Smith sabe alguma coisa sobre os círculos sociais inferiores de Willowgrove, ele deve saber que Chloe e Rory nunca nem fizeram contato visual no corredor, que dirá uma conspiração para pregar uma peça no quarterback. Todo o ecossistema de Willowgrove depende de divisões rígidas entre cada estrato social. Smith deve saber que ela não perturbaria a ordem natural das coisas a menos que fosse absolutamente necessário.

Um músculo no maxilar do garoto se contrai.

— Bom, é um saco ouvir isso — Smith diz. — Por que estão me contando?

— Porque precisamos conversar — Rory arrisca. — Todos nós.

Chloe tenta uma abordagem mais direta.

— Rory, mostra o bilhete.

— Que bilhete? — Smith pergunta.

Rory resmunga, mas vira a mochila e abre o zíper. Está coberta de *patches* da Thrasher e bottons pretenciosos e contém um total de zero livros didáticos.

— Ela nos deixou isso — Chloe diz quando ele dá o cartão para Smith. — Você sabe o que essa última parte significa?

Smith encara bem o bilhete por um minuto, depois o dobra e o devolve calmamente.

— Você gosta dela, não gosta? — Smith pergunta para Rory. — Ainda?

Chloe alterna o olhar entre os dois, a tensão na boca de Smith e a ruga descontente entre as sobrancelhas de Rory. Ela não costuma associar muitos sentimentos complicados a garotos adolescentes, mas com certeza há alguma história complexa ali. O Vórtice de Shara.

— Mais ou menos — Rory diz, com a voz de um menino que subiu pela janela do quarto de Shara no dia anterior.

Smith assente com uma satisfação triste e se volta para Chloe.

— E você?

Chloe pestaneja e baixa a voz.

— Eu mal a *conheço*. Não faço ideia do porquê ela me beijou. Só quero ser a oradora da turma em vez dela.

Smith pondera aquilo e assente de novo. Chloe está começando a desconfiar que não entende tanto assim de atletas.

— Não sei o que o pêssego significa — Smith diz —, mas os números são a senha do meu armário.

O armário de Smith Parker é um caos.

Ao menos o cheiro é melhor do que o dos armários dos outros caras do futebol americano, mas é lotado de livros didáticos e de cadernos cheios e mais livros do que ele poderia ter que ler para uma aula de inglês normal. Tem também uma quantidade surpreendente de cosméticos: potes de hidratante, elásticos de cabelo, base marrom-escura, protetor labial de romã. Ele enfia tudo isso atrás de uma caixa de biscoitos de aveia recheados.

— Sério, cara? — Chloe pergunta, apontando para os biscoitos.

Smith dá de ombros.

— Preciso consumir bastante caloria.

Enquanto Smith revira a bagunça, Chloe fica olhando para a foto na porta do armário. É de Smith e Shara no baile do último outono, ele em um combo genérico de camisa de botão e calça social, ela *naquele* vestido.

Chloe não foi àquele baile, mas viu o vestido de Shara no Instagram, assim como todas as outras pessoas na face da terra. Era um vestido de alcinha simples de seda azul, com um decote recatado, mas nela caiu como uma luva, e ela estava sem sutiã. Durante uma semana inteira, ninguém na escola calava a boca sobre o vestido. Manchete do jornal das nove: FILHA FAVORITA DE DEUS MOSTRA UM POUCO DO MAMILO.

Ela repara em Rory de rabo de olho para conferir se ele está vendo a mesma coisa, mas ele está focado em Smith, que tirou algo de detrás do seu estoque de Gatorade.

— Espera — Smith diz. — Não coloquei isso aqui.

É um saco de bala, e tem um segundo cartão do papel de Shara amarrado com capricho com uma fita rosa. O nome de Smith está escrito no envelope.

— Balas de pêssego? — Chloe pergunta.

— Ela sempre dá um pacote para as líderes de torcida que montam meu saco de doces em dias de jogo — Smith diz. — São as minhas favoritas.

— Até hoje? — Rory diz.

Smith olha feio.

— O que que tem?

— É que essas balinhas são meio coisa de criança — Rory diz, dando de ombros.

— Você vai abrir ou o quê? — Chloe intervém.

Smith suspira e tira o cartão, e Chloe lê por cima do ombro dele antes que ele consiga impedir.

> Smith,
>
> Acho que, talvez, o problema seja que não sei como contar a verdade para você. Talvez seja por isso que preciso fazer o que estou fazendo. Não sei como contar para você, mas talvez eu possa te mostrar.
>
> Juro que estou bem. Não fique muito chateado com os beijos. Não foi culpa deles.
>
> Beijos,
> Shara
>
> P.S.: O P.S. do último bilhete ainda não acabou. Peça para o Rory guardá-lo com carinho. Não deve ser difícil.
>
> P.P.S.: Fala para a Chloe que o dela vai chegar.

— Não faço ideia do que isso quer dizer — Smith diz, baixando o cartão. Rory inclina a cabeça para o lado para ler com os olhos semicerrados.

— Você não acha que ela foi sequestrada, do tipo *Busca implacável*, acha? — Chloe pergunta.

— Não.

— Então, ela sumiu de propósito?

— Acho que sim.

— Vai ver ela está fugindo da cena de um crime. Vai ver ela *matou* alguém.

— Duvido.

Rory se empertiga.

— Você lá se importa? — ele intervém.

Eita.

Smith hesita, depois fecha o armário.

— Quer tentar de outro jeito?

— Tipo, sei lá — Rory diz. — Você não vai trocar a garota por umas fãzinhas de futebol americano depois da formatura, de qualquer forma? Essa situação parece bem conveniente para você.

— Vish. — Chloe expira.

Smith morde o interior da boca, assentindo devagar como se Rory fosse um *kicker* de oitenta e cinco quilos de um time adversário. Então ele tira o celular do bolso, o destrava e o ergue.

Está aberto no registro de chamadas dele, e todas as ligações — dez só nas últimas duas horas — são para a mesma pessoa. Shara, Shara, Shara, Shara, Shara.

— Eu e Ace rodamos cada quilômetro quadrado de False Beach atrás dela ontem — Smith diz. — Olhamos todos os lugares aonde ela gosta de ir para ver se talvez ela estivesse no Cinemark de Houghton ou no Sonic ou no parque com todas as magnólias perto daquela loja de material esportivo, e ela não estava em lugar nenhum. Fiquei lá por *horas*. Então, sim. Eu ligo.

A cara que Rory faz parece um cursor piscando no topo de um documento em branco do Word, então Chloe aproveita a deixa.

— Então você precisa da gente — ela diz a Smith. — É óbvio que isso é... algum tipo de quebra-cabeça que a Shara preparou para nós, e todos temos uma peça. Quando resolvermos tudo, vamos saber onde ela está.

Smith finalmente para de encarar Rory para olhar para ela.

— Cadê a *sua* peça?

— Estou procurando — Chloe resmunga. — Mas não adianta nada encontrá-la se não concordarmos que estamos juntos nessa.

A atenção de Smith se volta para Rory.

— Você está de boa com isso?

— Olha, queria estar cagando pra isso, mas eu me importo — Rory diz, finalmente recuperado. — Se Shara está falando de nós três, deve ser mesmo pra estarmos todos aqui, então, que se dane. Eu topo.

— Eu também — Chloe diz. — O que quer dizer que, se quiser saber onde sua namorada está, precisa superar o fato de que ela nos beijou. Tipo, rápido.

Ao redor deles, o resto de Willowgrove vai entrando em suas primeiras aulas, e todos param por um segundo para encarar enquanto passam. Chloe Green, que praticamente gabaritou as provas do fim do ano. Smith Parker, o santo que carregou Willowgrove nas costas rumo ao título de campeão estadual por dois anos seguidos. E Rory Heron, mais conhecido por alagar o laboratório de biologia de propósito. Os três ocupando o mesmo lugar está abrindo um buraco no contínuo espaço-tempo de Willowgrove.

Smith está visivelmente fazendo cálculos mentais. É óbvio que ele e Rory prefeririam fazer praticamente qualquer coisa a passar mais um segundo na companhia um do outro, o que significa que a vida de Chloe está prestes a virar um tornado sem fim de egos, mas isso ela consegue aturar, desde que a leve a uma vitória justa. Como Willowgrove, é um mal necessário.

— Acho que eu topo — Smith diz. Ele espia Chloe de esguelha. — Entendo o que a Shara falava sobre você.

Chloe pestaneja.

— O que ela disse sobre mim?

— Não se preocupe.

— Tá — Chloe diz, definitivamente se preocupando. — Se houver alguma coisa de que precisamos saber, por exemplo se ela disse ou fez alguma coisa incomum nos últimos tempos, você precisa falar pra mim.

— Pra nós — Rory a corrige.

— Pra nós — Chloe concorda.

— A única coisa recente — Smith diz, por fim — era que ela via falando que não podia sair porque tinha dever de casa. Ela faz isso sempre, mas era, tipo, *muito* dever de casa. Então, acho que… talvez ela estivesse fazendo outra coisa.

— Ela parecia… infeliz? — Chloe pergunta.

— É difícil dizer sobre a Shara às vezes — Smith diz. — Às vezes, ela simplesmente some. Tipo, fica o fim de semana inteiro sem responder mensagem, ou coloca o celular no modo avião, sem explicação, e dois dias depois é como se nada tivesse acontecido.

— E o que você faz? — Rory pergunta. — Quando ela some?

— Nunca precisei fazer anda antes — Smith diz. — Ela sempre voltou.

Conversa em grupo incluindo Chloe Green, Smith Parker e Rory Heron

> mandando isso pra criar o grupo. favor não responder a menos que tenha informações sobre SW.

> Smith
> ok

> Smith, literalmente falei pra não responder.

> Smith
> malz

Chloe mudou o nome do grupo para "Eu beijei Shara Wheeler"

Rory
☹

Smith
Ah, não

Smith deletou o nome do grupo

não sei pq vc está bravo se é um fato

DA PILHA DA FOGUEIRA

Conteúdo de uma das fitas de Rory, desenrolada.
Marcada com um adesivo verde de "pessoal".

Eu beijei Shara Wheeler.

Foi assim: não acredito no baile de formatura enquanto instituição, mas ainda assim ele exerce um fascínio mórbido, então saí pela janela e fui me sentar no telhado para observar todos saírem do condomínio em suas limusines alugadas e passarem pelo campo de golfe. E foi lá que ela me achou. Ela ergueu a barra do vestido, escalou a treliça perto do corniso para subir ao telhado, disse "oi" e me beijou. Depois foi embora de novo.

Não foi exatamente o momento bombástico que sempre pensei que seria, principalmente porque fiquei só... confuso.

Fiquei sentado lá e observei o Smith parar o carro na frente da casa dela como o observei parar o carro na frente da casa dela um milhão de vezes desde o segundo ano, com um sorriso tão largo que eu conseguia ver como os dentes dele eram brancos de lá de cima. Ele tirou fotos com Shara na frente da casa como se nada nem tivesse acontecido.

Brooklyn Bennett postou um story passivo-agressivo no Instagram hoje cedo sobre como o grêmio estudantil gastou metade do orçamento do baile em uma chuva de balões para o anúncio da rainha do baile que nunca aconteceu. Jake viu Ace na Sonic e Ace disse que Smith falou que ele foi pegar as coisas da Shara na chapelaria e que ela sumiu antes de ele voltar para a pista de dança. Todo mundo já ficou sabendo a essa altura. Ninguém sabe aonde ela foi, nem por quê.

Mas eu a beijei.

3

DIAS DESDE QUE SHARA WHEELER SUMIU: 3
DIAS PARA A FORMATURA: 40

Em seu quarto na terça à tarde, Chloe enrola uma corrente de prata no dedo e pensa na Califórnia.

Antes do primeiro ano do ensino médio, Chloe tinha visitado False Beach apenas algumas vezes. Ela sempre achou a cidade insuportável — nenhuma hamburgueria In-N-Out, nenhum *bubble tea*, só postos de gasolina e um Olive Garden com uma fila de espera de duas horas às sextas porque era o restaurante mais chique da cidade. (Há anos existem boatos de que vai abrir um restaurante asiático P.F. Chang's, mas Chloe ainda acha que isso é muita aventura para False Beach.)

Mas quando sua vó adoeceu e ficou óbvio que ela não melhoraria, sua mamã desistiu da vaga no elenco da ópera de Los Angeles e Chloe trocou os amigos do fundamental e seu sashimi duas vezes por semana por False Beach. Isso foi quatro anos atrás.

Quatro anos desde que ela perguntou a uma menina na aula de biologia por que o capítulo sobre reprodução sexual estava fechado e conheceu Georgia, que estudava em Willowgrove desde o jardim de infância. Três anos e meio desde que largou a fase gótica e Georgia começou a manter seu plano de cinco anos pós-Willowgrove colado no armário. Naquele ano, Chloe e Benjy finalmente forçaram o sr. Truman, o diretor do coral, a escolher *O fantasma da ópera* para o musical de primavera, e os dois representaram Christine e Raoul, respectivamente.

E faz quatro anos que Chloe entrou em Willowgrove e viu a menina do outdoor sentada na primeira fileira, marca-textos todos organizadinhos. No fim daquele dia, ela tinha ficado sabendo que: (1) Aquela era Shara Wheeler. (2) O pai de Shara Wheeler é o diretor Wheeler, o homem que impõe as regras arcaicas de Willowgrove. (3) A família dela tem mais dinheiro do que Deus. (4) Todo mundo — *todo mundo* — ama aquela menina.

Quando Chloe perguntou naquela primeira semana, até mesmo Georgia, sempre indiferente a Willowgrove com seu próprio jeitinho tranquilo, disse: "É, a Shara é legal, na verdade".

Shara *não* é legal. A Califórnia era legal. Morar em um lugar em que não importava se todos sabiam sobre suas mães era legal. Shara é uma névoa vaga em forma de pessoa, que faz tudo exatamente como ditam os padrões de False Beach para que todos vejam uma menina perfeitinha sempre que olham para ela. O que tem de legal nisso?

(Não, Chloe ainda não encontrou seu bilhete de Shara. Sim, ela procurou em todos os lugares, inclusive no bolso da camisa oxford que ficou pressionada contra a polo de algodão de Shara quando elas se beijaram.)

Chloe coloca a corrente delicada de volta na gaveta e a fecha, olhando feio para o espelho do banheiro. Por que ela está olhando para a única pessoa na cidade imune a Shara Wheeler?

— Você é amaldiçoada por um discernimento impecável — Chloe diz para seu reflexo.

No quarto, ela chuta para o lado uma pilha de livretos de admissão de universidade para pegar a mochila. A busca por seu bilhete de Shara terá que esperar algumas horas. Ela tem um encontro marcado com seu projeto final de francês IV, um trabalho inteiro sobre as revoltas na França de 1789 a 1832, cuja data de entrega é em três semanas. Georgia é a sua dupla.

— Mãe, a Titania comeu minha calcinha de novo — Chloe diz quando entra na cozinha.

A mãe de Chloe, que ainda está usando o macacão do trabalho e enfiando alguma coisa enorme no freezer, solta:

— Parece um problema para alguém que larga as calcinhas no chão, não meu.

— É a terceira este mês. Pode me dar um dinheiro para ir à Target amanhã?

Titania, a gata em questão, está sentada em cima da geladeira e observa tudo como um pequeno lorde comedor de calcinhas. Ela é tempestuosa e vingativa e é parte da família Green há quase tanto tempo quanto Chloe. As mães de Chloe gostam de botar a culpa nela pela personalidade da filha.

— Dá uma olhada no pote de moedas — ela diz.

Chloe suspira e começa a contar os centavos.

— O que é isso? — ela pergunta, observando a mãe reorganizar os legumes congelados para abrir espaço para o pacote gelado misterioso. — Você matou alguém?

— Sua *mãe* — ela responde quando finalmente enfia o pacote lá dentro — pediu um banquete sulista quando chegasse de Portugal no fim de semana. Um muito específico. — Ela dá um tapinha no pedação de carne e vira para a filha, um pouco do cabelo curto escuro caindo na testa. Ela costumava pedir a ajuda de Chloe para pintá-lo de azul, mas tem deixado natural desde a mudança. — Isso, minha filha, é um peru-pato-frango.

— Parei de prestar atenção em *peru* — Chloe diz. — Mas continua.

— É um peru recheado de pato recheado de frango.

— Onde você arranjou isso?

— Tenho meus contatos.

— Que… perturbador.

Sua mãe concorda com a cabeça e fecha o freezer.

— Minha esposa é uma mulher de gostos refinados.

Como Chloe e a mãe ficaram desoladas com a mudança, sua mamã da Costa Oeste decidiu adotar uma atitude agressivamente positiva quanto a descobrir o Sul dos Estados Unidos. Ela comprou uma camiseta vermelha do Alabama para usar na horta e um conjunto de malas com estampa xadrez para quando viajasse para fora a trabalho. Ela até emoldurou uma foto da Dolly Parton e pendurou no batente da cozinha. É todo um lance.

Mas sua atividade favorita é procurar todas as iguarias sulistas possíveis. Na antiga casa, a coisa mais Alabama sobre a cozinha delas era o jarro de chá gelado que a mãe de Chloe sempre deixava na geladeira. Agora, sua mamã insistia em aprender a fritar coxas de frango e tomates verdes, experimentava cada item do cardápio do Bojangles, e se tornou uma freguesa regular em todas as lanchonetes de comidas do Sul.

E, pelo visto, ela faria Chloe comer algum tipo de boneca russa culinária dos infernos, o que é ainda pior do que a vez em que ela assou aquele frango recheado com uma lata de cerveja enfiada no rabo.

— Vou subir naquele palco para pegar meu diploma e continuar andando até chegar a uma cidade com um supermercado decente — Chloe diz.

— Ei. — Sua mãe cruza os braços e a espia do outro lado da cozinha. — Isso é a rabugice normal de Chloe ou você está mal-humorada porque está com saudade da sua mamã? Uma mãe não é o suficiente para você?

Chloe dá de ombros, pegando a bolsa e as chaves na mesa perto da porta dos fundos, logo abaixo de uma das pinturas abstratas de peitos feitas por sua mamã.

— Está tudo bem.

— Ou tem alguma coisa que está fazendo você agir estranho desde a semana passada?

— Está *tudo bem*! — Chloe retruca. — Tente usar a parte de baixo de um biquíni em vez de calcinha para ver como é agradável!

— Certo. Mas, sabe. Se precisar falar sobre alguma coisa. Meninas, meninos, qualquer coisa. O fim do último ano traz muitas emoções para todo mundo. Sei que você é…

— Tchau! — Chloe diz enquanto fecha a porta.

Ela tem certeza de que, se bater a porta rápido o bastante, o fantasma de Shara não tem como vir atrás.

São quinze minutos de carro da casa de Chloe até o centro de False Beach, e não há absolutamente nada de relevante no caminho além de uma Dairy Queen.

O que os locais chamam de "centro" é uma única rua principal ladeada por prédios históricos de tijolos vermelhos e lojas de dois andares encostadas umas nas outras, com sacadas de ferro e um charme de cidade pequena do Sul. No fim, há um tribunal branco alto, com pilares de ferro fundido e uma praça larga aos seus pés, dos tempos da Guerra Civil. Havia um monumento medonho dos confederados no centro da praça, mas dois verões atrás alguém o derrubou no meio da noite e o jogou dentro do lago Martin, o que é a única coisa legal que já aconteceu em False Beach. No ano passado, a câmara municipal fez um concurso para escolher uma nova mascote para a cidade e instalou uma estátua de bronze do vencedor: um cervo empinado com galhadas enormes chamado Buck, o Cervo.

Chloe vira à esquerda na praça e estaciona na frente da sorveteria Webster's bem quando a torre do sino bate cinco horas.

A livraria Belltower Books, que fica dentro da base da torre, é basicamente o único lugar de False Beach em que vale a pena ficar. É pequena, apenas dois ambientes apertados mais um terceiro que exige subir por uma escada e uma permissão especial, com livros empilhados em todas as superfícies disponíveis, incluindo o chão, a prateleira em cima do vaso sanitário ou a parte de cima do terrário que abriga uma iguana gorda. De hora em hora, o sino da torre ecoa pelas paredes da loja, chacoalhando até a recepção, onde o pai de Georgia está sentado com seus óculos de aviador escutando The Eagles.

Ela encontra Georgia sentada no alto da escada com um livro, sem a parte de baixo do uniforme, mas usando um moletom cinza com a barra dobrada e sandálias. As duas são muito parecidas — olhos castanhos, sobrancelhas grossas, queixo anguloso —, mas a estética de Chloe é mais *dark academia*, enquanto Georgia é a mais jovem sapatão mochileira doida por granola. Elas têm até o mesmo cabelo escuro curto, mas Chloe tem uma franja reta e bem marcada, enquanto Georgia não liga que vejam a sua testa.

Georgia é o tipo de pessoa que entra em uma sala como se já tivesse estado ali mil vezes, soubesse onde fica tudo, inclusive as saídas, e não tivesse medo de que algo pudesse ter mudado desde a última vez em que esteve lá. Ela é alta demais para parecer pequena, gentil demais para ser imponente, inteligente demais de um jeito nada a ver com fórmulas químicas ou antiderivadas para ligar para as notas. Uma vez, em uma eletiva de escrita criativa, pediram para Chloe descrever uma pessoa com uma palavra. Ela escolheu Georgia e a descreveu como "resistente", como uma árvore, ou uma casa.

É um milagre que alguém como Georgia exista em um lugar como o Alabama. A vida seria insuportável sem ela.

Chloe dá duas batidinhas na lateral do tornozelo de Georgia.

— Está lendo o quê?

Georgia vira a capa sem tirar os olhos da página: *Emma*.

— Austen? *De novo?*

— Olha. — Georgia suspira, aparentemente terminando o trecho em que estava. Ela nunca fala quando está no meio de um trecho. — Tentei um daqueles contemporâneos literários que a Val sugeriu...

— Por favor, não chama minha mãe de *Val*.

— ... e o lance é que a maioria dos livros de hoje em dia não é muito boa.

— E ainda assim, você quer escrever um livro hoje em dia.

— O segredo é que — Georgia diz, fechando o livro — vou escrever um bom.

— Não entendo seu lance com a Austen — Chloe replica conforme Georgia desce os degraus. — Sempre achei Emma irritante.

— O livro ou a personagem?

— A personagem. O livro é ok.

Georgia vai na frente, andando até o caixa, a garrafa d'água que carrega para tudo quanto é canto batendo nas prateleiras e cadeiras, anunciando sua aproximação. A mãe dela acena do outro lado da loja, de fones de ouvido enquanto faz o inventário.

— Por que a Emma é irritante? — Georgia pergunta.

— Porque ela é manipuladora — Chloe responde. — Acho que no fim ela não compensa tudo o que fez com os outros.

— O foco do livro não é ela tentar consertar tudo. É ela ser interessante — Georgia argumenta, entrando atrás do caixa para pegar suas coisas. — E acho que ela é… é uma menina presa no mesmo lugar desde que nasceu, tão entediada com a própria vida que precisa brincar com a das outras pessoas pra se distrair. É uma boa personagem.

— Tá, beleza.

— Além disso, é romântico. "Se eu a amasse menos, talvez conseguisse falar mais no assunto." Melhor frase de toda a obra da Austen. E eu li *tudo*, Chloe.

— Quantos você já leu? — Chloe pergunta, inexpressiva.

— *Todos.*

Chloe ri, observando os livros atrás do balcão.

— Alguma coisa nova na boa e velha CFMC?

Enquanto Georgia relê os clássicos dos séculos XVIII e XIX, as histórias favoritas de Chloe são aquelas em que jovens obstinadas em uma jornada cinematográfica para domar seus poderes se apaixonam pelo monstro que vinha agindo como seu antagonista durante toda a trama. Georgia sabe disso, por isso separa uma pilha de livros atrás do balcão para Chloe e vai colocando nela todos de que acha que Chloe pode gostar. Ela a apelidou carinhosamente de Coleção de Foder Monstros da Chloe.

— Um — Georgia diz. Ela pega um livro surrado do topo da pilha, uma daquelas fantasias dos anos 1980 com um elfo de mullet e tanga na capa. Sua mamã tem um milhão desses. — Princesa fada em uma missão heroica arrebatada pelo elfo mercenário do mal. Mas é hétero.

Chloe suspira.

— Valeu, mas já esgotei a cota de vilões masculinos do mês — ela diz.

— Imaginei. — Georgia o joga em uma caixa de livros usados para serem guardados nas prateleiras. — Ainda em busca da megavilã dos seus sonhos.

— Não *precisa* ser uma rainha má. É só *preferível.*

Embora goste de meninos, Chloe normalmente acha as características de um bom vilão — arrogância, maldade, um passado sofrido — tediosas nos homens. Tipo, o que caras gostosos de cabelo escuro e comprido têm para ficar tristes? Compra um xampu clareador e engole o choro, Kylo Ren. E daí que seus pais ricos mandaram você para o acampamento de magia e você não fez nenhum amigo? Grande coisa.

— Se a menina for ficar com um cara que é um monstro — Chloe diz —, precisa ser...

— O fantasma da ópera — Georgia completa enquanto elas saem, porque já ouviu isso umas quinhentas mil vezes.

— Monstro por fora, mas, por dentro, ele se importa com os objetivos profissionais dela! — Chloe argumenta. — Pode me chamar de antiquada, mas lugar de homem é no porão, preparando exercícios vocais para a esposa mais talentosa.

— Você continua tão maluca quanto no dia em que te conheci — Georgia diz. — Tudo o que eu quero é uma namorada legal e um chalé para termos conversas filosóficas comendo bolinhos ou qualquer coisa assim.

— E vou te apoiar se fizer disso seu plano de aposentadoria quando tiver, tipo, trinta anos e estiver cansada de morar em Nova York comigo.

— Muito obrigada — Georgia diz, entrando no banco do carona. — Nossa, estou faminta.

— Eu também — responde Chloe, cujo apetite logo se recuperou depois do peru-pato-frango.

— Taco Bell? — a outra sugere, como sempre.

— Nossa, daria meu peito esquerdo por um Shake Shack. — Chloe diz enquanto liga o motor. — Esta cidade é tão deprimente. Aposto que ninguém dentro dos limites da cidade além de mim, você e nossos pais sabem quem é Jane Austen.

— Meus pais têm uma livraria aqui há vinte anos, então tenho quase certeza de que o morador médio de False Beach não é *tão* iletrado assim — Georgia argumenta. — Sabe, Shara Wheeler entrou para comprar *Emma* há alguns meses.

— Aff.

— Eu posso falar o nome dela. Ela não é o Beetlejuice.

— Não — Chloe concorda. — Ela é pior.

Quando o assunto são lugares populares para se encontrar depois da aula, o Taco Bell a três minutos da escola é o Met Gala de Willowgrove. É aonde você vai para ver e ser visto. É onde os alunos do segundo ano pegam seu primeiro drive-thru depois da aula quando tiram a carteira de motorista. Há boatos de que, no último outono, Summer Collins e Ace Torres tiveram um término explosivo no estacionamento que acabou com um refrigerante jogado na cara.

Isso também significa que cerca de metade do quadro de funcionários de meio período é composta por estudantes de Willowgrove cujos pais os obrigaram a arranjar um emprego. O caixa do drive-thru de terça à noite é um aluno do penúltimo ano de Willowgrove chamado Tyler Miller, que tem um corte de cabelo trágico e um trombone alugado da escola. Taco Bell é a tradição de terça à noite de Chloe e Georgia desde o verão passado, quando a mãe dela consertou o motor de seu carro antigo e passou as chaves para ela, então ela já falou com Tyler mais vezes pelo alto-falante do que na escola.

Quando ela para na janela, ele quase derruba o troco.

— Hum, espera — o garoto diz depois de entregar o pedido a Chloe. — Tem mais uma coisa.

A janela se fecha.

Ela lança um olhar confuso para Georgia, que olha o saco, depois balança a cabeça e dá de ombros.

A janela volta a abrir, e Tyler entrega mais uma coisa daquele seu jeito atrapalhado.

— Eu, hum, fiquei de te entregar isso.

É um envelope selado. Cor-de-rosa.

Com a mente em estado de alerta, ela agarra o cartão e o vira. Tem seu nome escrito na frente. Ela fica olhando para a letra: os arcos suaves do H, o círculo perfeito do O.

Ela se volta para Tyler.

— Você não podia ter me dado isso na escola?

— Eu… ela… ela trouxe isso aqui na semana passada e me falou especificamente para dar a você na próxima vez em que passasse pelo drive-thru — ele responde.

— Ela quem? — Chloe questiona.

A voz dele tremula ao falar, como se fosse o nome de um anjo:

— *Shara Wheeler.*

— E você *obedeceu?*

— Foi a primeira vez que Shara Wheeler falou comigo — ele diz com ar sonhador. — Eu achava que ela nem sabia que eu existia.

— Ai, meu Deus — Chloe diz, e pisa no acelerador.

Chloe,

Sua mãe se formou em Willowgrove junto com os meus pais. Sabia disso? Lembro deles comentando na mesa de jantar depois do oitavo ano.

"Ouvi dizer que Valerie Green está se mudando de volta. Lembra que ela foi suspensa por ir à escola com o cabelo azul? Ela está casada com uma mulher agora. Querem mandar a filha para Willowgrove."

Antes do seu primeiro dia, invadi o escritório do meu pai. Vi sua prova de admissão. Você foi muito bem, hein?

Tenho curiosidade sobre você desde antes de te conhecer, mas, pelo jeito como as coisas funcionam em Willowgrove, nunca consegui chegar perto o suficiente de você para sacar qual era a sua.

O ensino médio está quase acabando. É agora ou nunca, né?

Beijos,
Shara Wheeler

P.S.: pombinho316@gmail.com

Rory finalmente atende na quarta tentativa.

— Por que você está me ligando?

— Onde você está? — Chloe pergunta, jogando uma embalagem de taco na sacola. Ela ligou para ele assim que deixou Georgia na Belltower com uma desculpa esfarrapada, logo depois que recebeu uma resposta de Smith.

— Estou… na casa do meu amigo.

— Que amigo?

— Jake.

— Quem é Jake?

— Hum, Jake Stone?

— Stone, o Noia?

Ela o conhece… bom, sabe quem ele é. Benjy quase foi suspenso uma vez por estar no banheiro masculino quando Jake foi pego usando vape lá dentro. Cabelo loiro viscoso, música lo-fi nada popular no SoundCloud, futuro detentor de uma tatuagem no pescoço.

— Ok, bom, então você não está muito longe de casa.

— Como você sabe onde o Jake mora?

— Benjy mora na rua dele — Chloe diz, impaciente. — False Beach não é tão grande assim. Enfim, estou indo para a sua casa, e Smith também.

Ela quase escuta os olhos de Rory se arregalarem pelo telefone.

— *Por quê?*

— Porque estou louca pra jogar um pouco de golfe — ela diz. — Peguei meu bilhete da Shara, óbvio.

— Onde?

— Não importa — ela retruca. Faz uma curva fechada à esquerda, ignorando um cara em uma caminhonete que buzina para ela.

— Por que a gente precisa se encontrar na minha casa?

— Porque é no meio do caminho entre a Belltower e a casa do Smith — Chloe responde. — Ela me deu um e-mail. Acho que a coisa no seu bilhete é a senha. Agora você pode, por favor, ligar pra portaria pra me liberarem? Meu carro é um lixo e os guardinhas vão ficar desconfiados.

— Tá, tá, caramba, encontro vocês lá.

Ela desliga e joga o celular no banco vazio do carona.

Ela não acredita que Shara não deu uma charada para ela resolver. Smith recebeu um código secreto, e Rory uma dica sobre a janela aberta, mas Chloe não teve nem uma *chance* de provar que era mais inteligente do que qualquer enigma idiota que Shara pudesse inventar para ela. Seu bilhete foi literalmente dado na mão dela. É *ofensivo*.

Ela vai voltar ao que realmente estava *na* carta depois, e à pequena chave prateada que encontrou no envelope. Para que é que essa chave poderia servir?

Quando estaciona na frente da casa de Rory, seu carro é o único na rua. Smith está apoiado na caixa de correio, olhando para a entrada da casa de Shara como se ela pudesse surgir do meio dos arbustos a qualquer segundo. Rory chega logo depois, irritado e mal-humorado em um conversível vintage vermelho-cereja dos anos 1980.

— Seus pais estão em casa? — Chloe pergunta.

Ele passa por ela para abrir a porta.

— Isso importa?

— Não sou eu que vou ter que explicar isso para eles.

Rory dá de ombros.

— Minha mãe e meu padrasto estão passando a semana na Itália.

— Normal — Smith comenta baixo.

A casa de Rory é bonita, tecnicamente falando. Como um especial de decoração sobre todas as formas diferentes de interpretar o bege. Isso a lembra de quando ela estava procurando casas com suas mães e foi em algumas que tinham sido mobiliadas de maneira tão óbvia que dava para ver que ninguém morava lá de verdade. Mas essa é uma versão em que pessoas de fato moram, com uma foto de casamento em cima da lareira e tudo: duas pessoas brancas sorridentes de meia-idade e um menino entediado que poderia ser o Rory de cinco anos atrás.

— Cadê seu computador? — Chloe pergunta.

Rory a encara de trás de um vaso de feno artificial.

— No meu quarto.

— Ok.

Ela já está no meio da escada quando ouve Smith atrás dela, e por fim seguido por Rory. No andar de cima, não precisa adivinhar qual é a porta do quarto de Rory — é a única com uma placa roubada de pare afixada nela, e os amigos de Rory são conhecidos por seus passatempos: ficar encostados com a cara emburrada em paredes de tijolos e atos leves de vandalismo. Ela vai entrando.

Se todas as cores foram drenadas do resto da casa, é para o quarto de Rory aonde elas foram. As prateleiras estão cheias de bonequinhos, a cama de casal coberta por um lençol roxo-escuro e camisas de flanela jogadas, as paredes revestidas por peças de arte abstrata esquisita. Perto de uma torre de caixas de Vans vermelhos, há um pôster de uma turnê de Leon Bridges e um toca-discos em um móvel com discos de vinil transbordando sobre o carpete. Ela reconhece algumas das capas de álbuns que sua mamã a obrigou a escutar na infância: Prince, Jimi Hendrix, B. B. King.

Sob uma janela à sombra do corniso, tem uma escrivaninha com um MacBook prateado e um gravador de fitas com uma pilha de cassetes classificadas por cor, cercadas por palhetas e cordas de guitarra enroladas. As guitarras de verdade estão em uma espécie de loft subindo uma escada, cheio de pufes — e, caramba, são muitas guitarras caras. Uma parede está pintada com tinta de lousa preta e está coberta de rabiscos e de recados de amigos. Chloe conta pelo menos três desenhos diferentes de pênis.

Há um mural pendurado em cima da cômoda, lotado de fotos, pedaços de papel e canhotos de ingressos. Ela consegue ver uma imagem de Rory rindo em um show com um homem negro bonito de barba grisalha que deve ser o pai dele, e outra com um cara usando um moletom da Morehouse College, dreads presos, e exatamente os mesmos olhos cor de avelã de Rory. Há um monte de cartões assinados como PAI, o tipo de bilhete de duas linhas que se coloca em uma caixa de presentes que diz mais do que uma carta poderia dizer. É estranho ver tantas fotos de Rory sorrindo, ainda mais quando o Rory de verdade está de cara amarrada a menos de um metro de distância.

— Quantas placas de rua você já roubou? — Smith pergunta, observando os pedaços de metal no canto perto da escrivaninha.

— Mais do que isso. Jake tem algumas na casa dele. — Ele deve notar a expressão de julgamento na cara de Smith, porque revira os olhos. — Relaxa. A gente só rouba as placas que têm nome de algum velho racista. Não tenho culpa que são tantos.

— Isso é... — Smith diz, esticando o pescoço para olhar melhor para uma Stratocaster vermelha brilhante no loft. — Irado.

É mesmo um quarto maneiro, assim como o carro de Rory é mesmo um carro maneiro.

Rory se recosta na escada e dá de ombros.

— Não precisa ficar tão surpreso.

— Não estou *surpreso* — Smith diz, imediatamente na defensiva —, só estou *dizendo*.

— Não preciso da sua opinião.

— Não, só da opinião da minha namorada, pelo jeito.

— Você está bravo porque finalmente precisa lidar com o fato de que ser alguém no ensino médio não vai fazer você ter quer o quer pra sempre.

— Tenho quase certeza de que estou bravo porque minha namorada me traiu com você.

— Talvez eu tenha algo que você não tem.

— O quê, um padrasto rico e uma casa em um condomínio fechado?

— Bom gosto — Rory responde. — Interesses. Capacidade de me importar com coisas além de uma micose na virilha.

— É, deve ter sido esse seu charme de personalidade, cara.

Chloe fecha bem os olhos e tenta ao máximo se lembrar por que está se sujeitando a essa merda toda.

Uma imagem surge imediatamente em sua mente. Shara com seu sorriso de brilho labial novo, apoiada no balcão para dar um envelope rosa a Tyler Miller. Shara preparando tudo para mostrar a Chloe que já estava dez passos à frente, que adivinhou todos os movimentos de Chloe antes mesmo que Chloe sentisse seu cheiro.

— Chega! — Chloe interrompe, e Smith e Rory param no meio da discussão, as bocas ainda abertas. — Alô! Eu *também* beijei a Shara, o que vocês dois parecem ficar esquecendo, e, particularmente, gostaria de saber o porquê, então podemos, por favor, fazer o que viemos fazer aqui?

Depois de uma pausa, Smith é o primeiro a resmungar:

— Tá.

Rory faz um som como se seus molares estivessem colados uns nos outros.

— Rory — Chloe diz bruscamente —, qual é a senha?

Ele a fuzila com os olhos, depois puxa um Moleskine da bagunça em cima da escrivaninha e o deixa cair aberto no meio, onde um cartão cor-de-rosa está guardado.

— Obrigada. — Quando vai pegar, Chloe espia as páginas ao lado, cobertas de versos irregulares escritos à mão. Algumas das palavras parecem rimar no fim. — Ai, meu Deus, você *realmente* escreve poemas tristes sobre a Shara.

— Não olha para isso! — Rory exclama, fechando o caderno.

— Quero ver — Smith diz, esticando o pescoço para olhar melhor.

— Vão se foder — Rory resmunga. — Chloe, foi *você* quem falou pra a gente ter foco.

— Tá — ela admite.

Ela se senta na cadeira da escrivaninha de Rory, abrindo o laptop de Rory e colocando seu cartão ao lado do dele. Ela consegue sentir Smith às suas costas. Ele deve estar lendo o que Shara escreveu para ela. Ótimo. Ela está cansada de ser a única que sabe que Shara não é quem finge ser.

— Ei, espera aí... — Rory começa enquanto ela abre uma janela do navegador.

— Não se preocupa, não vou olhar seu histórico de busca — Chloe garante, abrindo o Gmail e digitando o e-mail do bilhete. — Consigo imaginar.

Smith e Rory se amontoam, inclinando-se para ver Chloe terminar de digitar a senha. Ela escuta o baque baixo de Rory acotovelando a costela de Smith e fingindo que foi sem querer.

Não há nada na caixa de entrada quando ela carrega, nem na pasta de spam.

— Os rascunhos — Smith recita. — Olha os rascunhos.

Tem um e-mail nos rascunhos, não enviado. A linha de assunto diz: *Já volto.*

Chloe inspira fundo ao clicar para abrir.

> Oi,
> Aqui é a Shara. Lógico que é a Shara. Vocês já sabem disso. Precisei ir embora. Juro que vai fazer sentido em breve.
> Desculpa por não ter contado para nenhum de vocês sobre o que sentia por vocês. Ainda não sei direito como. Essa foi a única forma que encontrei.
>
> > Beijos,
> > Shara
>
> P.S.: Chloe, o próximo cartão é para você. Está em um lugar aonde você vai quase todos os dias. Até lá, honre seus votos, e vou me esconder entre as brenhas.

— O que é isso? — Rory pergunta. — Isso… não explica nada.

— Uma pista — Smith diz. — O postscriptum é mais uma pista.

— Como você sabe?

— Porque é isso que Shara faz. Tipo… pequenas dicas. Ela não consegue se abrir direito. A pessoa precisa dar um jeito de chegar até ela.

— Então ela quer que a gente descubra onde ela está?

— Acho que sim. Parece que a Chloe precisa fazer isso.

— Chloe?

— Chloe, você sabe o que isso significa?

Chloe consegue ouvir as vozes deles se sobrepondo, tentando chamar sua atenção, mas ela mal distingue as palavras com o zumbido em seus ouvidos, ficando mais e mais alto conforme ela imagina Shara sentada à penteadeirazinha elegante digitando aquele e-mailzinho arrogante dela e sabendo que conseguiria fazer Chloe lê-lo. Que conseguiria preparar todas as peças bonitinhas de um quebra-cabeça e obrigar os três a lutar para descobrir quem o montaria primeiro.

Óbvio. É *óbvio* que Shara deu isso para ela em vez de uma explicação. É *óbvio* que Shara se escalou como a personagem principal de seu próprio romance do John Green. E agora eles precisam se contentar em ser empurrados de um lado para o outro como pecinhas idiotas de xadrez, porque Shara os beijou, e o tabuleiro é dela.

O problema é que Shara partiu do princípio de que Chloe era como Smith e Rory e todos os outros em Willowgrove, esperando que ela os notasse e magicamente os tornasse interessantes ou inteligentes ou descolados. Chloe sabe a verdade. Ela beijou Shara Wheeler, e isso não mudou absolutamente nada.

Ela se levanta da escrivaninha e sai de uma vez, ignorando o chamado confuso de Smith por ela.

Ela vai derrotar Shara no próprio jogo. E depois ainda vai acabar com ela.

DA PILHA DA FOGUEIRA

ESCOLA CRISTÃ WILLOWGROVE
CÓDIGO DE CONDUTA

Em nome de: Chloe Green

A primeira página do manual foi arrancada
e substituída por uma folha solta de papel
escrita à mão.

1. Todos os alunos devem ser Salvos com S maiúsculo.
2. Se não for Salva com S maiúsculo, você deve aceitar a responsabilidade por toda e qualquer campanha de difamação contra seu caráter, provavelmente liderada por Emma Grace Baker (por ex.: "Ouvi dizer que a Chloe Green não é Salva, vou orar por ela").
3. Nenhum aluno pode fumar, beber, dançar nem transar, o que significa que metade dos alunos estão fumando, bebendo, dançando, transando e mentindo em relação a isso. Comprimidos estão liberados. Se estiver no time de futebol americano, é só pedir para o pai de Emma Grace escrever uma prescrição para você.
4. Tecnicamente, como dançar é Pecado e Safadeza (mesma coisa), não existe um Baile de Volta às Aulas da Escola Cristã Willowgrove nem um Baile de Formatura da Escola Cristã Willowgrove. Existe, porém, um baile dado por um grupo de pais de Willowgrove que não

tem qualquer ligação com a escola, ao qual todos vão em um local externo.

5. Ame Deus em primeiro lugar, ame Shara Wheeler em segundo.

4

DIAS DESDE QUE SHARA WHEELER SUMIU: 4
DIAS PARA A FORMATURA: 39

Às vezes, quando Chloe está estressada, ela se imagina em outra vida.

Não sendo outra pessoa. Ela se imagina em um universo onde pode ser descolada e supergostosa e todos admiram a capacidade e a inteligência dela; por exemplo, se ela fosse uma caçadora de vampiros na Inglaterra eduardiana. É uma estratégia psicológica, beleza?

Ela tenta se acalmar a caminho da escola se imaginando em um banquete chique, erguendo as saias de seda e revelando uma adaga amarrada à coxa antes de atirá-la do outro lado do salão, bem na parede, a um centímetro da cara da vampira Shara.

Não funciona: ela entra no estacionamento no que sua mamã gosta de chamar de "humor cem por cento péssimo". Ash está atrasade, como sempre, mas Georgia e Benjy já estão lá, encostados no para-choque do Mustang de Benjy. Eles vêm juntos, já que os pais de Georgia não têm dinheiro para comprar um carro para ela.

— Que bicho te mordeu? — Benjy pergunta a Chloe quando ela bate a porta do carro.

— Isso vai ajudar — Georgia diz.

Ela entrega o pedido do Starbucks de sempre de Chloe: um matcha latte gelado com duas doses de xarope de açúcar mascavo e uma de baunilha. O mais próximo que False Beach consegue chegar de um *bubble tea*. Ela dá um longo gole, mas isso não ajuda com os quinhentos morcegos estridentes dentro do cérebro dela, todos chamados Shara Wheeler.

Quando ela ergue o rosto, Georgia está encarando-a, e Chloe força um sorriso. Não está muito a fim de explicar o que aconteceu depois do drive-thru no Taco Bell ontem à noite, e quanto mais raiva ela demonstrar, mais Georgia vai querer perguntar.

Todos os seus amigos sabem o que ela pensa de Shara. Benjy estava na aula de história mundial quando tanto Chloe quanto Shara escolheram Ana Bolena para sua apresentação bimestral e Shara ganhou meio ponto a mais na nota por distribuir biscoitos de marzipã rosa caseiros, como uma fada do dente da família Tudor. Ash deixou Chloe praticamente esmigalhar os ossos da mão delu quando Shara foi chamada na capela como Aluna do Ano da série anterior, um prêmio para o qual Chloe foi desqualificada por sua "conduta pessoal". É meio que uma piada recorrente entre os quatro: Chloe e sua grande rival, uma menina toda boazinha de que todos gostam.

Se ela contasse para o resto dos amigos sobre o beijo — o que ela não vai fazer, por causa de seus sentimentos complicados em relação à privacidade de Shara —, eles provavelmente dariam uma festa de Beijei a Menina Mais Gata da Escola para ela, o que a faria querer morrer. E, se soubessem sobre as pistas, eles a queimariam na conversa em grupo por se permitir ser sugada para dentro daquela missão secundária insana de Shara, o que a faria querer matar todos eles. Por isso, o sigilo é pela segurança de todos.

— Alguma novidade no front de colegas de quarto? — Chloe pergunta, sabendo que é uma aposta segura mudar de assunto.

Benjy e Ash vão para a Universidade do Alabama e para a Escola de Design de Rhode Island, respectivamente. Ash vai dividir o quarto do alojamento com um amigo virtual que elu conheceu em uma empresa de Catboy gratuita em seu servidor de *Final Fantasy XIV*, mas Benjy ainda está esperando para descobrir com que tipo de cara ele vai ter que ficar.

Benjy morde a isca.

— Ainda não. Meu novo medo é que seja um hétero gostoso. Não posso passar meu primeiro ano longe de casa com um crush não correspondido por um cara que usa gravata para ir a jogos de futebol americano.

— Vai que ele tem amigos gatos — Chloe sugere.

— Não tenho muita esperança nos gays de Tuscaloosa — Benjy replica.

— Vai ser ótimo — Georgia diz. — Ou você vai conhecer um cara que tem cinco blazers listrados, ou um cara que vai querer levar você na traseira do quadriciclo dele. E, de um jeito ou de outro, você vai ter um romance arrebatador sob os ramos formidáveis de carvalhos.

— Você vai escrever um filme universitário pra mim ou não? — Benjy pergunta. — Estou pronto pra fazer o Timothée Chalamet se aposentar.

— Desculpa, não escrevo roteiros — Georgia diz, tomando um gole de sua garrafa d'água.

— Vocês já se candidataram para o seu apartamento descolado da Universidade de Nova York? — Benjy pergunta.

Chloe faz que sim.

— Mas só vão falar qual é em julho. Só estou feliz que não vou precisar morar com uma pessoa aleatória.

— Uhum — Georgia concorda.

— Eu... — Benjy começa, mas se interrompe.

Um Jeep preto estaciona a três vagas deles, e Benjy tenta transformar a cara amarrada em um sorriso educado quando Ace Torres sai do carro. Ace os avista e abre seu sorriso escroto de sempre.

— Ei, Benjy! — ele cumprimenta com um aceno. — Chloe, Jessica.

Ele sai andando alegremente, assobiando em direção ao pátio, onde os atletas se reúnem antes da aula.

— Três meses — Georgia diz, gesticulando com a garrafa d'água, que bate no farol de Benjy. — Por três meses, fui gerente de palco e ele foi o Fantasma, e ele ainda não se deu ao trabalho de aprender meu nome.

Benjy solta um suspiro como quem aguenta uma rixa de séculos.

— O que vocês acham que se passa na cabeça dele?

— Sempre imagino um hamsterzinho fofo correndo numa roda — Chloe responde.

— Usando uma jaquetinha esportiva — Benjy acrescenta.

— O que o hamster treina? — Georgia pergunta.

— Dardo — Benjy diz. — Fico surpreso que ele se lembre do *meu* nome. Deus o livre de as pessoas pensarem que somos amigos.

— Você *quer* ser amigo do Ace Torres?

— Não — Benjy responde, rápido. — Só estou dizendo. Uma coisa é roubar um papel que não era pra ser seu — aqui, ele pausa para enfatizar que era *ele* quem merecia o papel — e outra é roubar o papel e fingir que não aconteceu nada.

Chloe observa Ace entrar no pátio e puxar Smith em um daqueles abraços bizarros de lado entre brothers. Porque é *óbvio* que o melhor amigo de Ace é Smith Parker, o que significa que Smith foi à apresentação da matinê do *Fantasma* no mês passado, o que significa que ele levou a Shara e que Chloe teve que fazer a apresentação inteira fingindo não notar Shara no centro da primeira fileira com sua cara de julgamento e seu cabelo brilhante e...

Ela só se dá conta da força com que está apertando seu matcha quando a tampa salta para fora.

O sinal toca, e Chloe responde outro olhar de Georgia com um dar de ombros e vai na frente rumo ao Bloco B. Eles se dividem nas portas duplas — a primeira aula de Georgia é cálculo, a de Benjy é história —, e Chloe segue direto pelo corredor até a sala de literatura avançada da sra. Farley.

A sra. Sherman está em seu posto habitual perto do banheiro feminino, de permanente feita e vigiando os alunos que passam feito o Olho de Sauron, mas de rímel empelotado. Chloe acena com a ponta dos dedos ao passar, certificando-se de que a sra. Sherman dê uma boa olhada lenta em seu esmalte preto proibido. Isso deve bastar.

Em sua carteira, no meio da segunda fileira, ela pega o fichário e o coloca na superfície lisa e fria, depois separa todos os três romances que eles andam discutindo, um em cima do outro para que suas lombadas formem uma coluna agradável. Quase basta para distraí-la da carteira vazia de Shara à frente dela.

No ano inteiro, ela chegou à aula da sra. Farley antes de Shara todos os dias, de propósito. Ela logo entendeu que inglês era a melhor matéria de Shara, o que significava que todo crédito extra contaria. Se ela conseguir ganhar mais meio por cento na nota de participação por chegar dois minutos adiantada, ela fará isso. Ela não vai repetir a marmelada do ano anterior em que perdeu o primeiro lugar na aula da sra. Rodkey por um único décimo.

E, como ela está sempre em sua carteira antes de Shara, ela sempre tem que observar quando Shara entra na sala.

Tem uma coisa idiota que sempre dizem sobre as meninas de documentários de assassinato. *Ela iluminava o ambiente quando entrava.* Chloe pensava que diziam aquilo para fazer a pessoa parecer melhor, já que se sentiam mal sobre o que aconteceu com ela, ou talvez fosse um truque do cérebro, uma interpretação errônea do brilho que a pessoa ganha na sua memória depois que ela se vai.

Mas então ela conheceu Shara, que entra em qualquer ambiente como se estivesse em um carro alegórico, sorridente e acenando e jogando o cabelo. Toda manhã, Shara entra na aula da sra. Farley e, toda manhã, as pessoas param o que estão fazendo para ver que cor de brilho labial ela está usando naquele dia. É a mesma sensação de burburinho que toma conta da sala quando um professor anuncia que é dia de filme, e, toda vez que acontece, Chloe sente que é a única que preferia estar falando sobre o dever de casa da noite anterior em vez de assistir *As bruxas de Salem.*

Hoje, porém, a carteira na frente dela não é ocupada.

Faltando cinco minutos para o fim do tempo, ela olha para o relógio sobre o quadro branco, fecha o fichário e o guarda na mochila.

À sua esquerda, Brooklyn Bennett se aproxima e cochicha:

— O que você tá fazendo?

Ninguém ama as regras como Brooklyn, presidenta do corpo discente, líder da equipe de debate e de simulação da ONU, editora-chefe do anuário — basicamente uma lista de atividades extracurriculares ambulante. Chloe não tem como não admirar o fanatismo da visão limitada dela, mas, se *ela* já é tensa com as regras, Brooklyn Bennett é as cordas de uma viola de vinte mil dólares.

— Relaxa, Brooklyn — Chloe cochicha em resposta. — Vou sair mais cedo.

— Por quê?

— Você vai ver — Chloe diz. — A qualquer momento...

Bem nessa hora, o alto-falante toca.

— Chloe Green, favor comparecer à diretoria. Chloe Green à diretoria, por favor.

Brooklyn a encara. Chloe dá de ombros, pega a mochila e dá um tchauzinho para a sra. Farley.

É assim uma vez por semana desde o segundo ano: ela desrespeita o código de vestimenta e, antes do fim da primeira aula, vai parar na sala do diretor Wheeler levando sermão sobre a importância de "respeitar as diretrizes estabelecidas para minimizar as distrações na sala de aula".

No primeiro ano, ela se adaptou a Willowgrove criando problemas de propósito, mas ninguém apareceu em sua reunião da aliança LGBTQIAP+, e ela foi suspensa por levar camisinhas gratuitas à escola em um protesto pela política de educação sexual baseada apenas em abstinência. Ela aprendeu a lição: ninguém em Willowgrove quer que as coisas mudem, nem mesmo os amigos dela, que são todos maravilhosos e LGBTQIAP+ e completamente decididos a não sair do armário antes da formatura. Se ela não conseguiu fazer com que nem *eles* mudassem de ideia, não valeria a pena colocar suas chances de ir para uma boa universidade em risco com uma expulsão.

Portanto, desde então, ela se contenta em violar o código de vestimenta: plataformas maiores do que dois centímetros e meio, meias que terminam acima do joelho, mas abaixo da barra da saia, pentagramas bordados nas golas de suas camisas sociais, batons escuros. No ano passado, Ash ganhou fama no TikTok por fazer brincos com absolutamente tudo que conseguia encontrar, e agora Chloe tem todo um conjunto de balinhas de minhoca e sachês de molho de pimenta e pedaços de frutas secas para pendurar nas orelhas. Apenas o suficiente para resistir.

Seu histórico tornou muito fácil fazer a sra. Sherman denunciá-la hoje de manhã. Quando uma linda princesa loira de cidade pequena desaparece, sem dúvida uma caçada digna do FBI liderada pelo próprio Wheeler está fadada a acontecer. Danem-se os cartões, dane-se a chave — a forma mais rápida de chegar a Shara é saber o que eles sabem, e o caminho mais rápido para isso é ir parar na diretoria.

No trajeto, ela passa no banheiro perto do laboratório de química para dar uma olhada em seu reflexo.

No segundo ano, ela passava ali antes da aula de química todo dia para retocar a maquiagem e ajeitar o cabelo. Ela ficou presa a Shara como parceira de laboratório no semestre de outono, e colegas aleatórios sempre iam até sua mesa com desculpas patéticas — por exemplo, não, Tanner, Shara não tem tempo para ajudar você com o quinto passo. Chloe começou a se arrumar antes da aula como forma de legítima defesa.

O segundo ano também foi a única vez em que pareceu possível que ela e Shara pudessem ser amigas.

Era o segundo semestre, depois de Shara e Smith começarem a namorar. Elas não eram mais parceiras de laboratório, mas Chloe ainda se sentava atrás de Shara em pré-cálculo. Não era sua melhor matéria de todos os tempos — ela precisava se esforçar de verdade para manter sua média de nove ponto oito. Um dia, ela recebeu a prova com sua resposta a um problema de seções cônicas riscado em vermelho. Shara virou e confidenciou que tinha errado a mesma pergunta.

No dia seguinte, Shara perguntou se ela teve dificuldade com o dever de casa, e então Chloe virou a pessoa com quem Shara conversava nos minutos antes da aula. Pela primeira vez, ela teve um vislumbre do que as pessoas deviam enxergar quando olhavam para Shara. Era fácil olhar para aqueles olhos redondos e inocentes e inferir bondade, sendo que não havia nada lá.

Até que, em uma sexta de manhã, quando era para elas estarem revisando seus guias de estudo bimestrais, Shara perguntou:

— Você fez a número sete?

Ela passou os olhos pelo problema — uma pergunta sobre encontrar o comprimento do latus rectum de uma parábola, o que foi exatamente o conceito que ela tinha passado uma hora na noite anterior tentando acertar.

— Você, hum — ela disse —, tem que achar a equação da diretriz primeiro.

— Tem certeza? — Shara perguntou. — Pode me mostrar?

Shara se debruçou sobre a folha de rascunhos de Chloe com seu lápis, o cabelo caindo sobre o ombro, e seguiu as sugestões de Chloe até começar a fazer algo errado e Chloe segurar seu punho para impedi-la.

Seu polegar apertou a pele macia no interior do punho de Shara, logo abaixo da palma. Ela conseguiu sentir o pulso de Shara acelerado.

Shara soltou a mão, mas foi o suficiente para Chloe entender o que estava rolando. Ela estava mentindo. Ela sabia desde o primeiro ano que Shara era uma mentirosa, mas, em poucas semanas, havia conseguido esquecer.

Chloe tirou os olhos do papel e disse:

— Você já sabe fazer isso, não?

Quando Shara olhou nos olhos dela, seus rostos estavam a poucos centímetros de distância. Ela não hesitou.

— Você sabe?

— É claro que sim.

— Então me mostra.

O rosto de Shara era suave e imperscrutável, exceto pela sobrancelha esquerda erguida, que dizia: *prove*.

É isso que os alunos populares de Willowgrove fazem: fingem ser seus amigos para ter a chance de fazer você de idiota. Ela deve ter notado que Chloe estava com dificuldade e decidiu jogar isso na cara dela.

Chloe tirou o papel debaixo das mãos de Shara e falou para ela descobrir sozinha, e acabou por aí.

Agora, Chloe termina de endireitar a gola e se encaminha para a diretoria.

Ela pisca para a recepcionista, a sra. Bailey, assim que entra. A sra. Bailey balança a cabeça daquele jeito de sempre, como quem diz: *Que pena que uma aluna tão brilhante não pode ser uma mocinha educada, boazinha e heterossexual.*

De que adianta? Eles já têm a Shara para isso.

— Wheeler, mano, você já sabe qual é — uma voz irritantemente conhecida diz no corredor que liga a diretoria à recepção. — Mas, ei, depois falo com você, beleza?

Lá se vai o garoto-propaganda dos jogadores de futebol feios, porém gostosos de pescoço grosso: o rei do baile Dixon Wells. Ele abre um sorriso galanteador para a sra. Bailey. Por que os caras populares têm permissão de passear por aí durante a aula como se fossem amigos de todos os professores?

— Até mais tarde, gatinha.

— *Ah, para,* Dixon — ela diz com uma voz aguda que sugere que não quer que ele pare coisa nenhuma. Então vira para Chloe e baixa a voz um oitavo. — Pode entrar, meu bem.

Chloe se senta no escritório do sr. Wheeler, uma salinha com todas as decorações de um Bom e Velho Rapaz do Alabama: truta empalhada, óculos de sol da Oakley com uma cordinha de estampa camuflada na estante, fotos dele no fim do ensino médio em Willowgrove de uniforme de futebol americano. Ele foi o quarterback do primeiro time dos Wolves a ser campeão estadual, e essa ainda é a conquista de que ele mais se orgulha vinte e cinco anos depois. Isso e dizer para adolescentes que eles vão para o inferno.

Ela conhece o escritório tão bem que vai saber se houver algo fora do lugar, qualquer coisa que aponte para onde Shara foi ou se realmente desapareceu.

— Chloe Green — diz uma voz grave com sotaque arrastado.

O sr. Wheeler parece o mesmo de sempre, queixudo e bronzeado como se devesse estar fazendo passeios de pesca em um iate de quinze metros. Ele larga uma pilha de pastas na mesa e se senta na cadeira rangente de couro.

— Sr. Wheeler — Chloe responde.

—Tinha esperança de vê-la com menos frequência agora que você está quase formada.

— Sabe, acho que talvez eu sinta falta dos nossos encontros semanais — ela diz. — Como posso ajudar desta vez? Pronto para finalmente atualizar o currículo de Inglês? Tenho muitas ideias.

Ele a encara calmamente. Retrucar Wheeler nem é tão divertido assim porque ele nunca fica muito bravo, ao contrário da sra. Sherman, que Chloe provavelmente fará ter um ataque cardíaco qualquer dia. Wheeler só parece cansado.

— Que bom que você tem senso de humor.

—Tenho poucas semanas para usar todo o resto do meu material.

— Sabe — o sr. Wheeler começa —, as pessoas não vão te dar tantas chances quanto eu no mundo real. Você deveria se lembrar disso.

— Claro — Chloe diz. Ele diz isso quase toda vez que ela está aqui, mas, se ela aprendeu alguma coisa com a sua mãe, é que o mundo real é aonde as pessoas que odeiam o ensino médio vão para ser felizes. — Então, qual foi a infração desta vez?

— Você já sabe — ele responde. — A sra. Sherman disse que você estava praticamente exibindo seu esmalte para ela.

— Achei que ela pudesse gostar.

Wheeler suspira, massageando a testa com o polegar e o indicador.

— Por que você faz isso, Chloe?

— O senhor parece estressado — Chloe lança, vendo uma abertura. — Algum motivo específico?

— Como é?

— É só que, sabe, notei que a Shara não estava na primeira aula hoje.

Ela não sabia o que estava esperando, mas definitivamente não foi a risada que Wheeler soltou.

— Já tem boatos se espalhando, hein? — Ele pega um post-it e anota *sermão sobre fofoca*. — Sabe, fazemos o melhor para guiar nosso rebanho, mas às vezes as ovelhas caem do penhasco mesmo assim.

— O que isso quer dizer?

— Quer dizer que a fofoca é contra a vontade de Deus, e as mentiras também — Wheeler diz, baixando a caneta. Ele balança a cabeça, abrindo um sorriso branco para Chloe. — Shara está visitando uns parentes. É só isso. Odeio desapontar vocês, mas não tem nenhuma história aí.

É uma boa mentira, e ele a conta bem, o que não surpreende, já que ele passa a vida toda dizendo para as alunas que Deus se importa com blusas de alcinha. Quase dá para acreditar.

— Que parentes? — Chloe pergunta. — Eles moram em False Beach?

Há um milissegundo a mais de hesitação na pausa dele, e ela vê algo brilhar nos olhos dele como já viu algumas vezes, quando notou uma fenda naquela falsa simpatia — algo como desprezo ou talvez até medo. Ela jura ter visto o mesmo nos olhos de Shara também, naquele dia em pré--cálculo. Tudo bem. Ela já passou muito tempo convertendo isso em energia. Ela é como uma planta que aprendeu a fazer fotossíntese de rancor.

— Olha, Chloe — ele diz. — Vou ser franco com você. Você sai impune de mais coisas do que a maioria das pessoas nesta escola. Sabe por quê?

Ela pensa: *Porque vocês não podem se dar ao luxo de expulsar o exemplo de excelência acadêmica que exibem na frente de pais de potenciais alunos em troca do dinheiro da mensalidade, e vocês precisam de uma piscina nova.*

— Não, não sei — ela responde.

— Porque você tem potencial, Chloe. Você é uma aluna excepcional. Você eleva o nível de todas as suas matérias. Você se esforça mais do que quase qualquer aluno que já vi nesta escola. — Ele se recosta na cadeira, as molas fazendo um barulho sinistro. — E eu odiaria ver tudo isso ser desperdiçado por causa das escolhas que você vai fazer até a formatura.

Ela aperta a ponta dos pés no chão. Tem quase certeza de que essa é uma ameaça para parar de insistir.

— Vou levar detenção? — ela pergunta no tom mais educado possível.

Wheeler pensa a respeito. Chloe encara a foto emoldurada na escrivaninha: o sr. Wheeler e sua linda esposa e filha de linho branco e calça cáqui, sorrindo do convés de um veleiro com o nome *Formatura* escrito em letra cursiva na popa. Chloe quer esmagar a cabecinha loira bidimensional de Shara.

— Dessa vez não — Wheeler diz. — Está livre para ir.

— Obrigada.

Ela sai sem olhar para trás.

Conseguiu o que queria. Quando Wheeler pegou os post-its, ele empurrou a pilha de pastas na mesa, e Chloe viu o canto de um cartão rosa. O papel timbrado de Shara.

Shara deixou um bilhete para os pais, assim como deixou para eles.

Ela realmente sumiu e nem Wheeler sabe onde ela está.

DA PILHA DA FOGUEIRA

EXERCÍCIO DE REDAÇÃO: SMITH PARKER
TEMA: DISCORRA SOBRE UM MOMENTO DA SUA VIDA EM QUE
VOCÊ MAIS SE SENTIU VOCÊ MESMO

Quando eu tinha doze anos, fiz meu primeiro touchdown de verdade. Meu pai me levava para o quintal dos fundos e me falava que eu poderia dar uma volta no quintal em cima dos ombros dele a cada vez que conseguisse fazer a bola de futebol americano passar dentro do pneu que ele tinha pendurado na árvore. No verão antes do terceiro ano, precisamos inventar um sistema novo, porque eu estava ficando tão bom que ele quase não tinha mais costas. Meu pai jogava futebol americano na Universidade do Alabama, mas sua carreira nunca vingou.

Amo futebol americano porque amo futebol americano, mas também amo futebol americano porque meu pai ama futebol americano, e amo meu pai.

Naquele dia, no fim do segundo tempo, logo antes do intervalo, fiz um passe perfeito para Ben Berkshire, exatamente na linha de uma jarda, e ele marcou.

Nunca vou esquecer como meu pai pulou da cadeira nem da cara da minha mãe nem de como minha irmãzinha, Jas, torceu por mim, mesmo sem entender o jogo. Mal me lembro do resto do jogo — a próxima coisa que se destaca é o cheeseburguer com bacon que meu pai comprou para mim no caminho para casa. Mas a sensação do couro nos meus dedos quando fiz a bola voar? Essa foi a primeira vez que soube o que eu queria ser.

5

DIAS DESDE QUE SHARA WHEELER SUMIU: 5
DIAS PARA A FORMATURA: 38

Chloe entra na sala do coral para almoçar, com um sanduíche de pasta de amendoim na bolsa e ódio no coração.

Hoje, ela é recebida pela imagem de Benjy de pé no piso de ladrilho arranhado, com a mão esquerda segurando uma das pernas enquanto faz ponta com o pé acima da cabeça — o que seria assustador se essa não fosse uma emboscada típica de Benjy. Ser amigo dele é como ser amigo de um pretzel muito espalhafatoso.

Chloe deixa a mochila cair no chão e Georgia se senta na arquibancada desmontável ao lado de Ash, que está curvade sobre o caderno de desenho com um lápis de carvão, olhando com atenção para Benjy.

— Trabalho ou lazer, Ash? — Chloe pergunta.

— Portfólio final de arte — Ash responde, matizando uma linha com tanto vigor que seu brinco de Doritos quase cai. — Faltam dois desenhos anatômicos.

— Pensei que ela deixaria você entregar aquela série de quadros que você fez dos lagartos, dos seus sonhos — Georgia comenta.

— Ela mudou de ideia. Aparentemente, era "perturbadora" e "algo a ser discutido com meus pais" — elu diz com um dar de ombros. — Benjy, pode mexer a cabeça, tipo, uns quinze graus pra direita, mas o nariz uns cinco graus pra esquerda?

— Não consigo mexer meu nariz independentemente do rosto, Ash.

— Você pode tentar.

— Minha perna está cansada — Benjy reclama.

— Chloe? — Ash pede.

Chloe faz que sim.

— Deixa comigo.

Ela levanta a mão e pega o tornozelo de Benjy para erguê-lo, e ele solta um gemido aliviado. Juntando a dança e seus turnos patinando na Sonic, Benjy é surpreendentemente forte para o seu tamanho, mas até ele tem seus limites.

Quando Chloe conheceu Benjy, ele era meio que o bichinho de estimação das meninas mais velhas do teatro, sempre levado pela irmã mais velha aos ensaios como um poodle em uma bolsinha. Mas *eles* são os mais velhos agora, e as coisas mudaram. Ser supertalentoso o exime de certo nível de bullying, mas a ordem das coisas em Willowgrove define que ser supergay, mesmo que você não tenha realmente *contado* para ninguém, cancela boa parte disso. Hoje em dia, ele é mais infernizado por atletas falsamente simpáticos que ficam mandando que ele faça passos de dança no meio dos corredores. Chloe mal pode esperar para as futuras namoradas deles os arrastarem para ver Benjy na Broadway um dia.

— *Enfim* — Benjy diz —, como eu estava dizendo, todo o lance é a maior vibe.

— Que lance? — Georgia pergunta, tirando um pote de espaguete da mochila.

— O lance da Shara Wheeler — Benjy responde. — Tipo, já faz dias, então ela *sumiu mesmo*, né?

O coração de Chloe se tensiona por reflexo.

— Ouvi dizer que os pais não informaram o desaparecimento, então ela está, tipo, *em algum lugar* — Ash diz. — Mas ninguém sabe onde.

— Eu *sei*, isso que é legal — Benjy continua. — Tipo, desaparecer noite adentro em um vestido de baile? Tem um ar total de estrela trágica de filmes antigos, um lance meio Lana Del Rey, e estou, tipo, obcecado... *ai*, Chloe!

Chloe, que não notou que sua mão estava apertando mais e mais o tornozelo de Benjy à medida que ele ia falando sobre Shara Wheeler, relaxa os dedos.

— Desculpa.

Ela olha para Georgia por instinto, que já está esperando para fazer contato visual com ela. Ela faz com a boca: *Isengard?* Seu código secreto para: *Você precisa ser resgatada?*

Chloe revira os olhos e balança a cabeça.

— Como seu professor, sou obrigado a dizer a vocês que fofocar sobre uma pessoa desaparecida não é muito cristão — o sr. Truman diz, saindo da sala dele com uma pasta cheia de partituras.

Assim como muitos professores de Willowgrove, o sr. Truman nasceu e cresceu em False Beach e nunca foi embora. Ele reconheceu Chloe assim que viu o nome dela na sua lista porque tinha se formado em Willowgrove em 1996 junto com a mãe dela e com os pais de Shara. Chloe uma vez o achou no anuário do último ano do ensino médio da mãe, parecendo o cara mais descolado do coral. Sua mãe era mais do grupo grunge de marcenaria, mas o sr. Truman se lembra dela.

Chloe não consegue imaginar por que o sr. Truman passaria a vida toda em Willowgrove de propósito. Todo professor precisa assinar uma "cláusula moral" dizendo que não vai beber nem expressar opiniões políticas nem ser gay e, embora o sr. Truman nunca tenha *dito* que é gay, ele *é* um diretor de coral solteiro de quarenta e poucos anos com uma extensa coleção de suéteres folgados, alguns dos quais têm até reforço nos cotovelos. Fala sério.

— Como nosso professor, o senhor deve ter todo tipo de informação administrativa sobre o que está acontecendo de verdade com a tal pessoa desaparecida — Benjy argumenta — e é obrigado a nos contar, porque somos seus alunos favoritos.

— Tecnicamente, ela não está desaparecida — Ash aponta.

— Tecnicamente, vocês não são meus alunos favoritos — o sr. Truman diz. — Não tenho favoritos.

— Uhum — Benjy replica. — É por isso que dei aula durante metade das seletivas no semestre passado, de graça. Porque o senhor me odeia.

— O nome disso é experiência de campo; serve para pôr na candidatura para a faculdade — o sr. Truman explica. — Se me derem licença, preciso implorar à administração pela décima quinta vez para chamarem alguém para consertar o piano.

— Já falei que são as cordas — Benjy opina.

— Eu sei, mas *alguém* perdeu a chave da tampa, então também tenho que convencer a administração a chamar um chaveiro.

— Tá, em primeiro lugar, não fui *eu* quem perdeu a chave. Ela desapareceu da *sua* sala — Benjy diz. — Em segundo lugar, falei que instalar um cadeado em um piano era coisa de bárbaro, e o senhor não me escutou.

— Eu não teria que colocar um cadeado se vocês parassem de abrir o piano quando não estou olhando.

— Também não fui eu — Benjy argumenta.

— Certo, tudo bem — o sr. Truman conclui. — Me desejem sorte.

Ele vai em direção à porta, mas pausa na arquibancadinha, examinando o caderno de Ash.

— Isso é... hum. — Ele inclina a cabeça para o lado. — Você desenhou a cabeça do Benjy como...?

— Um ovo frito? — Ash diz. Elu acena com serenidade. — Sim. Não é legal?

— Você é uma pessoa visionária — o sr. Truman diz, com a mão no peito, e vai embora.

— Você me desenhou como um *ovo*? — Benjy questiona, baixando a perna tão rápido que Chloe escapa por pouco de um chute no nariz. — Pensei que era para ser um desenho anatômico.

— E *é* — Ash insiste. Elu vira o caderno para mostrar seu trabalho, que é um estudo lindamente detalhado do corpo humano, coroado por um ovo frito com a gema para cima onde ficaria a cabeça de Benjy. — É a minha *interpretação* de desenho anatômico.

— Não vou mais posar pra você.

— Já te desenhei.

— Então, apaga.

— Não, eu curti — Ash diz simplesmente. — A arte é minha. Não faço você descoreografar suas músicas da Nicki Minaj.

— Difícil de argumentar contra essa — Chloe comenta, e Benjy solta um suspiro pesado e vai para o banco do piano.

— Benjy — Georgia diz. — Toca uma música pra gente.

Funciona — a cara amarrada de Benjy logo se transforma em um sorriso. Não deve ter nada que Benjy ame mais do que pedirem para ele tocar uma música.

Quando eles ainda tinham os ensaios para o musical de primavera, meia dúzia deles ficava depois da aula, e Benjy aceitava pedidos. Chloe cantava junto, aí uma aluna do penúltimo ano com um papel coadjuvante engatava na harmonia e, depois de um tempo, algum calouro quietinho começava a cantar também. Normalmente durava quinze minutos, até o sr. Truman mandar todos para casa, mas às vezes parecia que horas se passavam, naquele chão de ladrilho, com as costas nas de Georgia e a cabeça apoiada no ombro da amiga para poder projetar a voz para o teto.

Ela sorri, a lembrança substituindo o paradeiro misterioso e as cutículas estranhamente saudáveis de Shara em sua mente. Ash baixa o caderno e se junta a Benjy no banco do piano. É sempre engraçado ver os dois lado a lado porque eles têm exatamente o mesmo corte meio mullet, um ruivo e o outro castanho. Se o código de vestimenta permitisse, eles provavelmente teriam raspado a lateral do cabelo um do outro a essa altura.

— Olha só — Benjy diz, voltando algumas teclas com a mão esquerda.

Uma delas faz um barulho misterioso, como uma abelhinha furiosa em algum lugar dentro do piano, aquele de que o sr. Truman estava reclamando.

Ele brinca com algumas teclas do meio do teclado, procurando o leve zumbido de novo, mas o que Chloe escuta é uma nota conhecida no meio da confusão. Que nota é essa?

Um lugar aonde você vai quase todos os dias.

Honre seus votos.

Esconder entre as brenhas.

Espera.

Votos de casamento.

Fugirei de ti e me esconderei entre as brenhas. É uma frase de *Sonho de uma noite de verão*, e é do *Sonho* que vem a marcha nupcial, não o "lá vem a noiva", mas a outra, e Shara falou de votos...

— Benjy — Chloe diz. — Você sabe a marcha nupcial?

— Toquei em todos os casamentos dos meus primos héteros — Benjy responde com um ar cansado —, então, sim.

— Toca a primeira nota.

Ele toca — aquele dó central, sólido e ressoante — e Chloe escuta. A vibração de uma das cordas internas contra algo frágil, como papel.

— Hum — ela diz.

Ela não voa pelo salão, arranca a tampa do piano e a joga para longe que nem o Smith fazendo um passe para o touchdown, mas quer muito, mas muito fazer isso. Na cabeça dela, está quebrando o instrumento todo na base do soco. Na realidade, porém, ela franze os lábios e diz:

— Que esquisito.

Se ela estiver certa, e a coisa ali dentro for o que está pensando... nossa, o sr. Truman disse que o piano está esquisito desde o *mês passado*. Isso significaria que a Shara está deixando pistas há *semanas*. Quem *é* essa menina?

Quando o sinal toca para anunciar o fim do almoço, ela se despede dos amigos como sempre faz para continuar ali para a sexta aula, o Coral Feminino. Assim que a porta se fecha, antes que o sr. Truman ou alguma das colegas entrem logo depois do almoço, ela corre até o piano.

A chave prateada do cartão de Shara já está no bolso dela, por via das dúvidas, e, quando ela a testa no cadeado da tampa do piano, o encaixe é perfeito.

Parece que isso explica quem roubou a chave do piano.

Com cuidado, ela abre a tampa e dá uma olhada nas entranhas do instrumento, todas as dezenas de alavancas e peças misteriosas, e ali, preso com um clipe de papel em uma das cordas, está um cartão cor-de-rosa tão familiar que chega a ser desagradável.

E deixar-te-ei à mercê das feras selvagens. É o resto da frase.

Penúltimo ano. Língua inglesa e redação avançadas. Chloe e Shara fizeram dupla para um projeto — involuntariamente, claro. A sra. Rodkey dividiu a turma em duos e os obrigou a decorar e apresentar uma conversa de uma das peças que eles estudaram no capítulo de Shakespeare. Ela nunca vai se esquecer de Drew Taylor com suas meias compridas gaguejando nas falas do rei Lear.

Ela se lembra de juntar a carteira com a de Shara, olhando feio quando a saia da outra teve a audácia de cruzar a barreira invisível entre elas e roçar o seu joelho. Ela se lembra do sorriso radiante que Shara abriu para a professora depois de ver a lista impressa de exemplos de cena, antes de virar para Chloe e dizer: "Vamos fazer *Sonho de uma noite de verão*". Como se ela fosse a única que pudesse decidir. Como se Chloe não tivesse crescido escutando suas mães recitarem *Noite de reis* uma para a outra no café da manhã.

Ela se lembra da discussão delas — Chloe queria fazer o encontro entre Olívia e Cesário, Shara queria Demétrio e Helena no bosque — e do toque quente dos dedos de Shara no dorso de sua mão quando ela os estendeu para apontar as frases de que ela não gostava. Ela se lembra de querer jogar a cópia de *Sonho* na carinha perfeita e educada de Shara, mas no fim as duas acabaram concordando.

Elas se encontraram na biblioteca depois da aula e leram os versos uma para a outra por uma hora, as bochechas de Shara ficando mais e mais rosadas com uma raiva discreta quanto mais Chloe recitava sem olhar para a página. Chloe conteve um sorriso clandestino. Era óbvio qual das duas cumpriria a tarefa melhor. No fim das contas, não importaria que Shara tivesse conseguido o que queria.

Ela se lembra de como Shara saiu depressa, jogando a mochila no ombro, e então entrou na sala no dia seguinte com todas as palavras decoradas. Chloe ficou ali parada na frente da turma enquanto Shara recitava com seu sotaque doce e arrastado, *Seguir-te-ei e farei do céu um inferno*, e ela encarou o rosto de Shara, os brincos de pérola e a mecha de cabelo atrás da orelha e o hidratante labial refletindo a luz da janela quando a boca dela se movia, e desejou que ela errasse um verso, apenas *um verso*. Ela não errou, e, no fim, elas foram avaliadas como uma dupla, de qualquer forma.

Chloe coloca a mão dentro do piano, tira o cartão dentre as cordas e o abre.

Na parte de cima do cartão, Shara escreveu outra citação de *Sonho*. Chloe também sabe essa de cor. Hérmia e Helena.

> Como se nossas mãos, corpos, vozes e mentes
> Se tivessem incorporado. Assim crescemos juntas,
> Como uma cereja dupla aparentemente separadas
> Mas ainda unidas em sua divisão
> Dois frutos amorosos num só talo.

No outro lado, o cartão está endereçado a ela:

> Chloe,
> Ser a filha do diretor tem ao menos uma vantagem: uma chave mestra torna tudo mais fácil. Mas o sr. Truman parece legal, então me sinto um pouco mal.
> Que bom que você decifrou essa. Fiquei a noite toda decorando nossa cena, mas era essa que eu realmente queria fazer. É uma imagem tão bonita, uma cereja de dois talos. Acho que somos assim. Você sempre pareceu estar bem ao meu lado, embora nunca conseguíssemos nos aproximar uma da outra. Mas, enfim, não tenho que explicar metáforas para você, não é?
> Beijos,
> S

— Então, você está dentro de novo? — Rory pergunta quando eles se encontram atrás do ginásio depois da sétima aula.

— Nunca estive oficialmente fora, e isto não é *Oito mulheres e um segredo* — Chloe diz. — Mas, se fosse, eu seria a Cate Blanchett.

— Nunca vi — Rory comenta, examinando as cutículas. Então, tão baixo que ela não sabe se era para ela ouvir, ele acrescenta: — Sou a Rihanna.

Smith ainda está lendo o postscriptum ao pé do post-it que Shara deixou no *Sonho*. É dirigido a ele.

Tem mais algumas coisas que preciso que você saiba sobre mim, diz. *Deixei uma foto nossa no último lugar em que você me beijou. Talvez ajude.*

— O último lugar em que eu beijei a Shara? — Smith diz, incrédulo.

Os três estão se mantendo a um cuidadoso braço de distância um do outro, como se fosse indecente ficar a uma distância menor do que essa. Smith olha para Rory enquanto Rory olha para baixo, então Rory ergue os olhos, e Smith se dedica a estudar a ponta de seu Nike Air Force. Chloe sente saudade da semana anterior, quando ela nunca havia tido a boca de Shara na sua e seu maior problema era encontrar protetores de mamilos para o baile de formatura.

— Você não se lembra do último lugar em que beijou a Shara? — Chloe pergunta.

— Não, eu lembro — Smith responde. — Foi na casa do Dixon Wells quando a gente estava tirando fotos para o baile.

— Certo, então — Rory diz —, pergunta se pode ir lá e procurar.

— Não é tão fácil assim — Smith diz. Ele passa a mão na parte raspada do cabelo, na nuca. — Dixon é meio cuzão.

— É — Chloe concorda. — Não brinca.

— Pensei que ele fosse seu amigo — Rory comenta.

— Dixon é um cara com quem eu ando — Smith responde. — Não é a mesma coisa.

— Mas e aí? — Chloe pergunta.

— Aí que, se eu pedir para passar lá para procurar alguma coisa que a Shara deixou, ele provavelmente vai ser um escroto e vai querer saber o que é, e se descobrir que minha namorada me traiu com vocês *dois*, ele definitivamente vai ser escroto.

Chloe para um segundo para pensar. Shara pode ter arrastado os três para essa confusão, mas não merece que o babaca mais arrogante da escola saiba que ela beijou uma menina. Por mais que Chloe não se importe com a reputação de Smith, ela se importa com isso. Tipo, em um sentido moral geral.

— Tá — Chloe diz. — Então, de que outro jeito podemos entrar na casa do Dixon?

— Ele vai dar uma festa amanhã à noite — Smith comenta. — Vou procurar durante a festa.

— Você precisa de ajuda — Rory diz. — Dixon mora do outro lado do campo de golfe em relação a mim. Já vi a casa dele. É quase do tamanho de um país.

— Vocês podem… bom, um de vocês pode vir comigo. Dois pode ser forçar a barra. Ele fica estranho quando pessoas que ele não conhece aparecem. Se quisemos manter isso entre nós, só um de vocês pode ir.

— Ela escreveu no meu bilhete — Chloe diz rápido. — Eu vou.

DA PILHA DA FOGUEIRA

Encontrado no verso do caderno de química do
segundo ano de Chloe

DISCURSO DE ORADORA: RASCUNHO Nº 3

Bom dia, amigos, parentes, professores e colegas formandos da turma de 2022 da Escola Cristã Willowgrove. Meu nome é Chloe Green, e é uma honra estar representando nossa turma como oradora. Foi uma grande luta para chegar ao topo, e sou grata a cada um de vocês cujo trabalho árduo me estimulou a me esforçar ainda mais.

Ao contrário de quase todos os membros desta turma de formandos, não cresci em False Beach. Cresci no sul da Califórnia, perto de uma praia de verdade. Quando me mudei para fazer o ensino médio aqui, foi a primeira vez que vivi perto de tanta gente que se importa tanto com futebol americano universitário, que nunca na vida comeu um sushi, que acredita que calças boca de sino ainda são uma peça de roupa aceitável para usar em público. Na verdade, desde o momento em que cheguei a Willowgrove, tive certeza de que passaria o resto dos anos do ensino médio contando os dias para fugir deste lugar, que tem a aura de uma garrafa de plástico cheia de tabaco de mascar num porta-copo de uma banda de rock cristão cover de Lynyrd Skynyrd

Anotação de Georgia:

É uma formatura, não uma crítica aberta. Considere fazer uma lista de coisas de que você gosta em False Beach, se possível.

6

DIAS DESDE QUE SHARA WHEELER SUMIU: 6
DIAS PARA A FORMATURA: 37

A última coisa que Chloe quer, definitivamente neste momento e talvez no resto da vida, é passar a sexta à noite vendo Dixon Wells bebendo cerveja por um funil babado junto com o namorado de Shara Wheeler.

Não que ela não curta festas, ou grandes grupos de pessoas gritando, ou sábados à noite que saem um pouco do controle. Está muito bem documentado nos stories do Snapchat de Benjy que ela curte todas essas coisas. Ela quase levou um beijo de língua de Tucker Price, da equipe de Perguntas & Respostas, na jacuzzi de água salgada dos pais dele. Tirar um dez atrás do outro e ser capaz de se divertir não são mutuamente excludentes.

Mas uma festa cheia do tipo de pessoa que é popular em Willowgrove não é o que Chloe chamaria de diversão, especialmente quando é dada por Dixon Wells. Dixon é uma variedade particular do babaca afável típico do Alabama: o tipo que insiste que ele pode fazer piadas ofensivas porque não é racista/ sexista/ homofóbico/ transfóbico/ seja lá o que for *de verdade*, então ele não está falando sério *de verdade*, mas as piadas são *tão engraçadas*. *Humor ácido*. Óbvio, o corpo estudantil o elegeu como rei do baile em vez de Smith, que parece insosso, mas pelo menos é decente.

A casa de Dixon tem uma daquelas entradas curvadas na frente como se fosse ter serviço de manobrista. Carros que Chloe reconhece do estacionamento da escola ladeiam a rua: Jeep, Jeep, Jeep, Range Rover, Jeep, caminhonete com suspensão elevada, caminhonete com suspensão elevada, caminhonete com suspensão elevada. Ela estaciona o Camry de segunda mão atrás de uma F-150 com suspensão elevada que tem cara de que deveria estar no deserto australiano.

Cheguei, ela manda para Smith.

Ela espera cinco minutos, depois mais cinco, mas Smith não responde. Fantástico. Ela consegue ouvir a festa bombando no quintal dos fundos, mas não quer entrar sozinha.

Ela é capaz de fazer isso. Está usando suas botas mais pesadas, pretas com solado de borracha e salto de oito centímetros. Benjy as chama de botas matadoras. Ela é capaz de qualquer coisa com suas botas matadoras.

Ela fecha os olhos e repassa uma dezena de versões destemidas alternativas de Chloe, decidindo-se por uma imagem de si mesma como uma rainha implacável com um vestido de milhões de metros de veludo vermelho-sangue, andando por um palácio com um frasco de veneno e um cabelo incrível. Isso vai bastar.

Ela abre a porta, finca as botas homicidas no gramado impecavelmente aparado dos Wells e imediatamente atola em um trecho de lama.

Ela puxa a perna e sai batendo o pé, com o rosto apenas levemente corado.

O quintal dos fundos é enorme, com um trampolim imenso e uma cozinha externa de tijolos vermelhos que tem uma ilha de mármore e uma churrasqueira a gás que deve ter custado mais do que um semestre inteiro em Willowgrove, o que não é barato. Até a grama parece cara. Ninguém parece estar usando roupas de verdade, apenas camisetas encharcadas ou maiôs ou shorts curtos. Ela sente que está vestida demais só por estar usando sapatos.

Ela foca na margem oposta da piscina larga cheia de meninas de biquíni aos gritos em cima dos ombros de linebackers, tentando identificar Smith na multidão.

Todas as pessoas por quem ela passa param o que estão fazendo para observá-la. Ela endireita os ombros e olha fixamente para a frente, assim como fez quando subiu ao palco diante da escola inteira e cantou "Think of Me" com tudo o que tinha. Olhos erguidos, queixo protraído, fingindo que ninguém está pegando o celular para fazer um story maldoso sobre ela.

— Chloe Green! — alguém grita, e, nossa, como ela torce para que seja Smith.

Ela vira a cabeça e...

Não, é Ace Torres, o cabelo escuro desgrenhado pingando cloro por toda parte e aquele sorriso desconcertantemente grande. O maxilar dela se tensiona automaticamente.

Ele a alcança em duas passadas enormes, assomando-se como um urso molhado com uma fatia de pizza.

— Chloe! Você está aqui! Que loucura!

Tecnicamente, Ace é inofensivo, e ela não teria nenhum motivo para odiá-lo mais do que qualquer desmiolado de Willowgrove se ele não tivesse sido imposto sobre o musical de primavera mais importante do seu ensino médio. Ela sempre achou que o sr. Truman se recusaria a montar um elenco chamariz, mas ele praticamente teve um derrame quando Ace conseguiu cantar quatro compassos nos testes.

— É, estou tão surpresa quanto você — ela diz, desviando de uma poça de água da piscina.

Ace ri.

— Cara, sinto falta de ver vocês nos ensaios.

— Você ainda pode andar com a gente — Chloe comenta.

— Meio que tenho a impressão de que vocês não querem — Ace responde. Chloe pisca. — Mas tudo bem! Você está aqui agora! Maneiro! Está aqui com alguém?

Não existe resposta fácil para essa pergunta, mas ela vai com:

— Smith me convidou.

— É isso que está pegando — Ace diz. — Ele precisa de mais amigos!

Ele dá uma olhada nas pessoas na festa, que parece incluir mais de um quarto da galera do seu ano e delegações consideráveis de turmas dos anos anteriores. Existem tantos corpos na piscina que é impossível dizer onde termina um trapézio descamisado e onde começa outro.

— Esses todos não bastam?

Antes que Ace possa responder, ele avista alguém atrás dela.

— Ei, Smith, olha quem está aqui!

E lá está Smith, saindo da mesa de comida. Assim que pousa os olhos no rosto de Chloe, ele lança um olhar culpado para o próprio bolso, onde seu celular deve estar.

— Ei, Chloe, hum, que… que bom que você veio — Smith diz.

Ela suspira, sem querer perder mais tempo.

— Oi. Pode me mostrar onde posso pegar um copo d'água? — Ela o encara de maneira incisiva até ele sacar.

— Ah, hum, sim, é só entrar, por aqui — ele responde, virando-se para guiá-la para dentro da casa.

— Tchau, Chloe! — Ace grita atrás dela. — Não vai embora antes das margaritas de cabeça pra baixo, hein!

— O que, em nome de Deus, são margaritas de cabeça pra baixo? — Chloe sussurra para Smith enquanto ele abre uma das portas francesas enormes.

— Você não vai querer saber.

Não tem ninguém lá dentro exceto um casal de alunos do último ano se pegando no sofá, e Smith desvia deles com habilidade e a guia para a cozinha.

— Puta merda do *céu* — Chloe xinga ao entrar.

A ilha de mármore é quase do comprimento do quarto todo dela. A geladeira de aço inoxidável parece capaz de guardar um corpo humano. Talvez dois.

— Pois é — Smith acrescenta às pressas. — Olha, desculpa não ter visto sua mensagem. Eu estava falando com a Summer sobre todo o lance da Shara, e elas eram melhores amigas até terem um desentendimento esquisito este ano que as duas se recusam a me contar, e é tudo…

— Tudo bem — Chloe interrompe. — Me diz onde preciso procurar.

Smith se recosta em uma das seis banquetas de couro em volta da ilha, pensando. Quanto mais tempo ela passa com ele, mais ela nota que ele não se comporta como todos os outros jogadores de futebol americano no quintal. Ele é grande, mas é gracioso. Não exatamente anda de um cômodo a outro, mas flutua entre eles.

Ele está usando uma camiseta de futebol americano de Willowgrove com as mangas rasgadas e um calção de banho com estampa de flamingos. Ela para exatamente um segundo para achar aquilo fofo.

— Então — ele diz —, eu estava o tempo todo com ela quando viemos aqui pra tirar as fotos do baile, exceto quando ela foi ao banheiro.

— Onde é o banheiro?

Smith faz uma cara feia.

— Acho que tem uns cinco. Seis se contar o da casa da piscina. Então ela pode ter passado por basicamente qualquer parte da casa pra chegar até um.

Chloe solta um grunhido.

— Estou ficando muito cansada dessas mansões de condomínio.

— Sei como é — Smith concorda.

Eles se separam — Smith vai para a casa da piscina e o porão, deixando Chloe com o primeiro e o segundo andar. Ela atravessa o térreo primeiro, passando pelos quartos de hóspedes e pelas salas de jogos e por salas que não parecem ter utilidade nenhuma além de aumentar a metragem quadrada já astronômica. Ela passa pelo que parece ser uma sala "para os homens da casa", do tipo que ela e as mães zoam nos programas de decoração — só um cômodo enorme sem nada além de uma TV imensa e muita decoração cafona do Alabama.

No segundo andar, ela encontra o quarto de Dixon, que é um exemplo do pior da masculinidade adolescente. Chloe *gosta* de meninos e de seus maxilares delineados e sorrisos de lado, mas a pilha de roupa suja no canto a faz querer desistir de todos. Ela aperta o desodorante em spray em cima da cômoda para testar e quase se engasga. Daqui a mais ou menos um ano, Dixon Wells vai abrir uma gelada com o resto da galera da fraternidade antes de seu pai, advogado, o livrar de um trote digno de uma série investigativa. Argh. Ela duvida que Shara tenha botado os pés nesse quarto.

Para ser sincera, não é difícil apenas imaginar Shara no quarto de Dixon; é difícil imaginar Shara fazendo *tudo* isso.

A Shara com que Chloe passou quatro anos sempre pareceu uma criatura passiva e quieta. Você ouvia histórias sobre os fins de semana que ela passou dando comida para pessoas em situação de rua, ou ajudando alunos do quinto ano com a matéria, ou como modelo de sobrancelha no Japão, mas nunca a via *fazer* nada disso a menos que ela postasse uma foto maravilhosamente bem composta para seus vinte e cinco mil seguidores no Instagram. Ela simplesmente flutua de um lado para outro, sem nunca ter um fio de cabelo fora do lugar, usando uma saia do uniforme que sabe-se lá como parece mais curta do que a dos outros, mas se encaixa exatamente na regulação de comprimento. Ela não desobedece às regras.

Os dedos de Chloe se contraem querendo a corrente de prata na gaveta de seu banheiro. Ela sempre desconfiou que havia algo errado com Shara, mas nunca conseguiu provar o que era. E, considerando que nem consegue imaginar Shara aqui, bisbilhotando a casa de outra pessoa com um punhado de pistas e planos de fugir da cidade, ela nunca se sentiu mais longe da resposta.

Ela está prestes a procurar Smith e a dizer que nada feito quando nota no patamar entre o primeiro e o segundo andar, escondido atrás de uma pilha de livros e uma planta artificial, embaixo de uma cabeça de veado empalhada, há um cartão cor-de-rosa.

Ela pega e abre.

Dentro, a primeira coisa que ela encontra é uma polaroide de Shara e Smith sorrindo perto da piscina, o sol se pondo atrás deles. Shara está com seu vestido cor-de-rosa do baile de formatura, e Smith parece um pouco desconfortável de smoking, mas segura a mão de Shara com firmeza. Chloe vira a foto para não ter que olhar para eles enquanto lê o cartão.

Smith,

Tenho que te contar uma coisa sobre essa foto. Pareço feliz, né? O que eu estava pensando nesse momento era: "Não vamos durar até a Formatura".

P.S.: Dá uma olhada no histórico, Rory. Chloe deve saber onde estão. A chave está lá, onde eu estou.

Ela passa pelos jogadores da defesa virando latinhas de destilado ao sair para chegar à casa da piscina. A porta lateral está entreaberta — Smith ainda deve estar lá dentro —, e ela está pronta para colocar a mão na maçaneta…

Quando tenta dar outro passo, não consegue. O calcanhar da sua bota ficou preso, *de novo*, dessa vez em uma poça de lama grudenta entre dois blocos do piso da trilha que leva à porta. Ela puxa, mas a terra puxa com mais força.

Ali no fundo do quintal, os sons da festa são tão abafados que ela consegue ouvir a voz de Smith de dentro da casa da piscina. Ela abre a boca para abandonar o orgulho e pedir para ele tirá-la do gramado, mas, antes, surge outra voz.

— … tá — Chloe escuta. — Não se preocupa.

Ela não passa muito tempo perto de pessoas que poderiam estar na festa de Dixon, mas é fácil atribuir um rosto àquela voz. Summer Collins, estrela do softball e membra da corte do baile. Bonita, popular, na turma de biologia avançada de Chloe, a única menina negra da turma de 2022. Sua irmã mais velha ficou famosa ao se assumir lésbica dois anos depois da formatura, e o pai dela é rico porque é dono da concessionária de carros na frente de Willowgrove.

— Lembra do oitavo ano? — Smith pergunta. — Quando tivemos que cuidar daquele saco de farinha para a aula de ciências?

— Sim — Summer diz —, deixei o saco cair do carro da minha mãe e nosso bebê explodiu na garagem inteira na primeira vez que fiquei com ele.

— Lembra que sua mãe levou a gente pra loja pra encontrar exatamente a mesma marca de farinha e trocar o saco, e a gente levou pra aula, e surtei porque achei que todo mundo conseguia perceber...

— E você dedurou a gente pra sra. Young? Sim, como eu poderia esquecer? A gente *reprovou*. Foi a única vez em que tirei uma nota ruim num projeto de ciências na vida. Fiquei puta.

— Você já... sei lá, se sente assim às vezes?

Droga. Chloe se ajoelha e começa a desamarrar os cadarços, tentando se soltar antes de acabar ouvindo alguma revelação sobre os dilemas interiores de Smith Parker.

— Me sinto como? — ela ouve Summer perguntar. — Puta com você?

— Não, tipo assim... como se você tivesse sido *substituída* ou coisa assim, mas você ainda tem a aparência que deveria ter, e ainda é farinha, então por que deveria se sentir errada?

— *Ah* — Summer diz. — Na verdade...

Com um puxão final, Chloe consegue soltar o pé, mas o impulso a faz tombar para a frente, pela soleira, e cair no chão de concreto polido da casa da piscina. Bem aos pés de Summer.

Summer e Smith ficam paralisados, segurando seus copos vermelhos de plástico e olhando fixamente para ela, estatelada no chão calçando apenas um sapato.

— Tá, então — Chloe diz —, alguém realmente precisa dar uma olhada nos padrões de segurança desta festa. Eles podem levar um processo a qualquer momento.

— Você está bem? — Summer pergunta enquanto Smith estende a mão para ajudar Chloe a se levantar. — É melhor não beber mais de uma, se for sua primeira vez.

— Obrigada, mas eu não bebo — Chloe diz. Smith a levanta com toda a força de seu bíceps, que quase a faz sair rolando de novo, e agora ela está envergonhada *e* enjoada pelo movimento. — Estava procurando o Smith. Oi, Smith.

— E aí. — Smith ergue a sobrancelha para ela de um jeito nada sutil. — Achou o banheiro?

— Sim, achei — ela responde.

Summer olha para eles, arqueia uma das sobrancelhas e balança a cabeça.

— Ainda tem pizza?

— Hum, acho que sim — Chloe diz.

— Depois a gente termina a conversa? — Summer pergunta a Smith.

— Hum... Ah, nem precisa.

Summer dá de ombros, abre a porta e logo depois se volta para dentro.

— Parece que o Ace começou com as margaritas de cabeça pra baixo. Alguém ainda vai quebrar o dente, e vocês só têm uma chance de poder contar essa história.

— Hum, na verdade — Chloe começa —, eu já estava...

Mas Summer já saiu, e Smith sai logo atrás dela.

— ... indo embora — ela completa para ninguém.

É isso que ela deveria fazer. Ela pode mandar uma foto do bilhete de Shara para Smith do conforto do seu quarto, onde ninguém vai acabar a noite vomitando na piscina e tendo que pegar o aparelho móvel no filtro.

Ela sai e se agacha para recuperar o sapato.

Mas, pensando bem... talvez esse seja *sim* o lugar onde ela deveria estar. *Conhece teu inimigo* et cetera. Quatro anos olhando para Shara de fora não a levou a lugar nenhum, mas essa pode ser sua chance de entrar na pele dela por uma noite e a ver de dentro para fora.

— O pesadelo completo que é Shara Wheeler — ela suspira consigo mesma.

Ela descalça a outra bota, endireita os ombros e entra descalça na festa.

DA PILHA DA FOGUEIRA

Bilhetes trocados entre Benjy Carter e Ace Torres

Escritos no verso de uma página do roteiro de
Fantasma

ei, acha que a Chloe me odeia? :(

Acho que você precisa se preocupar com aquela nota
no fim de "Point of No Return"

SIM acha que o Truman vai me deixar usar minhas meias da
sorte no palco? elas me ajudam a cantar melhor

historicamente não é verdade, mas, sim, acho que ele
deixaria se você pedisse

BOOOOAAAA

7

DIAS DESDE QUE SHARA WHEELER SUMIU: AINDA 6
DIAS PARA A FORMATURA: AINDA 37

Aparentemente, margaritas de cabeça pra baixo é o nome de um jogo de festa sem nenhum vencedor e um conjunto de regras bastante básico. Dixon para na ponta do quintal enquanto um dos caras do futebol vira tequila e um mix de margarita diretamente na boca dele, então dois outros caras do futebol o pegam pelos braços abertos e o jogam do outro lado do quintal.

— É isso? — Chloe pergunta para Summer enquanto Dixon cai capotando em uma pilha de boias de piscina. — Isso não é um jogo. É uma concussão.

— É mais um impacto de cara do que uma força bruta no crânio pra ser uma concussão — Summer comenta ao lado dela. Ela tem covinhas muito bonitas, Chloe nota, e pequenos berloques prateados cintilam nas tranças dela. — Eu não estava brincando sobre perder os dentes. Depois pede pro Tanner tirar os postiços dele. Ele adora fazer isso em festas.

Chloe olha para Tanner, o cara segurando o mix de margarita.

— A zona de impacto é um novo vício, então?

— Pelo menos eles não vão mais pros pastos de vaca pra fazer isso — Summer diz.

Ela sai para encher o copo, e Smith ocupa o espaço que fica vago.

— Onde você achou? — ele pergunta, com a voz baixa.

— Importa? — Chloe diz.

Smith suspira.

— Acho que não. O que diz?

— Acho que você não vai curtir.

Smith pensa por um segundo. Depois solta um riso baixo e balança a cabeça.

— Tá, depois você me conta.

Ela faz que sim, e Smith pede mais dois copos de Coca para eles, e a festa continua.

Chloe observa atletas voarem pelo quintal e calouros jogarem pingue-pongue na ilha da cozinha externa e se pergunta como Shara se encaixa nisso tudo. Será que ela se senta toda empertigada no canto da jacuzzi como a Emma Grace Baker, com seu colar de cruz prateada caindo pelo decote do biquíni? Será que ela fica dançando e rebolando junto com Mackenzie Harris e as outras meninas da equipe de dança? Ou fica junto com os caras, como a Summer?

Vai ver ela faz o que Chloe está fazendo — tenta não pensar no dever de casa e deixa o barulho e a overdose de açúcar e a presença calorosa de Smith ao lado dela a convencerem de que ela pode aprender a curtir isso.

A vez de Ace no jogo em margaritas de cabeça pra baixo é assim que alguém troca a playlist de rap do SoundCloud para The Killers, e ela olha enquanto Smith o observa sair voando pelo quintal, não caindo nem perto das boias. Ace se levanta cambaleante, com grama colada no peito e mix de margarita pingando do queixo, e Smith ri tanto que quase se engasga com a pizza. Ela se dá conta de que esse é o Smith desinibido — ela nunca tinha nem considerado que ele poderia se inibir perto dela.

Ace chega saltitante, passando o braço pelos ombros de Smith e secando o rosto na camiseta dele.

— Cara, eu amo essa música! — Ace anuncia, chacoalhando os ombros de gratidão pela playlist. — Sabe o que é engraçado? A música acaba e ele nem diz se é do cara ou da menina que ele tem inveja.

Chloe arqueia uma das sobrancelhas para ele.

— Estou surpresa que você conheça essa música.

— Chloe — Ace diz, sorrindo — *todo mundo* conhece "Mr. Bright-side".

Ela encara Ace e Smith. Eles estão sendo tão legais com ela. Tipo, tão legais que ela desconfia. Ela se pergunta se esse é aquele tipo de escrotice dissimulada, a falsidade de alunos populares tirando sarro. Mas é impossível olhar para a carona boba de garotão na terra mágica das margaritas de Ace e o sorriso largo e bonito de Smith e ver más intenções.

— Sua vez — Smith fala para ela.

— Não — ela diz. — De jeito nenhum. Eu não bebo.

— Cara — Ace diz —, eu também não. Fiz a minha com o mix.

Ela estreita os olhos para ele.

— Você parece bêbado.

Ace dá de ombros.

— Eu sou só assim. Vamos lá.

E, antes que ela se dê conta, está sendo levada a um canto do quintal, onde uma menina da equipe de atletismo pega um dos seus braços e Ace pega o outro.

Summer entra na frente dela, o mix de margarita na mão.

— Mantém os braços e pernas relaxados que vai dar tudo certo — ela diz, de um jeito quase profissional.

— Você já fez isso antes? — Chloe pergunta.

Summer ri de leve.

— Não, eu sou esperta. — Ela ergue o queixo de Chloe com a mão livre e levanta o jarro de mix. Chloe não tem como não respeitar uma garota que vai direto ao ponto. — Abre a boca.

E então Chloe sai voando pelo gramado.

Ela fica no ar por um segundo, limão ardendo em suas narinas e com um vislumbre do céu estrelado, antes de cair em uma pilha de donuts, palmeiras e pirulitos vermelhos, brancos e azuis. Por um momento, tudo que consegue ver é o vinil néon, e *aí* ela rola para o chão molhado.

Um silêncio se instaura, até ela se levantar e erguer os braços no ar, abrindo bem a boca para mostrar que está vazia, e a multidão que assiste vai à loucura.

Então, Chloe curte a festa.

Ace grita que vai pedir mais pizza, Smith e Summer a puxam para dançar na beira da cascata da banheira de hidromassagem, alunos do penúltimo ano gravam tudo no Snapchat, e Chloe curte a festa. A certa altura, por total acidente, ela vai parar na piscina completamente vestida, e Smith a salva e coloca a jaqueta esportiva dele sobre os ombros dela. Ela tira o cartão do bolso da saia e o seca na camiseta do quarterback reserva antes de voltar a guardá-lo em segurança.

Ela entra e sai da multidão e vai para onde a equipe de softball está assistindo ao jogo de Auburn em uma TV na área externa. Summer encosta a cabeça no ombro de uma colega de equipe e dá risada, e uma lembrança vem à mente de Chloe: Shara, em uma reunião pré-jogo na última temporada de futebol americano, amontoada com os amigos do outro lado da arquibancada, rindo, confete no cabelo e o número de Smith pintado na bochecha.

Ela imagina as duas cerejas de *Sonho*, ela e Shara sentadas lado a lado a aula toda, fazendo as mesmas anotações e depois saindo pelo corredor em sentidos opostos. Quantas vezes Shara não usou a jaqueta de Smith desse jeito? Ela olha para a ponta dos dedos que escapam pelas mangas longas demais, suas unhas roídas, e imagina as unhas feitas de Shara em rosa-pastel.

Essa é a vida de Shara e, por meio segundo, parece que poderia ser a de Chloe também. Uma menina com um histórico escolar perfeito e mais amigos do que cabem numa piscina.

— Não — ela escuta em um grupo próximo. Dixon falando alto demais como sempre. Seu cabelo castanho-claro secou do jeito como ele usa na escola: espetado para tudo quanto é lado, como se ele tivesse acabado de tirar um capacete de futebol americano. — Tô falando, dá pra levar num quadriciclo.

— Mas onde a gente vai botar, cara? — Tanner pergunta.

— A gente pode pegar um trailer emprestado pra puxar. Meu pai tem tipo uns cinco.

— Mas duvido que não peguem a gente.

— Se acontecer, a gente pede pra Mackenzie ligar pro pai dela.

— Do que vocês estão falando? — Chloe intervém, curiosa demais para ignorá-los.

Dixon olha para ela como se fosse algo que saiu rastejando do aspirador robô da piscina, depois abre um sorriso largo.

— Essa daí é sua, Smith? Faz só uns dias que a Shara sumiu. Isso sim é rebote.

— Ela é minha amiga — Smith diz. — Não tem nada de "rebote".

— Fala pra ela cuidar da vida dela.

— Você está basicamente gritando — Chloe solta. — Não imaginei que fosse segredo.

— Eles estão falando da pegadinha do último ano — Smith explica. — Estão a fim de roubar a estátua do Bucky, o Cervo, da praça da cidade.

— *Cara* — Dixon berra. — O lance de uma pegadinha é que é pra ser *segredo*!

— Você falou na frente da Shara na semana passada, e o pai dela é o diretor — Smith replica. Ele ergue as mãos, dando risada. — Está tranquilo, mano. Ela é de boa.

— É isso? — Chloe pergunta. — Uma estátua?

— A gente… a gente não vai só roubar — Dixon diz. — A gente vai levar pra escola e botar no meio do pátio.

— Tipo, é ok. — Chloe diz. Ela desce a jaqueta de Smith para os cotovelos para poder ajeitar a camiseta molhada. — Mas vocês conseguem fazer coisa melhor.

Dixon ri e chega perto dela, botando um braço em torno dos seus ombros.

O corpo de Chloe fica rígido.

— Estou disposto a deixar essa passar por causa da Regra Rachel — Dixon diz com um sorriso amistoso demais.

— Mano. — Smith de repente fica com uma cara de pânico. Os caras ao redor ficam aos risinhos. — Não.

— Qual é a Regra Rachel? — Chloe pergunta.

— É uma regra que os veteranos do ano passado inventaram pra Rachel Kennedy, que era uma puta chata, mas mesmo assim vinha para as festas porque ela tinha peitos enormes — Dixon diz.

Ele está olhando para baixo. Para os peitos e a camiseta molhada de Chloe. Ela fecha as mãos com força ao lado do corpo; desde que seios fartos brotaram nela no meio do ensino médio, sempre que algum garoto os encara, as coisas não acabam bem.

— Então — Dixon continua —, enquanto você estiver usando isso, a Regra Rachel diz que você pode ficar.

É impossível que a festa pare, ou que sirenes comecem a soar ao longe, ou que todas as gotas do sangue de Chloe realmente vão para o seu rosto, mas é essa a sensação.

Ela se solta do braço de Dixon.

— O que você disse?

— Quê? — ele diz. Ele olha para os amigos ao redor, que estão rindo com a mão na boca. — Sabe o que todo mundo diz, né? "Quem é Chloe Green?" "Ah, é aquela menina de Los Angeles com os peitões."

Tudo que Chloe consegue dizer é:

— Uau.

— É um elogio! Olha, antes deles surgirem, todo mundo só chamava você de lésbica, então acho que é um avanço. Você deveria ter orgulho deles!

Smith dá um passo à frente, tocando o ombro de Dixon.

— Dixon, cara, cala a boca.

— Qual é, ela sabe como é o corpo dela! É uma piada, cara!

— Você está sendo um cuzão…

— Não, não, tudo bem — Chloe diz. — Sei sim como é o meu corpo. E, um dia, quando o Dixon tiver cinquenta anos e a segunda mulher dele o tiver largado porque ele é um treinador careca de futebol americano infantil com a personalidade de um bolo de carne congelado, e os filhos o odiarem porque ele nunca expressou nenhuma emoção além de raiva e tesão, ele vai lembrar do último ano do ensino médio e se dar conta de que ser rei do baile de formatura foi a única conquista que ele já teve na vida, e que, mesmo no absoluto auge da vida dele, antes de tudo ficar uma merda, aquela menina de Los Angeles com os peitões nunca quis transar com ele.

Ela puxa a jaqueta mais perto do corpo e sai do quintal batendo os pés, pegando as botas no caminho. Abre o portão e continua andando, se afastando de Dixon e dos outros caras gritando atrás dela como se ela fosse o entretenimento da festa.

O que ela estava *fazendo*? Uns dois caras populares foram legais com ela uma vez e ela esqueceu tudo que sabia sobre a cadeia alimentar de Willowgrove? Ela não é a Shara. Essas pessoas não significam nada para ela. Todo o objetivo de derrotar Shara é provar que ela consegue vencer do jeito que importa. Ela sempre soube que nunca venceria do jeito de Willowgrove.

Dá ainda mais raiva, mas lágrimas de vergonha brotam no canto de seus olhos.

— Chloe, espera...

Maldito Smith Parker e sua velocidade que ainda vai levar um prêmio.

Ela vira no meio do quintal da frente, as botas balançando loucamente pelos cadarços na sua mão.

— Você deveria ter me deixado cuidar da situação. Já foi humilhante demais sem você surgindo para me salvar.

— Eu não... argh — Smith resmunga. — Ok, beleza.

— Não entendo por que você anda com filhos da puta que nem ele. Está na cara que você tem mais noção.

Smith faz uma cara feia.

— Você gosta de todo mundo que fez o musical de primavera com você? Não tem nenhum escrotão que você teve que aturar na equipe de Perguntas & Respostas porque era mais fácil fazer isso do que azedar a coisa toda?

— É diferente — Chloe diz. — Nossos escrotões não são homofóbicos.

Ele revira os olhos.

— Você acha mesmo que o Dixon Wells nunca foi racista comigo? Acha que não odeio aquele moleque? Mas fiquei preso no mesmo time que ele por quatro anos, e estou preso com ele até a gente se formar, e não tem muita coisa que eu possa fazer pra mudar isso. Escolha suas batalhas. Ele não vale a pena.

Ela se lembra do que Ace disse mais cedo sobre Smith precisar de mais amigos. *Andar com uma pessoa não é a mesma coisa que ser amigo dela.*

— O que você está fazendo? — ela pergunta quando Smith tira o celular do bolso.

— Vou mandar mensagem pra minha irmã vir me buscar — ele diz. — É a vez dela com o carro, e estou cansado.

Ela suspira.

— Quer uma carona?

No carro, ela coloca Bleachers para tocar baixo e Smith se recosta na janela do carona.

— Posso te perguntar uma coisa? — Chloe diz depois de alguns minutos de silêncio. Smith vira para ela, e seus olhos se encontram por um segundo, castanho sobre castanho. — O que você enxerga na Shara?

Smith fecha a cara.

— Está falando sério?

— Estou curiosa, tá? Me faz esse favor.

Smith suspira. Ela sente que ele fecha os olhos sem ter que olhar para ele.

— Isso vai parecer estranho, mas ela é meio que... minha melhor amiga.

Chloe franze a testa.

— Não é isso que todo mundo diz sobre a própria namorada?

Smith cruza os braços, e Chloe vê os antebraços nus dele refletindo um poste que passa e se lembra de que ainda está usando a jaqueta dele.

— O que eu quero dizer é que me sinto mais à vontade com ela do que com quase qualquer pessoa — Smith continua. — Não penso no que todo mundo espera de mim. Às vezes a gente nem precisa conversar. É só, tipo, uma compreensão. Mas, ao mesmo tempo, sempre tem algo mais rolando na cabeça dela que não dá nem pra adivinhar, e ela nunca diz exatamente o que é. Você precisa dar seus corres pra entender.

— Pra mim parece que ela é meio frígida.

— Sei — Smith diz, e sorri para ela. — Já você é superdivertida.

— Sou sim. Todo mundo me ama.

— E você? — Smith pergunta. Ele recosta a cabeça no encosto. — O que você enxerga nela?

— Não faço ideia do que você está falando — Chloe responde. Ela sente que as bochechas estão quentes e ajusta o ar-condicionado. — Foi ela quem me beijou.

— Mas você está aqui. Você veio a essa festa, por mais que fosse óbvio que preferia estar em qualquer outro lugar. Você decidiu ir atrás dela.

Chloe aperta o volante.

— Não é porque eu sou sáfica que me apaixono por qualquer menina bonita que me dá atenção.

— Não disse que você está apaixonada por ela.

— Ficou subentendido.

— Então você acha a Shara bonita?

— Uma *toupeira* acharia aquela menina bonita, Smith. Isso não quer dizer nada além de que estou viva.

Eles estão chegando ao bairro de Smith. Ele não mora no condomínio, como Shara ou Rory ou como a maioria dos alunos populares da série deles — mora em uma subdivisão perto da de Chloe, uma das cinquenta casas idênticas em um empreendimento que, segundo a mãe dela, não existia dez anos atrás. False Beach é assim: condomínios fechados, parques de trailers e antigos pastos equipados com casas iguaizinhas que ainda têm cheiro de tinta fresca.

Ela olha para Smith, achando que vai encontrar mais um sorriso irônico, mas o garoto parece pensativo.

— Só pra constar, não achei que você era apaixonada por ela só porque você é lésbica.

— Não sou lésbica. — Ela se irrita. — Sou bissexual. Nós existimos.

— Eu sei que existem — Smith diz, obstinado. — Só não sabia que você era.

— Bom, eu sou.

— Tá, legal.

Uma pausa. Smith espera.

— E não estou apaixonada por ela — Chloe responde entredentes. — Ela é a única pessoa nesta escola que está à minha altura, o que é... inesperado. Ela me surpreende. Beleza?

— É — Smith diz. — Ela sabe ser surpreendente.

Chloe estaciona na frente da casa de Smith.

— E ela é gata — admite.

— Sim, ela é gata.

— Por que ela tem cheiro de...

— Lilases?

— *Cara* — ela resmunga, e Smith ri. — Isto aqui não é esquisito?

Ele pensa um pouco.

— Acho que... era pra ser, mas não é?

Um músculo no maxilar de Smith se flexiona antes de relaxar em seu ângulo reto suave. Normalmente, as únicas pessoas em False Beach que ficam de boa por ela ser LGBTQIAP+ são outras pessoas LGBTQIAP+.

Hum.

— Como você acha que o Rory responderia a essa pergunta? — Smith questiona.

— Sei lá — Chloe diz. — Você tem que perguntar pra ele.

Smith cutuca o nariz do gato da sorte no painel do carro.

— Talvez.

— Qual é o problema entre vocês, aliás?

Smith dá de ombros.

— Ele é apaixonado pela minha namorada. Acho que o problema é bem óbvio.

— Pra ser sincera, você não me parece do tipo ciumento. Tipo, você parece de boa comigo.

— Com o Rory é diferente.

— Porque ele é homem?

— Porque o Rory era meu melhor amigo.

Chloe vira a cabeça de repente.

— Quê? *Quando?*

— No fundamental — Smith responde, ainda focado na palma balançando do gato da sorte —, quando entrei em Willowgrove. A gente estava na mesma sala e, sei lá, o santo bateu. Ele e Summer devem ter sido os primeiros amigos que eu fiz. Daí entrei pro time de futebol americano, e Rory achou que era descolado demais pra ser amigo de um atleta babaca que nem eu ou sei lá, e a gente meio que foi se afastando. Desde então a gente não se fala. Foi um saco.

— Shara sabe? Sobre vocês dois?

— Ela estava lá o tempo todo — Smith diz. — Rory sempre teve um crush nela. E ele ainda está puto porque eu namoro com ela, por mais que tudo isso faça um milhão de anos. Tipo, você tinha que ver a cara que ele fez quando olhou pela janela e me viu buscar a Shara pela primeira vez.

— Mas ela escolheu você. Por que isso tem importância?

— É difícil explicar. — Smith franze as sobrancelhas. — Não converso com ele desde que a gente tinha catorze anos, mas nunca consegui me livrar dele também. É como se ele sempre fosse voltar pra estragar as coisas pra mim, e agora isso aconteceu.

Aquilo tudo parece meio dramático para Chloe, até ela se lembrar da sensação no seu estômago na primeira vez que viu Shara, como se o universo tivesse jogado uma bomba-relógio personalizada na primeira aula de história mundial. Talvez algumas pessoas sejam feitas para se odiar.

— Acho que faz sentido — ela diz.

Algo se instala no ar entre eles, uma trégua hesitante. Eles não têm quase nada em comum fora o fato de que os dois beijaram Shara Wheeler, a menos que haja alguma outra coisa.

Depois que ele sai do carro, Chloe abre a janela e grita:

— Ei!

Smith para no meio-fio.

— Quê?

— Você esqueceu isso — ela diz, tirando a jaqueta e a estendendo para ele. Ele se debruça na janela e a pega. — O cartão está no bolso.

— Valeu — ele diz.

— Parabéns por ser o único membro do time de futebol americano que eu salvaria num incêndio.

Smith dobra a jaqueta sobre o braço e ri. É um som caloroso, como terra quente sob os pés descalços. Ela não precisa se perguntar o que Shara enxerga nele. É bem óbvio.

DA PILHA DA FOGUEIRA

Do caderno de redação de Georgia para a aula de
escrita criativa, penúltimo ano
Tarefa: Descreva uma pessoa em uma palavra

Tem uma menina de olhos castanhos que me faz lembrar do primeiro livro que eu amei. Quando olho para ela, sinto que pode haver um outro universo nela. Eu a imagino em uma prateleira alta demais para que eu consiga alcançar, ou dentro da mochila de outra pessoa, ou no fim de uma longa fila de espera da biblioteca. Sei que existem outros livros mais fáceis de conseguir, mas nenhum é tão bom quanto ela. Cada parte dela parece ter um propósito, um sentido específico, um motivo exato para ser o que é e como é e estar onde está. Portanto, a palavra que eu escolheria para descrevê-la é: "deliberada".

Anotação de Chloe:

Sobre quem é isso????

8

DIAS DESDE QUE SHARA WHEELER SUMIU: 8
DIAS PARA A FORMATURA: 35

— Desculpa — a mãe de Chloe diz, cruzando os braços. Ela se recosta na lateral da caminhonete, onde o logo da empresa de solda dela está pintado em preto. — Você foi a uma festa *onde* na sexta à noite?

É sempre assim com as mães de Chloe. Elas conversam sobre *tudo*, então todo segredo parece enorme. Ele durou até a manhã de domingo, então ela se entregou no carro a caminho do aeroporto de Birmingham.

— Na casa do Dixon Wells.

— Por que esse nome me parece familiar?

— Porque ele é um babaca de proporções nucleares. Tenho certeza de que já reclamei dele antes.

— E isso foi quando você disse que estava com a Georgia?

— Não — Chloe se defende —, eu disse que ia sair com um amigo. O que era verdade porque fui à festa com um amigo. Bom, tecnicamente eu o encontrei lá, mas a gente estava junto.

— Você está esticando bastante o conceito de verdade, hein, mocinha. Quer me contar por que foi à festa de um imbecil atômico?

— Babaca nuclear.

— Isso.

Como sabia que acabaria cedendo, ela já tinha uma história pronta. Todo o lance de caçar sua rival acadêmica é complicado demais para explicar, e se ela disser que quer fazer as pazes com a elite de Willowgrove como um gesto de boa vontade de formatura, é provável que sua mãe a leve às pressas para o pronto-socorro achando que ela bateu a cabeça.

— Estou fazendo um trabalho em grupo com um jogador de futebol americano na minha aula de Bíblia — ela explica — e precisava falar pra ele parar de me ignorar e fazer a parte dele.

— Ah, sim. — Sua mãe faz uma cara feia. — Aula obrigatória de Bíblia.

Comentar da aula de Bíblia sempre funciona. Sua mãe desgosta tanto quanto ela de ficar presa em False Beach, o que é o motivo por que Chloe não consegue sentir raiva dela por arrastá-las para cá. Odiar Willowgrove é uma atividade que uniu as duas nos últimos anos.

— Pois é — Chloe diz. — O treinador Wilson reserva um tempo em meio à sua agenda agitada de treinos do time de beisebol para informar seis turmas de alunos do último ano todos os dias que sexo antes do casamento é pecado e que homossexuais são uma abominação. É ótimo.

Sua mãe faz cara de quem vai dizer alguma coisa, mas então as portas automáticas se abrem e lá está a mamã dela, com a mesma cara de sempre, usando um macacão de linho largo e puxando uma mala cheia de vestidos de ópera. Ela abraça Chloe no mesmo instante, erguendo-a no ar e colocando os dedos no cabelo curto da filha.

— Ah, meu amor — ela diz no ouvido de Chloe, que sente um nó na garganta. Ela tosse no ombro da mamã. — Estava com tanta saudade.

— Você ficou mais grisalha? — Chloe pergunta com o rosto no cabelo dela.

— Provavelmente.

Ela solta a filha, depois puxa a mãe de Chloe pela cintura e lhe dá um beijo longo de boca aberta como se estivessem na proa do maldito *Titanic*.

— Certo, certo — Chloe diz. — Ainda estamos no Alabama. Vamos lá.

No caminho, ela reconta a história da festa de Dixon. Ela acaba levando bronca por mentir, mas a extensão do seu castigo é ter que aturar um sermão de trinta minutos da mamã sobre a importância de se comunicar abertamente em uma comunidade autônoma, mesmo uma tão pequena quanto uma família de três pessoas. Chloe dá uma olhada no Instagram de Shara para ver se tem alguma atualização e diz "uhum" em todos os momentos certos. Não tem nada de novo, só a curadoria forçada de sempre de fotos espontâneas falsas em tons quentes.

Quando termina de olhar o Instagram de Shara, ela volta à conversa em grupo com Smith e Rory, onde eles discutiram o postscriptum do último bilhete de Shara. Chloe tem certeza de que a palavra "histórico" se refere aos registros de sites no laptop de Rory, onde deve haver alguma dica, e quer fazer uma busca completa, mas ele respondeu com uma mensagem de voz perturbada de manhã dizendo que é perfeitamente capaz de procurar sozinho e que nenhum deles tem permissão de voltar a entrar no quarto dele nunca mais.

?????, Chloe envia, o que os outros sabem a essa altura que é o jeito dela de pedir uma atualização da situação. Rory responde com um emoji do dedo do meio.

Em casa, elas comem o bendito peru-pato-frango enquanto sua mamã descreve seu hotel em Portugal, as sacadas chiques e os pastéis de nata do serviço de quarto. Depois do jantar, vem um cheesecake caseiro coberto de cerejas açucaradas, o que faz Chloe se lembrar de *Sonho* e Shara, e aí ela fica se coçando para pegar o celular e olhar o Instagram de novo.

Ela coloca o prato na pia e vai para o quarto.

— Ei, está indo aonde? — sua mamã diz, colocando uma longa mecha de cabelo grisalho na trança. Sua mãe grunhe ao passar por ela no corredor, trazendo um monte de cobertas do quarto de casal. — Vamos alugar *Mens@gem para você*.

— Pois é — sua mãe diz enquanto joga tudo no sofá. — Não quer ver com a gente o Tom Hanks levar uma livraria independente adorável à falência?

Nossa, como ela sentiu saudade da sua mamã, de verdade.

Mas… Shara.

— Tenho um trabalho enorme pra entregar na segunda — ela diz.

Sua mamã faz beicinho.

— Por que criei você para ser tão responsável? Era para ter criado você para ser uma anarquista.

Chloe dá de ombros.

— Acho que você errou nessa.

Ela acende sua luz e se joga na cama.

Se estivesse no antigo quarto, saberia o que fazer em relação a Shara. Era mais fácil pensar lá.

Ela adorava o apartamento de Los Angeles. Ficava bem na beira da cidade, um apartamento de três quartos no quarto andar, e ela ainda sabe a planta de cor. O único banheiro, o armário no corredor onde Titania gostava de se esconder, a poltrona rosa na sala de estar. À esquerda da pia da cozinha, ficava uma cristaleira vintage que suas mães compraram em um leilão e pintaram de verde-primavera. Seu quarto tinha uma porta de vidro de correr que dava para uma sacadinha com vista para o horizonte. Quando ela fez dez anos, suas mães finalmente deram a chave dessa porta para ela, e ela nunca se sentiu tão adulta e descolada como quando lia livros em uma toalha de praia na sua sacada particular durante todo o verão.

A casa em False Beach é apenas um pouco maior do que o apartamento, mas parece grande demais, de certa forma. Ela sente falta de ouvir a rotina diária dos vizinhos pelas paredes e de pegar chá gelado na cozinha sem perder a conexão Bluetooth entre o fone e o laptop. Sente falta do antigo quarto, as camadas de tinta lavanda, amarela e verde conforme foi crescendo e a mancha na porta do guarda-roupa embutido onde ela havia grudado um pôster de *A lenda de Korra* cuja cola nunca conseguiu tirar. É difícil aprender tudo que se sabe sobre a vida no mesmo quarto e então encaixotar tudo um dia e nunca mais rever esse lugar.

Elas tentaram tornar o quarto novo o mais Chloe possível. Pintaram as paredes de verde e penduraram luzes no teto e, sobre as barras de metal da sua cabeceira, penduraram um quadro gigante do seu food truck de taco favorito do antigo bairro. Não tem sacada, só uma janela com vista para o quintal lateral perto do ar-condicionado, mas sua mãe construiu um banco de madeira da largura do parapeito para que Chloe pudesse ler ao sol.

Mas ainda não tem ar de casa. Depois que sua vó morreu, no segundo ano, Chloe teve esperanças de que elas pudessem voltar, mas havia a casa da mãe para esvaziar e vender, e o espólio para resolver, e então era tarde demais para terminar o ensino médio em outro lugar.

Titania sobe na cama, e Chloe faz carinho entre as orelhas dela.

Uma das coisas que suas mães dizem que Chloe herdou de Titania é o fato de que as duas precisam de algo para arranhar, um lugar para aparar as unhas para que elas não destruam a casa. É isto que Willowgrove oferece e que as escolas hippies que ela frequentou na Califórnia não tinham: uma chance de competir.

É por isso que ela não consegue parar de investigar o paradeiro de Shara. Desde que as duas estão em Willowgrove, Chloe finalmente passou a ter alguém com quem disputar a supremacia, e isso lhe deu certa razão de viver lá. Não que Shara seja lá *tão* importante; é só que, sem ela, Chloe não sabe de que adianta tudo isso.

Seus amigos, ela se lembra de repente. São eles que fazem tudo isso valer a pena. Georgia e Benjy e Ash, seus amigos com quem era para ela ter passado a noite de sexta antes de Shara se intrometer.

Ela vira para o lado, pega o celular e liga para Georgia pelo FaceTime.

— E aí — Georgia atende depois de dois toques.

— Geoooo — Chloe responde.

A imagem tem como pano de fundo as prateleiras cheias da Belltower. Georgia está usando sua camiseta favorita, uma branca com uma imagem de Smokey, o Urso, cercado por criaturas da mata e o slogan *Cuidado, existem bebês na floresta*, e está virando sua garrafa d'água de apoio emocional. A loja deve ter recebido um carregamento de lançamentos novos — é o único motivo para ela estar na loja fechada em um domingo.

— Sabe, fico muito feliz que você tenha encontrado sua estética lésbica — Chloe diz. — Aspirante a guarda florestal cai muito bem em você.

— Valeu. Não sei por que demorei tanto tempo. Acho que eu não entendia que ser escoteira e ser lésbica poderiam ser a mesma coisa.

— Lembra da sua fase sapadrão?

— *Cala a boca*, isso durou, tipo, *uma semana* — Georgia resmunga.

No último ano desde que Georgia contou a Chloe que gostava de meninas, ela passou por meia dúzia diferente de estéticas lésbicas tentando sacar qual era a dela. No começo ela ficava prendendo o cabelo, usando tops da Nike e pesquisando exercícios faciais para afilar a linha do maxilar, depois veio o batom vermelho patricinha e tatuagens desenhadas à mão, e aí foi a vez da calça jeans rasgada com jaquetas de couro garimpadas e, uma única vez, ela considerou raspar todo o cabelo e tentar entrar no time de futebol. No fim, a mãe de Chloe deu um mosquetão para Georgia no aniversário dela de dezessete anos, ela cortou o cabelo na altura dos ombros e tudo fez sentido.

— Por onde você andou? — Georgia pergunta. — Te mandei, tipo, umas três mensagens ontem à noite pra saber se você ia pra casa de Ash pra noite de filme.

Chloe se encolhe.

— Minha mamã voltou hoje de Portugal — ela diz. — Minha mãe ficou doida limpando a casa. Ela assou um peru-pato-frango. Foi todo um lance. Como foi o filme?

— A gente se distraiu fazendo uma degustação de palitos de mozarela.

— Quê?

— Benjy nos levou de carro e pegamos palitos de mozarela de todos os lugares da cidade. Daí a gente os classificou de um a dez em termos de sabor, apresentação, integridade estrutural e molhinho.

— Ai, meu Deus. Que raiva que perdi isso. Vocês contaram os resultados no fim? Quem venceu?

— Chloe, a gente é gay. A gente não sabe fazer conta.

— Tá, então na próxima eu vou e faço uma planilha.

— É por isso que precisamos de você — Georgia diz. — Uma

vez a cada geração, nasce uma bissexual capaz de fazer contas. Você é a escolhida.

Ela passa a ligação para o laptop e desliza a cara de Georgia para o lado, abrindo o Chrome enquanto Georgia descreve como Ash quase vomitou num arbusto porque continua insistindo que não é intolerante à lactose embora obviamente seja. Ela e Georgia fazem muito isso — ficam no FaceTime por horas enquanto fazem dever de casa ou navegam em silêncio no celular. O que ela mais ama em Georgia é que ela só se sente completamente à vontade na companhia dela, mesmo quando está irritada ou estressada ou insegura ou esquisita. Tudo é fácil com Georgia.

— Você descobriu sobre o que era aquele cartão? — Georgia pergunta. — Que Shara deixou pra você no Taco Bell?

Ah. É por isso que tudo é fácil com Georgia. Porque ela consegue ler a mente de Chloe.

— Menina popular querendo atenção, sei lá — Chloe diz. Suas mãos se agitam no teclado e, sem nem perceber, ela abre a conta de e-mail falsa que Shara deixou para eles. Hum. Bom, já que está aqui, pode dar uma olhada nos rascunhos. Vai ver tem alguma coisa nova desde as últimas cinco vezes em que olhou. — Quem liga?

— Hum, você, tipo, três dias atrás? — Georgia comenta. — Tipo, muito?

— Pensei que você estava cansada de mim reclamando sobre a Shara — Chloe diz.

Ela não encontra nenhum rascunho novo, mas o selo de edição no rascunho da pasta mostra que alguém fez login naquela manhã. Suspeito.

— Tipo, sim — Georgia diz. — Mas ser beijada pela Shara Wheeler é a coisa mais interessante que acontece com alguma de nós em muito tempo, então estou meio que interessada.

— Nem foi um beijo bom — Chloe mente de um jeito espetacular. — Enfim, isso é problema do Smith agora.

— Tá, não quer contar, não conta.

Ela poderia falar a verdade para Georgia. Até considera isso. Georgia sabe todos os seus outros segredos. Mas ela se sente fortemente reservada em relação a esse, mesmo com Georgia — *especialmente* com Georgia. Não sabe se quer ouvir a opinião dela sobre a situação. Georgia é a luz no lado escuro da lua de Chloe e, às vezes, Chloe não quer ver o que está acontecendo lá.

— Tem tempo pra falar sobre uma coisa rapidinho? — Georgia pergunta.

— É sobre o trabalho de francês? — Chloe diz, louca para mudar de assunto. — Porque juro que estou pesquisando muito sobre a Rebelião de Junho.

— Rever *Os miseráveis* não conta.

— Não sei por que não.

— Madame Clark disse especificamente que não podemos usar o musical como fonte.

— Tá, então vou fazer outra pesquisa. Tipo ler *Os miseráveis*.

— Olha, desde que você escreva metade do trabalho, eu não ligo. Só quero que este ano acabe.

Chloe faz que sim.

— Vou escrever. Pode me mandar suas anotações até agora?

— Sim, espera aí.

O rosto de Georgia desaparece por um momento e, então, vem uma notificação de e-mail.

Ao abrir a caixa de entrada, ela considera mandar um e-mail para Shara enumerando todas as formas como ela irritou Chloe, mas duvida que Shara morderia a isca. Ela não está respondendo as mensagens de Smith nem reagindo aos comentários dos seus amigos no Instagram, comunicando-se apenas por bilhetes enigmáticos. Tudo tem que ser na base do palpite, uma palavra escrita de trás para a frente que só dá para ler no espelho. Ela não vai responder algo tão óbvio.

— Aah, codificou por cores — Chloe diz, abrindo o arquivo do Google Docs que Georgia enviou para ela. — Estou vendo que você aceitou minhas sugestões.

— Pois é, a essa altura, cinquenta por cento das minhas interações humanas são pelo Google Docs, então precisava de um pouco de estrutura.

Willowgrove tem uma regra rígida que proíbe celulares na escola, mas a maioria dos alunos dá o seu jeitinho. Um dos mais comuns: criar um arquivo no Google Docs e dar permissão para seus amigos editarem, assim todo mundo pode escrever como se fosse uma conversa em grupo extraoficial. Parece um trabalho da escola e, se um professor chegar perto demais, é só deletar tudo.

Algo fácil de mudar, algo fácil de esconder...

— Chloe? — Georgia diz, e ela se sobressalta.

— Desculpa, viajei. O que você disse?

Georgia franze a testa, ajeitando o cabelo atrás da orelha.

— Estava lembrando que é pra entregar no dia vinte e seis.

— Eu sei — Chloe a tranquiliza, embora, por algum motivo, ela pensasse que fosse para o dia vinte e oito. — Posso até ir à escola fazendo cosplay de revolucionária francesa no dia da entrega. Vai ser bem convincente.

— Legal, vou ser a Maria Antonieta. A gente pode levar uma guilhotina e fazer toda uma reencenação histórica. Enfim, tem uma coisa que eu...

— Na verdade — Chloe interrompe, clicando para criar um documento novo. Ela tem uma ideia. — Preciso fazer um negócio. Depois a gente termina essa conversa?

— Tá, amanhã?

— Sim, claro — Chloe diz. — Teamotchau.

Ela desliga e copia a URL do documento, a cola em um e-mail em branco, coloca a conta falsa no campo de destinatário e clica em enviar.

Ela imagina Shara recebendo a notificação no celular. Talvez ela esteja em um hotel com um cartão de crédito roubado, enrolada em um roupão branco felpudo com uma identidade falsa e dinheiro vivo espalhado na mesa de cabeceira, passando os lábios na beira de uma taça de champanhe. Talvez esteja trancada em uma cabana no meio do mato, folheando seu exemplar de *Emma*. Talvez esteja em uma praia em Gulf Shores enquanto um universitário chamado Brayden lambe seus dedos dos pés.

Onde quer que esteja, ela vai ver a notificação. Então vai abrir o e-mail e ver o link. Então vai clicar no link e ver o documento que Chloe criou e as três palavras digitadas no alto da página.

Onde você está?

DA PILHA DA FOGUEIRA

Relatório de laboratório no fichário de química
avançada de Chloe

Chloe Green & Shara Wheeler
Sr. Rowley
4ª aula
2/11/20

Titulação ácido-base

Objetivo: O propósito do experimento é calcular a concentração de NaOH usando uma titulação com dez mililitros de 1,5M HCl.

Procedimento: Primeiro, acrescentamos cinquenta mililitros de uma concentração desconhecida de NaOH à bureta e registramos o volume inicial de NaOH. Então, Shara me disse para acrescentar dez mililitros de 1,5M HCl ao frasco Erlenmeyer porque pelo jeito sou a assistente de laboratório dela. Daí ela me disse que eu estava fazendo errado. Sugeri que ela mesma fizesse, já que estava tão preocupada assim. Ela questionou por que eu estava ficando "na defensiva". (Deve-se observar que ela não estava usando o cabelo preso segundo as regras do laboratório. Embora esse não seja um problema para este exercício de laboratório em particular, é um risco e uma distração, e as regras se aplicam a TODOS. Sempre uso meus óculos de segurança.) Em seguida, adicionei duas a três gotas de fenolftaleína ao HCl.

9

DIAS DESDE QUE SHARA WHEELER SUMIU: 9
DIAS PARA A FORMATURA: 34

De todas as partes estranhas da vida em Willowgrove, o dia de culto foi a parte mais difícil para Chloe se acostumar.

Uma vez por semana, as aulas mudam para um cronograma abreviado para que haja um culto obrigatório de uma hora no santuário do campus. Normalmente acontece às quartas-feiras, mas como eles já têm parte dessa semana de folga para a Páscoa, hoje é um dia de culto especial na segunda.

Há um grupo de louvor de veteranos de Willowgrove tocando rock cristão com dificuldade, depois um sermão, normalmente feito por um professor ou pelo próprio diretor Wheeler. Às vezes um aluno é inspirado pelo Espírito a dar um testemunho pessoal hesitante de quinze minutos ao microfone, como da vez em que Emma Grace Baker explicou que sua diabetes a aproximou de Jesus.

Antes de Willowgrove, o mais perto que Chloe já havia chegado da igreja foi ouvir sua mamã praticar Mozart, e o dia de culto a fez ter certeza de que nunca mais iria querer voltar. Os sermões variavam de "motivos por que o Halloween é satânico" a "uma aluna do segundo ano mandou nudes para o namorado e ele as encaminhou para todos os amigos dele, então agora a gente vai dar um sermão quase humilhante sobre recato e, na semana que vem, ela vai mudar de escola enquanto o namorado vai sofrer um total de zero consequências". Certa vez, o professor de espanhol subiu com um cavalete, desenhou um diagrama de dois homens de palitinho em uma ilha deserta e falou que o fato de que a humanidade seria extinta naquela ilha era prova de que Deus não queria que ninguém fosse gay. Às vezes, a escola contrata atores para fazer um esquete sobre bullying.

Chloe vira para Georgia quando elas entram no santuário.

— O que você acha que vai ser esta semana? — Chloe pergunta.

— Provavelmente alguma coisa festiva, como uma mesa de leitura da *A Paixão de Cristo* — ela responde, mexendo sem parar no cabelo, ajeitando-o atrás da orelha.

— Lembra no ano passado quando trouxeram um policial que tentou nos assustar em relação a drogas, mas acabou contando exatamente quantas gramas de maconha dá pra carregar sem ser preso?

— Icônico.

— Ei, Chloe — diz alguém —, a gente pode conversar rapidão?

Quando ela vira, é Smith quem a encontrou no meio da multidão. Ele está usando a jaqueta esportiva, e Chloe quase admira o empenho dele em mostrar que é atleta. Está mais de vinte e cinco graus lá fora.

Georgia olha para ele com uma expressão cética, depois para Chloe, depois para a jaqueta esportiva, depois para Chloe de novo. *Isengard?*

Chloe faz que não.

— Já volto — ela fala para Georgia, e entra no fluxo de gente junto com Smith.

— É sobre a festa? — ela pergunta quando Georgia está longe demais para ouvir. — Juro que não vou contar pros seus amigos que você os odeia em segredo.

— Não odeio a *maioria* dos meus amigos — Smith elucida. — Mas não é isso que eu ia dizer.

— Ai, meu Deus, oi, Chloe — Mackenzie Harris diz. Smith foi absorvido pela onda de veteranos populares da multidão, e Chloe acabou pegando carona como um crustáceo infeliz. — Você está muito bonita hoje. Sua maquiagem está diferente?

Ela pontua a pergunta se virando para Emma Grace com uma das sobrancelhas erguidas e um sorriso grande demais, a amiga com uma expressão igual no rosto, o tipo de atitude de meninas populares que chega a arrepiar Chloe.

— *Enfim* — ela diz para Smith, que faz uma cara de desculpas. — Você estava dizendo?

Smith se inclina para baixo, diminuindo a diferença de altura para poder baixar a voz.

— Eu estava relendo o bilhete da Shara ontem à noite e pensei que talvez a gente tenha se enganado sobre o histórico. Em que outro lugar o Rory tem um *histórico* para o qual Shara teria uma chave?

Histórico...? Ah, *óbvio*. Por que ela não pensou nisso antes? Ela esteve do outro lado da mesa com a própria pasta sendo apontada para a cara dela com ares de ameaça cerca de um bilhão de vezes.

— Sala do Wheeler — Chloe conclui. — Ela estava falando de histórico *escolar*. Espera, quer dizer que você quer invadir a diretoria?

Smith ergue as duas mãos, com as palmas calejadas para fora.

— Não *meeesmo*. Eu é que não vou nem chegar perto de lá.

— O que aconteceu com "faço qualquer coisa pela minha namorada"? — Chloe pergunta, erguendo uma das sobrancelhas.

— Não posso correr o risco de ser pego — Smith diz, e acrescenta, como se alguém pudesse ter esquecido que Shara foi recrutada por Harvard e Smith foi recrutado pela Texas A&M: — Eu assinei com a *A&M*, Chloe.

— Mas o que você assina não é algum tipo de apólice de seguro? Tipo, não entendo nada de futebol americano, mas tenho quase certeza de que o Wheeler não pode colocar um quarterback famoso nos folhetos de recrutamento de Willowgrove se expulsar você antes mesmo de você começar.

Smith balança a cabeça.

— É mais do que isso. Sabia que já tenho minha própria página no site da ESPN? Vão escrever uma matéria sobre mim se eu *respirar* errado. É um milagre que ainda não tenham descoberto sobre a Shara, e não estou a fim de forçar a barra.

— Tá, beleza — Chloe cede —, então aonde você quer chegar? Quer que *eu* faça isso?

— Hum — diz Mackenzie ao lado dela, em sua voz simpática demais. — Eu ia sentar aí.

Chloe ergue os olhos e se dá conta, horrorizada, que eles chegaram aos bancos, e que ela está presa no meio da turma de Shara. Mackenzie está com aquele sorriso falso, mas não convence como Shara. Ela tem olhos de tubarão.

Chloe dá uma conferida nos últimos bancos, onde Georgia está sentada com o olhar febril entre Ash e Benjy, parecendo pronta para montar toda uma missão de resgate digna dos fuzileiros navais.

— Também não quero estar aqui — Chloe diz para Mackenzie.

— Então, hum, saia?

— Eu...

— *Shhhh.*

É Emma Grace dessa vez, a três lugares de distância. Chloe não sabe quando a banda de louvor parou de tocar, mas, de repente, ela, Smith e Mackenzie são as únicas três pessoas em pé em todo o local. No altar, o diretor Wheeler surgiu atrás do microfone.

— Srta. Green, pode por favor sentar e demonstrar respeito, minha filha? — ele diz ao microfone.

Uma onda de risadinhas começa, e Chloe sente o rosto corar. Ela quer gritar que Smith e Mackenzie também estavam em pé, mas eles já se sentaram. Ela ocupa o lugar entre eles e abaixa a cabeça o suficiente para desaparecer.

— Bom dia a todos — Wheeler continua. Ele tira o microfone do suporte e anda pelo palco como gosta de fazer, como se fosse um cara maneiro e descolado falando sobre assuntos com que os adolescentes conseguem se identificar muito fácil. — Eu queria falar algumas palavrinhas antes da oração. Quero lembrar a todos o que a Bíblia fala sobre fofocas. Somos tentados todos os dias a falar sobre os outros, mas Efésios 4,29 diz: "Não saia dos vossos lábios nenhuma palavra inconveniente, mas, na hora oportuna, a que for boa para edificação, que comunique graça aos que a ouvirem".

Na tela de projeção acima do altar, o versículo bíblico surge em letras brancas em um slide azul do PowerPoint. Ela se lembra da anotação que ele fez na sala dele na semana passada quando ela viu o cartão no meio dos arquivos dele. *Sermão sobre fofoca.* Lógico que isso iria acontecer.

— Soube que muitos de vocês estão fofocando sobre uma aluna da turma do último ano que por coincidência é minha filha — ele continua, sugando imediatamente todo o ar do santuário como uma truta sendo embalada a vácuo para ser congelada. — Inclusive, um de vocês tomou a iniciativa de me questionar pessoalmente sobre o assunto.

O queixo de Smith se contrai, e Chloe se afunda ainda mais até estar cara a cara com o hinário abrigado na parte de trás do banco da frente.

Ela encara o hinário. O hinário a encara.

Os únicos dias que ela gosta da aula de Bíblia são os de "devoção espiritual", quando eles vão ao santuário e fazem uma contemplação de Deus livre. Ela normalmente passa a hora toda se arrastando embaixo dos bancos com os amigos, dividindo lanches da máquina de venda automática e rindo baixo. Em um desses dias, cerca de um mês atrás, Chloe deixou sua caneta favorita cair e teve que voltar escondida entre as aulas para buscá-la, mas deu de cara com Shara.

As luzes estavam apagadas, então o sol da tarde iluminava o santuário em feixes através das janelas finas e altas, e lá estava Shara, meio iluminada sob um desses feixes. Mesmo do outro lado da igreja, Chloe a reconheceu pelo seu quarto de perfil delicado e pela maneira como o cabelo loiro caía atrás dos ombros. Ela estava sozinha, os dedos na lombada de um hinário no banco seguinte, e a cabeça baixa como se estivesse rezando.

Chloe saiu sem a caneta. Não quis ficar sozinha em um lugar com Shara e Deus.

— Sei que todos vocês estão muito curiosos — o diretor Wheeler prossegue. — Quando se gosta de alguém, e essa pessoa é parte de sua comunidade e sua congregação, é natural se preocupar com ela. Mas nunca é aceitável espalhar boatos nem contar mentiras sobre outra pessoa. E, se o Senhor estiver chamando alguém para estar em outro lugar por um tempo, isso não é da conta de ninguém. Certo?

Chloe conta as fileiras rápido — é o mesmo banco. O hinário pode ser o mesmo que Shara tocou naquele dia.

Não era suspeito, aliás, que Shara estivesse ali sozinha? Rezar em público é praticamente um esporte competitivo em Willowgrove — por que ela faria isso de maneira furtiva, se não tivesse algo a esconder?

Algo como um cartãozinho cor-de-rosa?

Eles ainda não encontraram nenhuma pista que apontasse para o santuário, mas se a pista já estiver escondida e ela conseguir adivinhar onde, pode pegar um atalho.

Ela tira o hinário do banco e o vira de ponta-cabeça — Emma Grace faz uma cara como se ela tivesse chutado um filhote de cachorro chamado Jesus por um lance de escada —, mas nenhum cartão cai.

— Quero lembrar a todos que em Willowgrove temos uma política de tolerância zero em relação a bullying, e o bullying pode acontecer de muitas formas — Wheeler diz. — E uma delas é a fofoca. Portanto, se forem espalhar um boato sobre alguém, pensem muito bem se vale mesmo a pena. E aí façam a coisa certa.

Depois de uma pausa insuportavelmente longa, Wheeler dá início à oração, em seguida passa o microfone para o orador convidado para um sermão desnecessariamente macabro sobre a crucificação. Smith se ajeita no banco, com o queixo apoiado no punho. Chloe cruza os braços e deseja estar na fileira dos fundos, trocando olhares atormentados com Georgia em vez de sentir o cotovelo ossudo de Mackenzie ao seu lado.

Depois de tudo, Smith a pega pelo braço antes que ela consiga fugir.

— Pergunta pro Rory sobre a diretoria — Smith diz. — Ele é bom nessas coisas.

Quando toca o sinal do almoço, Chloe sai da aula de francês antes de Georgia terminar de fechar o zíper da mochila e vai na direção oposta à da sala do coral.

Willowgrove tem um refeitório, mas a maioria dos alunos não o usa. Eles se dispersam em áreas não oficiais de almoço: calouros recostados na parte externa de tijolos do refeitório, alunos do segundo ano nos degraus do santuário, alunos do terceiro no pátio, e veteranos com os melhores lugares, os bancos em frente ao Bloco C.

Ela passa por Smith, sentado no braço de um banco, cercado pelas mesmas pessoas por quem ele estava duas horas atrás na capela. Mackenzie vira para Emma Grace e diz alguma coisa por trás da mão, e elas começam a rir. Chloe olha para Smith na esperança de que ele compartilhe de sua irritação.

Mas a atenção de Smith está em alguma coisa ao longe, e ela segue o olhar dele, encontrando exatamente a pessoa que procurava: Rory, evitando ativamente o resto da turma, em cima do carvalho do campus. Uma coisa boa sobre a estranha rixa invejosa entre Rory e Smith: se ela encontrar um, vai encontrar o outro.

O carvalho é enorme e tecnicamente proibido para os estudantes, já que seus galhos mais baixos são perfeitos tanto para escalar quanto para abrir um processo depois de cair e quebrar o braço. Inclusive, Rory parece mesmo um transgressor descolado ali em cima.

Ele não está sozinho. Lá também estão Jake Stone, o infame Stone, o Noia, e, no galho acima de Rory, April Butcher, vista com mais frequência cruzando o estacionamento depois da aula em um *longboard* como as meninas que Chloe via no píer de Santa Monica. O único indício de que ela se importa com alguma coisa é o fato de que está na bateria.

— Ei, Chlo — Rory a cumprimenta quando ela se aproxima.

Ela ergue os olhos semicerrados para ele, que está com o violão no colo.

— Como você levou o violão aí para cima?

— A árvore provê — April responde por ele, abrindo um pirulito e o colocando na boca.

— Imagino que você venha trazer notícias da Shara — Rory diz, tocando um acorde melancólico.

Chloe ergue os olhos para April e Jake, ambos exalando um ar de descontentamento que sugere que preferiam estar fumando um no carro de Rory agora.

— Eles sabem sobre o lance da Shara?

Rory franze a testa.

— Eles são meus amigos. Lógico que sabem sobre o lance da Shara. Você não contou pros seus sobre o lance da Shara?

— Você é, tipo — Jake diz do seu galho, como uma coruja ligeiramente chapada —, mais alta do que eu pensava quando está, tipo, de perto.

— Valeu — Chloe responde, e então sobe em um galho baixo e explica a teoria de Smith sobre a pista e a diretoria. — Mas ele não quer ajudar a gente nessa, então somos só nós.

— Ah. — O próximo acorde de Rory soa desagradavelmente desafinado. Ele ergue o rosto, e Chloe sabe que ele está olhando para Smith, e que Smith está tendo que fingir que estava observando os esquilos. — Faz sentido.

Chloe continua.

— Podemos discutir a logística? Passei muito tempo na sala do Wheeler, então conheço bem a planta.

— Eu também — Rory comenta.

— Você… — Verdade. Ela esqueceu que tinha isso em comum com Rory. Ela pensa em quanto calor de bunda eles já compartilharam sem saber pela cadeira na sala do Wheeler ao longo dos anos. — Bom, também passei muito tempo na escola depois da aula para ensaios e reuniões de clubes, então sei que…

— Todas as portas na escola têm um timer e trancam automaticamente às cinco da tarde? — Rory completa para ela. — Sim, eu sei.

— Como?

Rory dá de ombros.

— Já ouviu falar de uma coisa chamada vadiagem?

— Tá — Chloe diz —, então… então você sabe que não tem como entrar ou sair do prédio fora do horário de aula sem uma chave, e não tem como chegar à sala do Wheeler durante o dia sem passar pela sra. Bailey e cinco outros funcionários da administração, então basicamente nossas opções são conseguir uma chave ou esvaziar a escola toda, o que parece um pouco extremo, mas não sou *totalmente* contra...

— Ou podemos nos esconder em algum lugar do Bloco C até todo mundo ter ido embora — Rory sugere simplesmente.

— Isso *poderia* funcionar — Chloe concorda —, exceto que todas as portas internas ainda vão estar trancadas.

— Espera — Jake intervém. — Qual é o nome da sua amiga? Aquela que se parece com você, mas tem uma vibe melhor?

— A vibe dela é boa, cara — Rory comenta. — Não seja escroto.

— Obrigada — diz Chloe, cuja vibe nunca tinha sido elogiada antes. — Hum, você está falando da Georgia?

— Issooo, aquela lá. Ela não é assistente da biblioteca? Sempre a vejo quando estou matando a sexta aula.

— Sim, ela é — Chloe responde. — Por quê?

— Bom, então ela tem uma chave.

— Do escritório da *biblioteca* — Chloe replica. — Não do escritório do *diretor*.

— Tá — Rory diz, tamborilando os dedos no braço do violão. — Mas vamos trabalhar com o que temos. — Ele indica com o queixo o alto da árvore, que dá para a lateral do Bloco C. — O escritório da biblioteca é aquela janela, não é?

Chloe olha através dos galhos para a janela do segundo andar coberta de adesivos de ovos de Páscoa e cercada por livros. Ela a conhece bem. Georgia às vezes a deixa devolver livros fora do prazo para evitar multas por atraso.

— Sim — ela confirma.

Rory morde o lábio com o ar contemplativo.

— É um salto bem pequeno.

— Ok — Chloe diz —, então a gente tem um jeito de sair do prédio. Mas ainda tem pelo menos três portas trancadas entre aquela janela e a sala do Wheeler, a menos que você consiga, tipo, atravessar paredes.

— Que tal o teto? — Rory pergunta.

— Cara — April interfere, o queixo caindo tão rápido que o pirulito cai no chão. — Você quer dizer...

Rory sorri.

— *Exatamente.*

— *Sem* a gente?

— Não tem como nós quatro irmos — Rory diz. — É arriscado demais. Vocês precisam ser a equipe de apoio no estacionamento. Jake?

— Mas é nosso *sonho*!

— Sobre o que vocês estão falando? — Chloe pergunta.

Rory inclina a cabeça para trás, recostando-a na árvore de maneira que seus cachos se amontoam sobre a cabeça e a linha do seu maxilar fica como a de um modelo, e fecha os olhos como se visões de pegadinhas perfeitas estivessem dançando na sua cabeça. Com a voz desejosa de alguém que anuncia uma fantasia muitíssimo aguardada, ele responde:

— Os dutos de ventilação.

DA PILHA DA FOGUEIRA

Bilhetes trocados entre Tucker Price e Tyler Miller

Escritos nas margens do guia de estudo de História
Americana

cara, fiquei com a Dominatrix
ontem à noite na festa do
Perguntas & Respostas

Chloe Green????? o que
aconteceu?

a gente se pegou na banheira
de hidromassagem

uau haha você curtiu?

acho que foi bom. meio que
achei que curtiria mais do
que acabei curtindo

Bilhetes trocados entre Tyler e Ash

Escritos em um canto de um exercício de desenho de
natureza morta na aula de artes

A Chloe Green não é sua amiga?

sim pq? aliás sua interpretação da tarefa
é bem legal, essas uvas parecem muito
angustiadas. bom trabalho!

Sabe se ela é a fim de alguém?

É, mas não ainda sabe

q q isso quer dizer

pq vc quer saber?

pq meu amigo Tucker falou que ficou com
ela na jacuzzi dos pais e eu queria saber
se ela está a fim dele

ahhhh, aquele do narigão do Perguntas &
Respostas? pq ele mesmo não pergunta
pra ela?

pq a Chloe Green dá medo!!! pfr não conta
pra ela que eu te perguntei. nem pra ele,
aliás

pergunta sincera: você está apaixonado
pelo Tucker? super apoio, o nariz dele é
interessante de olhar

Quê??? Não!!!!!!! Ele é meu amigo!!!!!!!!!!

então pq está perguntando sobre a Chloe,
e pq liga se ele descobrir

Esquece!!!!!

10

DIAS DESDE QUE SHARA WHEELER SUMIU: 12
DIAS PARA A FORMATURA: 29

Rory é péssimo em fingir que está estudando.

— Você pode pelo menos, tipo, olhar uma ficha catalográfica? — Chloe murmura do outro lado das mesas de estudo.

Eles estão sentados a cuidadosos três metros de distância há uma hora e meia já, tentando parecer dois colegas que por acaso estão na biblioteca depois da aula ao mesmo tempo e definitivamente não vão se esconder no sistema de ventilação assim que surgir a oportunidade.

Rory coça a nuca e a ignora. Ele está com o Converse preto apoiado na cadeira mais próxima e um pequeno toca-fitas na mesa à sua frente. Chloe desconfia que ele pensa que isso o faz parecer descolado e alternativo e analógico, mas ela já viu o mesmo toca-fitas no site da Urban Outfitters por noventa dólares, e ele o está escutando com Air-Pods de duzentos dólares.

Chloe pelo menos está com as anotações de história europeia avançada em cima da mesa. Se a sra. Dunbury os pegar antes que eles consigam colocar o plano em ação, a culpa vai ser do Rory, não dela.

Ela fecha os olhos e aperta a ponte do nariz, imaginando que Shara está em um lugar distante, em um corselete, cercada por brioches. É preciso se concentrar. A guilhotina não vai se acionar sozinha.

Por fim, a sra. Dunbury sai do balcão para o escritório da biblioteca, e Chloe escuta os estalos de um garfo batendo no plástico e os bipes de um micro-ondas. Comida congelada, com certeza. Isso dá três minutos para eles.

— *Ei* — ela sussurra para Rory. Como ele não responde, ela levanta e tira um dos AirPods dele. — Vamos.

Eles pegam as bolsas e saem discretamente para o fundo das estantes, para a saída de ar-condicionado acima da seção de não ficção. Ela passa a mochila para Rory e, enquanto ele esconde as coisas deles em meio aos pufes mofados de um canto de leitura, ela empurra um carrinho de devolução para a estante debaixo da entrada de ar.

Quando ela olha para Rory, ele está tirando a polo do uniforme.

— Opa, *o que* você está fazendo?

— Quanto menos partes desniveladas de roupa para ficarem presas lá em cima, melhor — Rory diz, com a camiseta colada debaixo. — Assisti a muitos vídeos no YouTube sobre isso, beleza? Confia em mim.

Chloe resmunga, mas não perde tempo discutindo — ela tira a camisa e a joga para Rory, que a coloca no esconderijo deles e então parte para o que interessa.

Ela nunca viu Rory fazer nada com urgência antes, então é meio incrível vê-lo entrar no clima de gatuno. Ele apoia um pé no carrinho de livros e escala o resto do caminho pelas prateleiras em um breve segundo, então, sem fazer nenhum barulho, abre a saída de ar e a empurra para cima antes mesmo de Chloe terminar de ajeitar a camiseta.

— Você precisa ir na frente — ele sussurra para ela, ao descer.

— Quê? Não, você tem que ir na frente e me puxar pra subir.

— Chloe, olha. Não queria que chegasse a este ponto, mas temos que ser honestos um com o outro. — Ele fecha os olhos com um ar grave. — Você consegue levantar mais peso do que eu. Faz mais sentido *você* me puxar para subir.

— Ah — Chloe diz. — Tudo bem.

Sentindo-se bem satisfeita consigo mesma, ela segue a mesma rota que Rory fez para chegar à abertura no teto, pedindo desculpas em silêncio à santidade das bibliotecas e a Millard Fillmore quando chuta a biografia dele. Ela coloca a cabeça no buraco escuro, apoia os cotovelos na beirada e sai da estante tomando impulso com ambos os pés. É preciso um empurrãozinho de Rory, mas ela consegue.

O duto de ventilação é... bom, um duto de ventilação. Não é tão iluminado quanto nos filmes, só uma longa caixa escura e estreita de metal, como um caixão feito de cobertores térmicos. O duto da biblioteca parece ficar no fim de uma ramificação curta do veio principal porque, poucos metros à frente, um duto ligeiramente maior cruza com o que estão e segue de maneira perpendicular na escuridão.

Chloe está completamente dentro do teto da escola. Tipo, ela está lá em cima de verdade. Não há como negar.

— Maldita Shara Wheeler — ela murmura, enquanto vira de barriga até conseguir ver Rory lá embaixo.

Mas, quando Rory tenta usar o carrinho para tomar impulso, um parafuso antigo e enferrujado decide bater as botas, e toda a prateleira de cima se quebra com um estrondo agudo e metálico.

Uma avalanche de uns vinte livros de capa dura cai, batendo uns nos outros e nas estantes e terminando abertos no chão. Do outro lado da biblioteca, vem o som da porta do escritório sendo aberta, seguido pelo passo pomposo dos tênis ortopédicos da sra. Dunbury.

— O que vocês estão fazendo aí no fundo?

— Merda — Rory sussurra.

— *Ai, meu Deus* — Chloe exclama.

Ela vai ser arrancada do teto e colocada em suspensão permanente. Ela olha para a tampa dentro do duto de ventilação, sem saber se consegue puxá-la rápido o suficiente para se fechar lá dentro.

Mas, quando volta a olhar para baixo, vê Rory, atolado até o joelho em livros e visivelmente calculando uma centena de formas de escapar das autoridades, e então se segura.

— Vem — ela sussurra, estendendo o braço para Rory. — Você consegue.

Ela não sabe se é verdade — a biblioteca não é tão grande assim — mas ela não pode deixar um inimigo do Código de Conduta de Willowgrove para trás.

— Eiiii, sra. Dunbury! — diz uma voz súbita e jovial que parece vir da entrada da biblioteca. — Como vai minha bibliotecária favorita nesta linda tarde?

Rory expira.

— *Smith.*

— Sr. Parker! Está fazendo o que aqui?

— Acabei de terminar o treino. Preciso manter a forma pro outono, sabe como é. Estava passando no armário quando vi que a biblioteca ainda estava aberta e pensei: "Cara, quando foi a última vez em que dei um 'oi' pra minha amiga Debbie?".

A sra. Dunbury ri. Uma distração. Caramba, ele é bom.

— O que ele está fazendo? — Rory murmura consigo mesmo.

— Salvando sua pele — Chloe sussurra. Ela balança a mão para ele. — Vamos!

Com um último olhar na direção de Smith e um balançar de cabeça, Rory escala a estante em um piscar de olhos e agarra o braço de Chloe no seguinte. Juntos, eles o alçam para o duto e, assim que ele coloca o pé para dentro, ele se arrasta para perto de Chloe para empurrar a tampa de volta ao lugar.

Os dois ficam em silêncio por um momento, um em cima do outro, iluminados apenas por feixes finos de luz através da saída de ar.

— Ai, meu deus, quanta coisa pra carregar — Smith diz. — Posso ajudar?

— Ah, não posso abusar…

— Com todo o respeito, sra. Dunbury, de que adiantam todos os shakes de proteína que eu tomo se não posso ajudar a senhora a carregar alguns livros?

— Ah, você é um anjo — a sra. Dunbury diz, derretendo-se como era de imaginar. O micro-ondas apita, esquecido. — Entendo por que a Shara gosta tanto de você.

— Ha, pois é.

— Como ela está, aliás? Ouvi dizer que está cuidando da tia doente. É a cara da nossa Sharinha, não é?

— Uhum. Está com as chaves? Ótimo, vamos lá.

As portas se fecham e, meio segundo depois, Chloe consegue ouvir ao longe o clique da trava automática.

— Foi uma coincidência incrivelmente conveniente — Chloe semicerra os olhos para Rory no escuro quando ele se afasta — ou você contou pra ele o que a gente ia fazer?

— Talvez eu tenha passado no armário dele depois da sétima aula e mencionado que *alguns de nós* iríamos fazer alguma coisa pra tentar encontrar a namorada dele depois da aula hoje.

— Quer saber — Chloe diz —, deu certo, então não posso reclamar.

Eles avaliam os arredores: os túneis que levam a direções diferentes, os pontos de luz das saídas de ventilação, o sopro baixo do ar.

— Está escutando? — Rory pergunta.

Chloe tenta ouvir: um som leve e abafado de música tocando, ecoando pelos dutos de ventilação à esquerda.

— Parece que está vindo da secretaria.

— Não — Rory diz, apontando para a direita —, a secretaria é naquela direção.

— Não, naquela direção é o laboratório de química. — Ela aponta para a esquerda. — A diretoria é por *aqui*.

— Mas…, mas nós estamos… é…

Ela aponta com mais ênfase.

— Por aqui.

Rory resmunga, mas se arrasta para a esquerda, e Chloe vai atrás. Depois de uns três metros, o duto se ramifica para a direita, e Rory vira na bifurcação e continua seguindo o barulho. Mais alguns metros, e ele chega na outra saída de ventilação e espia por ela.

— Estamos em cima do corredor — ele declara, a voz baixa reverberando. — Você estava certa. A diretoria deve ser logo ali na frente.

— Falei.

— Cala a boca — Rory diz. A música vai ficando mais alta quanto mais eles se aproximavam. — Isso parece…

… straight up, what did you hope to learn about here…

— É Matchbox Twenty — Chloe confirma. Alguém na secretaria,

fazendo hora extra ao som dos maiores sucessos do rock do fim dos anos 1990. Desde que a porta do escritório do Wheeler esteja trancada, eles não devem ter problemas. — Continua em frente.

Depois do que parecem dias se arrastando de barriga para baixo nas chapas de metal, tentando não fazer os sapatos baterem em tudo, fingindo que nenhum bichinho cheio de patas pudesse subir pela sua saia e ao som da música ao longe, que passa de Matchbox Twenty para Hootie & the Blowfish, eles viram à esquerda em outro duto de ventilação e chegam à saída seguinte. Rory dá uma olhada.

— Recepção da secretaria. Quase lá.

Quanto mais eles se aproximam, mais detalhes Chloe acrescenta à fantasia de entrar na sala de Wheeler como uma ladra de joias, dando saltos mortais por cima de lasers, talvez até com um sotaque francês. Ela se pergunta se Shara tinha alguma ideia do quão longe Chloe iria para derrotá-la. Talvez seja por isso que Shara escondeu um cartão aqui — para ver se Chloe teria a inteligência e a coragem de dar um jeito.

Boa tentativa, Shara. Se existe uma coisa em que Chloe é boa, são testes.

— Merda — Rory solta de repente.

— Quê?

— Shhhhh.

Ele está olhando pela saída de ar. Parece que eles estão bem em cima da origem da música.

Rory passa a mão empoeirada no rosto e sussurra:

— Bom, a boa notícia é que encontramos a saída de ar certa.

— É o Wheeler, não é? — Chloe chuta. — Ele está trabalhando até tarde.

— Sim. — Hootie & the Blowfish acaba, e os dois prendem a respiração até Matchbox Twenty voltar a tocar. Não é uma playlist lá muito criativa. — Pelo menos temos um abafador de som.

— Nossa, por que ele ainda está aqui? O que está fazendo? O trabalho dele não é tão difícil assim. Tudo o que ele faz é cortar orçamento de artes e interpretar a Bíblia errado. Quantas horas isso pode levar?

Com cuidado, Rory tira o celular do bolso de trás e faz uma ligação.

— April. A gente… Sim, os dutos são tudo que a gente imaginava que seriam. Sim, é exatamente igual a *Duro de matar*. Sim… hum, mas vocês vão ter que esperar no carro. Vai demorar um tempo.

— Ei, Chloe — Rory diz. — Quer ver uma coisa legal?

Faz duas horas e meia. Cento e cinquenta minutos deitada em um duto de ar empoeirado em cima da diretoria, ouvindo Spin Doctors. Chloe mandou mensagem para as mães dizendo que ficaria estudando com Georgia até tarde, mas provavelmente deveria ter mandado um adeus final a elas, porque certeza que ela vai morrer ali.

Eles voltaram o bastante pelo sistema de dutos até encontrar uma interseção onde pudessem deitar cabeça com cabeça em vez de cabeça com pé, sofrendo em silêncio sob a luz da lanterna do celular de Rory.

— Rory, se me mostrar aquele camundongo morto de novo, juro que vou fazer você comer aquele bicho.

— Não é isso. Olha.

Ele coloca o polegar e o indicador dentro do nariz e, por um terrível segundo, ela pensa que ele está prestes a mostrar algo que sua cavidade nasal criou, até um pedaço cintilante de prata refletir a luz do celular. Ele vira para baixo uma argola escondida no septo.

— Você tem um *piercing secreto no nariz*?

— Falei que era legal — ele diz. — April que colocou.

— Você não tem, tipo, dinheiro? Poderia pagar um profissional que não te desse uma infecção estafilocócica.

— Acabaria com a graça toda. E meu *padrasto* tem dinheiro, não eu.

— Então é ele que compra todas aquelas guitarras caras? — Chloe pergunta, lembrando-se da coleção de Stratos de Rory. — Cresci perto de músicos. Sei o quanto elas custam.

— Minha mãe compra as guitarras porque sabe que eu curto e porque se sente mal por me obrigar a me mudar pro condomínio pra ela poder se casar com um advogado babaca e me dar perdido pra viajar pra Cancún. Meu pai chama de "guitarras da culpa", o que também odeio, mas eu gosto do meu pai.

— Ah — Chloe diz. Desse ângulo, a luz do celular ilumina os cachos nos lugares onde ele os descoloriu, e ela o imagina amontoado no banheiro com April e Jake e um kit de descoloração do mesmo jeito que ela e seus amigos se reuniram em volta da pia para ajudar Ash a cortar todo o cabelo. — Tá. Bom, o piercing é legal.

— Valeu.

— Você deveria usar na escola.

— Eu uso na escola todo dia.

— Digo, visivelmente.

Rory dá de ombros, deslizando-os pela chapa de metal.

— É, sei lá. Se é pra quebrar as regras, não sei por que violar o código de vestimenta. É um alvo muito fácil. Chama atenção demais. Não incomoda tanto assim.

Chloe franze a testa.

— Senti a indireta.

— Por que você faz isso, então?

— Acho que é porque… já sei que as pessoas vão ficar me encarando, e que os professores vão achar algum motivo pra me punir, então pelo menos com isso controlo o *porquê*.

— Justo.

— Além disso, eu fico bem pra cacete. E o código de vestimenta é idiota.

Rory sorri com sarcasmo.

— Concordo com você nessa última parte, pelo menos.

— E… — Chloe continua. — Digo, também deve ser porque não posso quebrar nenhuma regra maior do que essa porque assim eu botaria em risco ser a oradora da turma, e não posso correr esse risco.

— Você não está meio que correndo esse risco agora? — Rory pergunta, gesticulando para toda a situação insana.

— É diferente — Chloe insiste. — Ninguém nunca vai saber que fizemos isso. E estamos fazendo isso pra eu poder encontrar a Shara antes das notas serem finalizadas e fazê-la voltar. Não ralei esses anos todos pra *não* ver a cara dela quando ela perder.

— Meu Deus. Esse é o verdadeiro motivo de você estar fazendo isso? O lance de ser oradora da turma?

— Melhor do que tentar comer a menina.

— Não é… — Rory pisca algumas vezes, como se ela tivesse conseguido desconcertá-lo. — Não é assim que eu vejo a Shara.

— Então como é?

Ele pensa na pergunta, depois vira de lado e diz:

— Como foi o fundamental pra você?

— O que isso tem a ver?

Ele sorri.

— Responde, vai.

— Tá — ela cede. — Hum, cresci uns treze centímetros, comecei a estudar as matérias de inglês no nível do ensino médio, tive uma breve fase de cosplay. Minha melhor amiga se chamava Priya e me ensinou a fazer meu delineado, mas a gente não mantém muito contato. Falei para as minhas mães que era bi quando tinha treze anos e elas nem ficaram lá muito surpresas. Percebi que eu era esquisita e meio que curtia.

— Saquei — Rory diz. — Então, pra mim, foi um saco. Meus pais se separaram. Eu não tinha amigos. Era um menino esquisito e feio que curtia poesia, mas odiava ler, então passei a curtir música, mas também não conseguia ler tablaturas de guitarra, então tive que aprender tudo no YouTube, *daí* fiz uma cirurgia no queixo no oitavo ano pra concertar a má oclusão, *e* eu era a única pessoa negra na série além da Summer, que era descolada demais pra andar comigo. Eu era zoado todos os dias da minha vida. Dixon Wells me chamava de Rory Ronco porque eu tinha asma e às vezes respirava estranho durante as provas.

— O nome dele literalmente começa com "*dicks*" e isso foi o melhor que ele conseguiu inventar?

— Pois é — diz Rory, cujo rosto de perfil é tão artístico que ela deveria ter imaginado que alguém o desenhou daquele jeito. — Então, no sétimo ano, o Smith apareceu. Disse que minha mochila do Naruto era legal. Ele foi meu primeiro melhor amigo, ou, sei lá... meu único amigo, a não ser que meu irmão mais velho conte. Ele me ajudava a fazer o dever de casa e a compor música e fiquei, tipo, talvez o ensino médio não me foda tanto assim. Mas daí ele me largou, e tudo voltou a ser um saco. Meu pai aceitou um trabalho no Texas, e meu irmão foi pra faculdade, e minha mãe se casou de novo, então a gente teve que se mudar, mas quando olhei pela janela do quarto novo, vi uma vizinha lendo um livro, e era a porra da Shara Wheeler.

— E você achou que ela resolveria todos os seus problemas — Chloe arrisca.

— Você não entende, Chloe. Shara é a menina perfeita desde que eu estava no jardim de infância. E essa não é minha opinião; todo mundo, literalmente, acha Shara Wheeler o máximo.

Chloe cerra o maxilar.

— Sei bem.

— O que estou dizendo é que todos diziam que ela era a garota dos sonhos, então cresci acreditando nisso — Rory explica. — Ela é a única menina em quem já pensei. Tipo, *tinha* que ser ela. Então, pensei que, se um dia Shara Wheeler olhasse por cima da cerca e me notasse, mesmo que isso fosse a única coisa que eu ganhasse, seria o suficiente. Porque seria *ela*.

Ela meio que entende o que ele quer dizer. Se Willowgrove é o mundo, e todas as pessoas lá se veem como o personagem principal da sua história, e Shara é a outra protagonista obrigatória, ou ela é o interesse amoroso, ou a antagonista. Chloe fez a escolha dela. Rory fez a dele.

— Mas aí — Rory continua — tirei o aparelho, e descobri que podia usar o gravador para organizar minhas músicas, e meu rosto finalmente ficou decente, e fiz alguns amigos, então eu superei. Ou pensei que tinha superado. Até uma noite em que Smith estacionou na frente da casa da Shara com ela no banco do carona. Eu estava tentando não olhar. Estava sentado trabalhando numa música. Mas a luzinha do teto do carro dele chamou minha atenção e, quando olhei, era como se eles estivessem num globo de neve ou coisa assim. E eles se beijaram, e eu... senti como se tivesse levado um soco no estômago. E tudo voltou.

Por algum motivo, ela se lembra da sua primeira memória de Shara e Smith juntos: uma pilha de cravos na mesa de laboratório deles, Shara segurando uma na ponta do nariz e inspirando fundo enquanto Chloe tentava terminar o experimento sozinha.

— É sobre isso que você escreve músicas? — Chloe pergunta. — Sobre a Shara?

— Às vezes — Rory admite baixinho. — Às vezes são sobre estar com inveja ou triste ou com medo de ter alguma coisa errada com você. Ou sei lá.

Chloe nunca pensou que Rory levasse a música *tão* a sério, porque ele não é muito sério sobre nada, mas o tom da voz dele quando fala sobre compor a faz lembrar de Benjy falando sobre uma música nova que ele aprendeu. Talvez ela devesse apresentar os dois qualquer dia.

— Parece legal — ela diz.

Rory abre um sorriso suave, tímido. Chloe sorri em resposta.

Ela pensa no que ele disse sobre o pai e se lembra do mural no quarto dele.

— Você e seu pai. Vocês são próximos?

— Sim — Rory responde, ainda sorrindo. — Ele é legal pra caralho. É curador de museu.

— Por que você não foi morar com ele quando ele se mudou?

— Meus pais ficaram com medo que minhas notas fossem piorar ainda mais se eu mudasse de escola. Então minha mãe ficou com os meses letivos e meu pai com os verões.

— Deve ter sido difícil.

— Pois é — Rory diz. — Às vezes a vida é um saco.

Ela tenta encaixar o Rory sem jeito do fundamental naquele que ela conhece. Deve ter sido um grande choque para o Smith quando seu ex-melhor amigo ressurgiu bonito no primeiro dia do ensino médio...

A música da sala de Wheeler para.

Eles escutam os sons abafados lá embaixo: uma pausa, depois uma porta se abrindo e se fechando, depois outra mais distante. Dez segundos. Vinte segundos. Nada.

— Acho que ele foi embora — Chloe sussurra.

— Vamos lá, Green — Rory diz, e sai pelo duto.

Em cima da sala de Wheeler, Rory puxa a grade da saída de ar e desce de pé, desviando por pouco do teclado e dos papéis ao cair em cima da escrivaninha. Wheeler deixou a lâmpada do teto desligada, mas o abajur da mesa ainda está aceso, então Chloe precisa estreitar os olhos para ver onde cair quando salta atrás dele.

Eles se dividem, Chloe rodando pela sala enquanto Rory abre cada gaveta da escrivaninha. Chloe recita a pista na cabeça: *A chave está lá, onde eu estou.*

Onde Shara *não* está? Até nas primeiras visitas de Chloe aqui, a presença de Shara pareceu sufocante, como uma vela de um cheiro enjoativamente doce que deixaram acesa por tempo demais. Ela se sentava na cadeira do outro lado da mesa levando sermão e se perguntava: é aqui que Shara se esconde entre o último sinal e a Sociedade de Honra Nacional? Quando Shara era criança, será que engatinhava embaixo da mesa do pai, absorvendo a essência de Willowgrove através do carpete cinza? Este é mais um episódio de: *Será que Shara já pegou aquele livro? Pôs a mão naquele grampeador? Imprimiu um trabalho de literatura naquela impressora?*

Ela está olhando a estante quando nota, enfiado entre dois livros diferentes de memórias de senadores republicanos, algo cor-de-rosa.

Não está com os históricos, mas definitivamente é um dos cartões de Shara.

Ela espia por cima do ombro — Rory está ocupado com o conteúdo das gavetas da escrivaninha.

Ela pode ter isso para ela por um segundo. Só ela e Shara.

Ela puxa o cartão.

Mãe e pai,

Estou bem. Se quiserem me encontrar, sei que vocês conseguem.

S

Esse deve ser o cartão que Chloe viu na manhã em que foi chamada à diretoria. Duas linhas. Duas frases, treze palavras. Foi tudo o que Shara deixou para os pais. Se fosse Chloe, ela não teria ficado nem quinze minutos fora antes das mães a alcançarem na caminhonete e a arrastarem para a Webster para tomar sundae e fazer uma terapia em grupo.

Ela coloca o cartão de volta no lugar na prateleira e vira para a mesa, onde Rory está olhando embaixo do mata-borrão.

— Alguma coisa? — Chloe pergunta.

— Nenhuma chave — Rory diz.

E aí os olhos de Chloe pousam na foto.

O porta-retrato de Shara com os pais no veleiro, aquele que sempre a incomodou porque estava voltado para fora, para os visitantes, em vez de estar voltado para o próprio pai.

Onde eu estou.

Chloe pega o porta-retrato e o vira, e lá está: uma chave pequena, colada no verso do porta-retrato, embaixo da dobradiça do suporte, de modo a ficar invisível da cadeira. Shara a escondeu bem embaixo do nariz do pai.

— Achei.

Ela puxa a chave e, quando a coloca na fechadura do armário de arquivos, o encaixe é perfeito. Ela gira e ouve o estalo oco e satisfatório da fechadura se abrindo.

— Perfeito, essa é a gaveta do último ano — Chloe diz para Rory, já folheando os arquivos. — Se estiver aqui, deve estar na sua pasta, mas é bom olhar a minha e a do Smith também. Vem me ajudar.

Rory finalmente volta a fechar as coisas na escrivaninha e para ao lado do armário, olhando para as abas dos arquivos.

— Hum.

Chloe olha para ele.

— Quê, esse é o seu lance. Não vai ficar tímido agora.

— Não é isso — Rory se queixa. — Eu... as letras são muito pequenas.

— Quê? — Chloe tira o arquivo de Smith, avançando para a seção G-H. — Você precisa de óculos?

— Não — Rory diz. — Só acho que você deveria fazer essa parte.

Ela pausa, segurando o arquivo de Rory, que é grosso pelo que devem ser cinquenta páginas de papéis de detenção e reclamações de professores sobre como ele não se esforça na aula. Ela se lembra de quando Rory entregou o cartão de Shara no quarto dele sem dizer nada em vez de ler a senha para ela, e as diferentes tintas no livro de músicas dele, como se ele tivesse levado dias de trancos e barrancos com canetas diferentes para colocar tudo no papel. As direções nos dutos, o gravador...

— Ahhhhh — ela diz, caindo a ficha. — Você é disléxico.

Rory a encara.

— Quê?

— Sem tempo, depois explico. — Ela avista a etiqueta certa saindo para fora da gaveta e aponta. — A minha é aquela, com a aba roxa.

Ele passa o arquivo dela para Chloe, e ela abre os três na escrivaninha. Como esperado, o cartão está no de Rory. Todo rosa, selado no envelope e preso com um clipe em um relatório de progresso mediano.

Chloe o abre e, desta vez, lê as palavras de Shara em voz alta.

Oi, Rory (e Chloe também, imagino),

Que bom que chegaram até aqui. Pela minha estimativa, devem ter levado uma semana e meia desde a noite do baile, com base na data em que a festa na casa do Dixon estava programada. Claro, isso depende de eu estar certa sobre Chloe ter sido rápida o bastante para encontrar o bilhete que deixei na sala do coral antes da festa, mas sei que ela foi. E sei que o cartão na casa do

Dixon estava exatamente onde o deixei porque, antes de sair, mandei mensagem para ele dizendo que, se tirasse o cartão de lá, eu contaria para Emma Grace e Mackenzie que ele está pegando as duas escondido uma da outra.

E, bom, espero mesmo que já tenham encontrado aquele, porque na sexta de manhã Emma Grace e Mackenzie mesmo assim vão receber uma mensagem anônima no Instagram. Está aí uma coisa que ninguém sabe sobre mim: não ligo muito para cumprir minhas promessas.

Continuem assim. Vocês estão chegando mais perto.

Beijos,

S

P.S.: Ouvi dizer que dá para pegar o coração de volta, mas não acho que seja verdade. De perto, com a luz nos seus olhos, tudo que você consegue ver é o que está bem diante de você.

— Ela estava *chantageando os próprios amigos?* — Chloe diz assim que termina de ler.

— Eu, hum, estou sinceramente mais preocupado com como ela previu o dia exato em que estaríamos aqui — Rory comenta.

— E sabotando os relacionamentos das amigas — Chloe continua.

Uma sensação de vingança sobe por sua espinha como um calafrio, e ela não consegue conter um sorriso olhando para o cartão.

Ela *sabia* que havia um motivo para não gostar de Shara, mas nunca teve nenhuma evidência concreta contra ela, até esse momento. E, se essa for a primeira prova, pode haver mais de onde essa veio.

— Estou, tipo, começando a me perguntar se não deveríamos… ter medo dela? — Rory diz.

Chloe o ignora, relendo o postscriptum, concentrando-se na primeira linha. Ela conhece essa frase. Mas o que…

Da entrada da secretaria, há um som inconfundível de uma porta se abrindo. Uma voz masculina cantarolando atravessa as paredes, lembrando parte do refrão de uma música de Dave Matthews.

— Ai, meu Deus. — Chloe fica paralisada. Pela segunda vez no dia, um pânico incendeia seu peito, como um show pirotécnico de Ano-Novo na Disneylândia, com silvos e clarões e faíscas que escrevem *VOCÊ ESTÁ FERRADA, CHLOE GREEN* no céu. — Aimeudeus aimeudeus aimeudeus...

Rory, que já pegou os arquivos da mesa e começou a enfiá-los de volta no armário, sussurra para ela:

— Não surta.

— O que ele está fazendo?! — Chloe arfa. — Era pra ele estar em casa vendo *NCIS*!

— Chloe.

— Ai, meu Deus, Smith estava certo, a gente não deveria ter feito isso...

— Chloe! — Rory repete, pegando-a pelos ombros. — Quanto mais você surtar, mais chance a gente tem de ser pego. — Ele dá uma leve chacoalhada nela, cujo cérebro ansioso chacoalha de um jeito nada agradável. — Relaxa. Esta é a parte divertida.

Ele só pode estar brincando.

— A parte *divertida*?

— Cada um tem seu jeito de se divertir em False Beach, certo? — Rory a empurra para cima da mesa. — Você tem tara por livros...

— Uma maneira muito simplista de descrever um interesse por literatura — Chloe argumenta, histérica, erguendo as mãos dormentes para o teto. Ela consegue ouvir o retintim de chaves no corredor.

— ... e eu por sair impune dessas merdas — Rory completa. — Então sobe nesse teto e saia impune dessa.

Ela fecha os olhos, respira fundo como se fosse pular de um trampolim altíssimo e se alça pelo buraco da saída de ar. Rory está logo atrás dela, e consegue pegar a tampa da saída com a ponta do tênis e empurrá-la de volta para a abertura exatamente quando a porta do escritório se abre lá embaixo.

Wheeler pausa no batente, um saco de fast-food na mão e uma ruga desconfiada na testa. As entranhas de Chloe estão como pirulitos que explodem na boca.

Ele vai até a escrivaninha e pega o porta-retrato da família, que Chloe deixou cair onde estava, em meio ao pânico. Ele franze a testa, depois lambe o polegar e limpa uma mancha do vidro na frente do próprio rostinho fotográfico antes de devolver a foto à escrivaninha, voltada para fora.

Então ele senta, tira um hambúrguer do saco e volta a ligar a música.

— Vamos — Rory diz a ela.

Ela guia o caminho dessa vez, retraçando a rota de volta à biblioteca, descendo pela saída de ar — Rory pegas as bolsas e camisas deles —, passando por cima do monte de livros que deixaram e de pilhas escuras, por mesas de estudo e pela recepção até chegar à porta do escritório da biblioteca.

— Vira — ela diz.

— Quê? — Rory pergunta. — Por quê?

— A chave está no meu sutiã. Não olha.

— Juro, eu *não* ligo.

— Vira de uma vez!

— *Tá* — ele resmunga, dando uma volta teatral de noventa graus para Chloe tirar a chave do meio dos peitos.

Com a porta destrancada, eles estão a dois passos da liberdade. Rory manda mensagem para April e Jake enquanto Chloe destrava e abre a janela. O sol já se pôs desde que eles subiram na primeira saída de ar.

— Sabe o que me dei conta? — Chloe coloca a cabeça para fora para estimar a distância entre o parapeito e a árvore. Não tão perto quanto parecia vista debaixo, mas tem um galho grande que parece resistente alguns metros abaixo dela e, se ela pular certo, deve conseguir ir descendo para o tronco. — Esta é a segunda vez em que eu e você nos jogamos de uma janela do segundo andar por Shara Wheeler.

— Ela tem esse efeito — Rory diz, pulando do parapeito e desaparecendo noite adentro.

— Porra — Chloe sussurra atrás dele.

Ela salta e, depois de muitas manobras e palavrões e trancos e cortes nos braços com a casca da árvore, eles chegam ao chão e saem correndo. Dão a volta pela lateral do prédio, xingando ao passar por um trecho com arbustos espinhosos, e saem para a vala que separa o estacionamento dos estudantes da estrada de serviço ao lado.

O carro de Jake está esperando com a porta traseira aberta. Chloe se joga no banco de trás cheio de sacos de fast-food e latas de enérgico com um estrondo de coisas se amassando e chacoalhando. O carro sai antes mesmo de Rory fechar a porta.

Há cinco segundos elétricos em que os únicos sons são o ronco do motor e Chloe recuperando o fôlego, e então Rory solta um assobio baixo, e Jake ri e aumenta o rádio.

Chloe ri também, alto e sem fôlego, adrenalina queimando em suas veias. Rory estava certo. Ela saiu impune. Foi uma das coisas mais assustadoras que já aconteceram com ela, e foi *sim* divertido.

A dez minutos da escola, Jake para na Sonic e dá uma gorjeta de dez dólares para a garçonete de patins em troca de quatro raspadinhas, e eles saem de novo, as caixas de som estourando com o baixo enquanto April joga o papel do canudinho em Rory.

Não é muita coisa — Chloe sabe disso. São só as janelas do carro abertas, o brilho azul e branco de um Walmart ao longe, o cheiro do asfalto molhado, o zumbido do letreiro de uma Dairy Queen, a mesma estação de rádio de sempre tocando as mesmas quinze músicas altíssimo e em looping. Mas ela está começando a entender o que significa ser daqui, porque pode jurar que o ardor vermelho vivo de cereja artificial é a melhor coisa que ela já tomou.

Ela bota a cabeça para fora para sentir o vento, olha para as estrelas e pensa que talvez tudo no mundo possa mesmo caber dentro dos limites da cidade de False Beach.

Shara tem esse efeito.

DA PILHA DA FOGUEIRA

Tirado da parte de trás da pasta sanfonada de
Brooklyn (a rosa, não a verde)

Ata da reunião do grêmio estudantil
19 de janeiro de 2022

1. Brooklyn Bennett, presidenta do grêmio estudantil, dá início à reunião
2. Às 11h37 na Sala C204
3. Presentes doze membros, um conselheiro, uma convidada
   a. Convidada: April Butcher, sentada na última fileira, praticando um solo de bateria na carteira; não está claro se ela sabe que a reunião do grêmio estudantil está acontecendo.
4. Ata da reunião anterior lida por Bailey Hunt, secretário do grêmio estudantil
   Moção para aprovar a ata
   Moção apresentada por Rhett Target
   Apoiada por Julie Tran
   Moção aprovada
5. Relatório oficial
   a. Relatório do tesoureiro
      i. Nada a relatar
      ii. April Butcher (não é membra) sugere acrescentar mais produtos apimentados nas máquinas de venda
      iii. April Butcher não é reconhecida pela presidência
6. Relatório do Comitê Permanente

a. Comitê Executivo Sênior. Presidenta Brooklyn Bennett declara a formação de um subcomitê do Comitê Executivo Sênior: o Comitê de Planejamento do Baile, que não será reconhecido oficialmente pela administração por causa da dança (um pecado), mas escolherá o tema e as decorações

i. April Butcher propõe *Jovens e mães 2* como tema do baile

ii. April Butcher mais uma vez não é reconhecida pela presidência

iii. April Butcher é convidada pelo secretário Bailey Hunt a se retirar da reunião

iv. April Butcher come metade do sanduíche que a presidenta Brooklyn Bennett levou para o almoço

v. April Butcher é retirada da reunião

11

DIAS DESDE QUE SHARA WHEELER SUMIU: 16
DIAS PARA A FORMATURA: 27

Segunda à tarde, Chloe está sentada no chão da sala do coral, batendo a borracha de um lápis no guia de estudo de partituras. É ridículo estar transcrevendo semínimas em letras maiúsculas sendo que todos na sala fazem leitura à primeira vista desde o segundo ano. Todas na sexta aula do sr. Truman, Coral Feminino, sabem que a última prova é uma formalidade.

— Vocês sabem que se me deixassem contar os festivais de primavera para a nota, eu contaria — o sr. Truman diz.

Mas ela não está pensando na partitura. Está pensando no bilhete no arquivo de Rory, o postscriptum no final. *Pegar o coração de volta.*

A referência é fácil. Seu cérebro preencheu o resto da letra assim que ela voltou para casa: *When you find that once again you long to take your heart back and be free...*

"Think of Me" foi seu grande solo em *Fantasma*; é provável que ela fique com todos os versos gravados no cérebro até a morte.

Mas ela não entende por que Shara faria referência especificamente a essa música a menos que houvesse mais alguma coisa ali. Talvez o aniversário de Andrew Lloyd Webber corresponda às coordenadas dela. Ou ela está começando uma vida nova com um homem chamado Raoul. Ou viajou para fazer uma plástica no nariz e está se recuperando em um labirinto subterrâneo embaixo de uma ópera na França.

Ela pensa no ano anterior, quando foi Sonia em *Godspell*. Pelo menos não havia nenhum jogador de futebol americano no elenco, então ela não teve que ver a cara de Shara enquanto estava fazendo um número burlesco sobre os ensinamentos de Jesus. Quando está no palco, ela sempre agradece a luz do holofote ser tão intensa que mal consegue ver a plateia depois da primeira fileira.

De perto, com a luz nos seus olhos, tudo que você consegue ver é o que está bem diante de você.

Ela derruba o lápis.

A primeira fileira do auditório. Onde Shara se sentou para ver Chloe em *Fantasma*.

O sr. Truman dá de ombros quando ela pede para usar o banheiro, mas, em vez disso, ela se dirige ao Bloco C. Rory é fácil de achar — ela descobriu que ele normalmente fica atrás da escada durante seu período de estudo livre —, e Chloe dispara sua teoria.

Rory assente.

— É melhor chamar o Smith pra isso.

— Não sei onde ele fica na sexta aula — Chloe fala. — Nossa, o fato de que não nos deixam usar *celulares*...

— Espanhol — Rory diz.

— Quê?

— Smith está na aula de espanhol agora.

Chloe semicerra os olhos. Rory semicerra os dele em resposta. Ela não comenta, mas não ignora a velocidade com que ele recitou o horário de Smith.

— Pode buscá-lo? — Chloe pergunta.

Rory sai com uma história falsa sobre Smith estar sendo chamado à diretoria e volta com ele atrás, bem como...

— Por que o Ace está com vocês? — Chloe pergunta, os olhos semicerrados.

Ace sorri.

— Cruzamos com ele no corredor no caminho pra cá — Smith responde, apenas um pouco irritado.

— Se vocês vão matar aula, também quero — Ace diz.

Chloe suspira. Se os amigos de Rory estão envolvidos, ela imagina que não tem muito argumento para os de Smith não estarem também. Ela se pergunta, por um momento, se deveria ter simplesmente contado para Georgia, em vez de mentir sobre um livro atrasado para pegar a chave da biblioteca, ou se Benjy conseguiria entender essa produção elaborada de Shara melhor do que Chloe se tivesse a chance...

Não, os amigos de Rory e Smith não contam. Não importa que eles saibam porque eles já a acham esquisita. Os amigos *dela* vão sacar o quão fora da casinha ela está, e isso vai complicar ainda mais as coisas.

— Não estou nem aí mais — ela diz, e segue para o auditório.

Lá dentro, Smith os guia até a frente, onde ele e Shara se sentaram para a matinê, e os três se dividem. Rory sobe no palco e inspeciona a parte de baixo da cortina enquanto Chloe dobra a primeira fileira de assentos um a um, mas é Smith quem encontra o envelope preso com um imã na perna do assento A21.

Todos se reúnem — exceto Ace, que parou na entrada para pegar um Powerade — enquanto Smith abre o envelope. Este bilhete é longo. Eles estão cada vez mais longos, a letra de Shara se encolhendo mais e mais. Smith lê em voz alta.

Oi,

Eu de novo. Não sei bem qual de vocês está lendo, mas tenho certeza de que todos vão ler em algum momento. Bom trabalho com a letra da música, Chloe, já que sei que essa foi você.

Smith, você se sentou bem ali, no assento do lado, enrolando o programa nas mãos porque estava muito nervoso pelo Ace. Você me disse que não sabia se ele conseguiria, que nunca o tinha ouvido cantar antes. Você estava com medo de que ele passasse vergonha na frente da escola toda, e aí seu queixo caiu quando ele cantou o primeiro verso. Admiro muito isso em você — o jeito como você torce pelos outros. Você não sa-

153

bia que eu já sabia que ele sabia cantar, que ele me disse que a mãe o fazia ouvir trilhas sonoras de Stephen Sondheim quando era criança. Você não sabia que esse tinha sido o motivo para Summer não falar mais comigo — porque ela nos flagrou.

Chloe, eu me lembro do seu vestido. Nossa, eles botaram você em um pesadelo de vestido de gala branco cheio de firula que mais parecia um roupão do que qualquer coisa, completamente medonho, amarrado na cintura. Você devia meter um processo neles. Você estava olhando diretamente para o holofote. Estava tentando evitar meus olhos, não estava? Lembra que esqueceu o começo de um verso? (Não se preocupa, acho que ninguém mais notou.) Você deve ter passado tantas horas aperfeiçoando a execução, internalizando o ritmo, e notei seu esquecimento assim que você abriu a boca. Você perdeu a deixa por um segundo e meio. Apertei o braço da cadeira para não sorrir.

É isso que eu estava tentando falar para você.

Beijos,
S

P.S.: Rory, não me esqueci de você. Às vezes penso no último outono, quando você pegou detenção e o jogo foi cancelado por causa da chuva. Você achou que eu não sabia que você estava observando?

Antes que Chloe tenha tempo de reagir ao que Shara escreveu para ela, Ace sobe o corredor, tomando um Mountain Blast.

Smith fecha o cartão e diz para ele:

— Summer flagrou você com a Shara?

Ace se engasga.

— Opa — Rory diz.

Ele se senta na beira do palco para assistir ao show. Ace seca um fio azul fluorescente no queixo.

— Ela... ela te contou isso?

— Ela escreveu — Smith responde. Ele ergue o cartão. — Aqui.

— Eu... não foi *nesse* sentido...

— Então, em que sentido foi?

Se isso fosse duas semanas atrás, Chloe ficaria preocupada com a possibilidade de acontecer um combate mortal entre atletas diante dela. Mas ela passou a conhecer os dois um pouco melhor desde então, e eles são duas das pessoas menos agressivas com quem ela já teve contato — especialmente Smith. Uma vez, quando estava procurando por ele depois da aula, ela o encontrou no laboratório de biologia, cutucando os brotos de feijão. Outra, ele a viu com um livro de poemas e contou para ela que a mãe dele recitava poemas nos anos 1990 e havia dado uma coletânea de Danez Smith para ele de aniversário.

Então, bom, é mais provável que isso acabe em lágrimas, o que pode ser pior.

— Quer dizer, tecnicamente, sim, a Summer terminou comigo por causa da Shara, mas...

— Cara, se você estava fingindo me ajudar esse tempo todo sendo que você...

Ace ergue as duas mãos na frente do peito.

— Ela estava me ajudando a praticar para os testes do musical da primavera, beleza?

Quê.

— Quê? — Chloe intervém.

— Quê? — Smith pergunta, as sobrancelhas quase na altura do cabelo.

— É... é idiota. — Ace se afunda em um dos assentos dobráveis, passando a mão no cabelo desgrenhado. — Mas sempre quis tentar participar do musical de primavera. Sempre. Mas eu morria de medo porque, tipo, e se eu não fosse bom? Ou se eu fosse bom, e Dixon e os outros me zoassem por gostar de musicais até a formatura? E aí chegou o último ano, e era a minha última chance, e o Truman estava fazendo ensaios antes dos testes, e quase fui a um, mas eu ficava pensando: e se eu não conseguir o papel? E se não for escalado, ou me colocarem, tipo, como uma árvore, e aí todo mundo vai saber que eu queria muito, mas não era bom o suficiente? Mas lembrei que a Shara tocava piano no show de talentos quando a gente era criança, daí perguntei se ela poderia me ajudar. E a gente começou a se encontrar na minha casa depois da aula pra treinar minha música para o teste.

Ele olha para Smith e ergue as mãos, desamparado, deixando-as cair de volta no colo.

— Foi isso, juro.

Nunca, em nenhum momento dos fins de tarde de ensaio depois da aula com Ace na sala do coral, nem mesmo quando ela teve que treinar beijar a boca grande dele, passou pela cabeça de Chloe que Ace não tivesse feito o teste como piada.

Smith parece cético.

— Você está me dizendo que a Summer deu um fora em você por isso?

— Não, Summer me deu um fora porque dei bolo nela pra praticar e, quando ela passou lá em casa naquela noite, viu a Shara saindo e surtou.

Smith balança a cabeça, incrédulo.

— Por que não contou para ela o que vocês estavam fazendo?

— Porque a Shara disse que, se um dia eu contasse que ela me ajudou com a música, ela falaria pro pai dela que me viu fumando maconha.

— Tá, agora isso eu não entendo — Chloe intervém. — Shara adora quando as pessoas sabem que ela fez uma boa ação.

— Sei lá — Ace admite. — Mas ela estava muito séria. Eu acreditei nela. E, tipo, a Summer é *muito* irada, mas não posso ser expulso logo antes de me formar. Vou perder a minha bolsa.

— Então — Smith diz. Ele volta na direção de Ace, o quadril encostando nos joelhos de Rory ao passar. Rory se abaixa distraidamente para tocar o próprio joelho enquanto assiste. — Você... você tentou dar uma de *High School Musical*, basicamente.

— Sim.

— E a Shara chantageou você por isso.

— Não seria a primeira pessoa que ela chantageia — Rory argumenta.

Smith passa as mãos atrás da cabeça.

— Você poderia ter me contado antes que pediu ajuda da Shara — ele diz em tom baixo. — Minha irmã poderia ter te ajudado. Você sabe que ela é boa com essas paradas. E sei que todo mundo que a gente conhece fica nessas de "sem viadagem" com tudo, mas meio que achei que eu deixava claro que a gente não era assim. Tipo, mostrei minha coleção da Sailor Moon pra você.

— Eu sei.

— Contei que dividia roupas com a minha irmã até fazer treze anos.

Chloe intervém:

— Pergunta rápida: por necessidade ou preferência?

— Não é isso — Ace diz, ignorando-a. — Você é o único que eu *não* achava que iria me julgar. Eu estava com medo de ser ruim.

— Bom, você não é. Você foi foda pra caralho, isso sim.

Ace abre um sorriso, largo como sempre, e está de volta à praia em Taiti, com aquela cara de palmeiras e cocos com guarda-chuvinhas. Chloe não sabe como ele faz isso.

— Valeu.

— Tá, bom — Rory diz, parecendo entediado. Ele desce do palco. — Parabéns por serem melhores amigos para sempre. A gente pode buscar o próximo bilhete antes da sétima aula?

— Não sei onde está — Smith comenta.

Rory suspira.

— Eu sei.

O próximo cartão está no estádio de futebol. Shara o guardou dentro de um saco plástico com fecho hermético para protegê-lo da chuva e o colou embaixo de uma fileira tão alta da arquibancada que Chloe precisa subir nos ombros de Rory para pegar. Rory parece que vai quebrar com o esforço.

— Sabe, vocês poderiam ter contado as fileiras, ido por cima e colocado a mão no espaço entre as arquibancadas — Smith comenta quando Chloe desce das costas de Rory. — Deve ter sido assim que a Shara colocou.

— Uma sugestão que poderíamos ter usado dois minutos atrás — Rory resmunga.

Smith dá de ombros, nitidamente segurando um sorriso.

— Sim, mas foi divertido assistir.

Oi, Rory + companhia,

Teve um jogo de futebol americano no outono passado que foi adiado por causa da quantidade de raios. Tentaram jogar, mas no fim do primeiro tempo todos estavam muito ensopados e ninguém mais queria pegar chuva. Smith, encontrei você bem aqui, embaixo da arquibancada, e te beijei. No caminho para casa, você olhou pela janela para um farol vermelho na chuva e disse que essa era a primeira vez em muito tempo que pareceu certo.

É tão idiota que meu pai faz os alunos trabalharem de graça no quiosque como forma de detenção, não é, Rory? Você estava com uma cara péssima, e isso antes mesmo de me ver beijar o Smith bem na sua frente. Sei que você viu, porque sabia que você estava lá, me observando do mesmo jeito que observa da janela do seu quarto, virando o rosto sempre que alguém olha.

Inveja é uma coisa engraçada. Passamos tanto tem-

po no ensino médio consumidos por ela, odiando que aquela outra pessoa tem algo que não temos, desejando poder sentir o gostinho de ser como ela. Tirar esse sentimento das suas mãos por um segundo e passá-lo para outra pessoa é um alívio.

Então, acho que foi por isso que pareceu sincero.

Beijos,

S

P.S.: Chloe, eu poderia te oferecer uma pergunta básica com uma solução simples, mas sei que isso não te satisfaria. Mesmo assim, pode ser divertido ver sua reação.

Smith, que finalmente parece estar chegando perto do seu limite, vira para Rory ao terminar de ler.

— Onde você encontrou o primeiro bilhete? — pergunta.

Rory franze a testa.

— Quê?

— O primeiro bilhete da Shara que vocês me mostraram. Era pra você, não era? Onde estava?

A pergunta deve pegar Rory de surpresa, porque ele não hesita.

— No quarto da Shara — admite.

— Opa — Chloe diz, imitando Rory. Se dependesse dela, Smith nunca saberia que eles colocaram os pés dentro da casa dos Wheeler.

— Você disse que nunca tinha ficado com ela.

Não é uma acusação; ele parece diferente de antes, quando achou que Ace poderia estar ficando com Shara. Ele está reanalisando os fatos, percebendo que perdeu alguma coisa.

— Não fiquei — Rory confirma.

— Então como entrou no quarto dela?

Lá vem.

— Foi… eu estava… — Rory começa, e então visivelmente se dá conta de que precisa de um álibi que não tem. Ele entra em pânico e aponta para Chloe. — Ela estava lá também!

— Sério, cara? — Chloe resmunga. Ela pensou que eles tinham uma regra entre eles de não dedurar. — Pelo menos eu usei uma chave. *Você* subiu pela janela com uma *escada*.

Smith arregala os olhos.

— Você fez *o quê*?

— Shara me falou que deixaria a janela destrancada! — Rory insiste. — Era óbvio que ela queria que eu entrasse por lá, por isso o bilhete com a porra do meu nome!

— Viu, é disso que estou falando — Smith diz, balançando o cartão na cara de Rory. — Você vive metido nas minhas coisas! Toda vez que vou pra casa da Shara, lá está o Rory de olho em tudo. Você está sempre... *lá*.

— Eu moro lá! Tenho autorização de estar na minha casa!

— Você ferrou tudo isso pra mim! Era pra ser eu e Shara e, em vez disso, é sempre eu, Shara e *você*, e sei que você me odeia por namorar com ela mesmo sabendo que você gostava dela, mas...

— Não é *esse* o meu problema com você.

— Quê, tenho que fingir que eu não estava lá quando a gente tinha treze anos e você me falou que a Shara era a única menina bonita da escola? — Smith diz. — Tipo, você acha que eu sou burro?

— Acho que você finge que muitas coisas de quando a gente tinha treze anos não aconteceram.

— O que *isso* quer dizer?

Rory abre a boca, pensa melhor e fecha.

— Esquece. Sabe, se a sua relação está péssima, isso é problema seu, não meu. Só estou na vida da Shara porque ela quer.

— Você não sabe porra nenhuma do que a Shara quer!

— Está na cara que você também não!

— Ei! — Chloe finalmente interrompe. — Calma aí!

Smith e Rory param, os rostos a centímetros um do outro. Ela deixaria os dois saírem na porrada — já não era sem tempo mesmo —, mas não aguenta mais. Nenhum deles merece a culpa pela explosão nuclear de Shara.

— Isso é ridículo — ela solta. — Qual é o denominador comum aqui? Smith, Rory não *fez* a Shara beijar você na frente dele. Nenhum de nós *fez* a Shara nos beijar e fugir da cidade. Rory, esse bilhete literalmente diz que ela queria deixar você com ciúme porque sabia que você gostava dela e ela gostava da atenção. Tipo, fala sério! Nada disso é por nossa causa. A culpa é da *Shara*. Parem de fingir que ela é uma santa! Leiam os bilhetes! Ela está manipulando vocês dois, e vocês estão *deixando*.

Ela fica ali parada embaixo da arquibancada, alternando o olhar entre Smith e Rory, esperando pelo que desejava esse tempo todo: que alguém veja Shara como ela sempre viu. O sinal do fim da sexta aula toca. Nenhum deles faz menção de ir para a próxima aula.

— Não entendo — Smith diz finalmente, com uma voz de derrotado. — Tudo o que ela fez nas últimas semanas, tudo o que está dizendo que fez nesses bilhetes… não parece coisa dela. E não entendo por que ela fez nada disso, ou por que está me contando, ou por que está me contando desse jeito. E acho que estou começando a ficar com medo que… sei lá. Vai ver o Rory tem razão. Vai ver eu não a conheço como pensei que conhecia.

Era para a sensação ser como a de uma rodada de aplausos na noite de encerramento, como depois de uma festa de aniversário do quinto ano em que suas mães disseram no carro que todos os outros pais queriam que seus filhos mandassem tão bem na escola quanto Chloe.

Mas Smith está triste, e Rory está irritado e envergonhado, e a sensação não é tão satisfatória quanto deveria ser.

— Meu problema com você — Rory diz finalmente, para Smith — é que você me trocou pelos caras do futebol americano, e você *sabia* que eles eram escrotos comigo.

— Eu não troquei você pelos caras do futebol americano — Smith responde, a voz grave e franca —, *você* me deixou de lado porque não gostou que entrei pro time, por mais que eu tenha *dito* que o motivo por que meus pais me mandaram pra Willowgrove foi pra jogar futebol americano.

— Não foi assim que aconteceu — Rory resmunga.

— É assim que me lembro.

— Bom, eu lembro de outro jeito.

— Tá, beleza. — Smith dá de ombros. — Tanto faz.

— Tanto faz.

— A gente está de boa? — Chloe pergunta.

— A gente está de boa — Smith diz.

Rory olha para Smith por um longo momento, depois enfia as mãos nos bolsos.

— Tanto faz.

Ela passa o resto da sétima aula reescrevendo frases do último bilhete de Shara nas margens do caderno de cálculo avançado e se perguntando por que exatamente ela não se sente como deveria se sentir.

Em algum lugar, em uma sala diferente, Smith está confrontando o fato de que essa menina com quem ele passou dois anos projetando um namoro adolescente está distante, não porque seja complexa demais, mas porque ela não queria que ele visse quem ela realmente era. Rory já deve estar sentado no banco de motorista do carro, se perguntando se a vizinha dos seus sonhos algum dia existiu.

Chloe já sabia essas coisas. Mas, de todas as possibilidades que ela considerou para a verdadeira Shara, nunca pensou seriamente que a definição perfeita seria "gênia do mal".

Shara escreveu no bilhete para Smith que queria mostrar a verdade para ele, e é exatamente isso que ela está fazendo. Ela não é um anjo. É o tipo de garota que machuca os amigos de propósito e quebra promessas e larga as pessoas que gostam dela sem nem se despedir.

Ela entende por que Shara queria que Smith e Rory soubessem — de que adianta desejar e ser desejada se a pessoa que eles querem não é você de verdade? Mas ela ainda não entende por que Shara decidiu contar para *ela*.

Mas agora ela sabe... bom, ela odeia admitir. Odeia mesmo. Mas essa Shara, escrita em papel de carta cor-de-rosa, é um milhão de vezes mais interessante do que a versão falsa. Tipo, sem comparação.

É meio que um saco que ela seja a única que veja dessa forma.

DA PILHA DA FOGUEIRA

Bilhetes trocados entre Ace Torres e Shara Wheeler

Escritos no verso da folha de exercícios de Bíblia
intitulada "Armando-se com o Senhor"

Ei, Shara!

Estou tentando estudar, Ace.

Legal, queria saber se você está livre à tarde
pra praticar

A gente já praticou duas vezes esta semana.

Eu sei, mas ainda não sei se consigo acertar
aquela última nota

Você consegue. Está cantando bem. Além disso,
tenho um trabalho para amanhã.

Sério?? Você acha??? Tipo, acho que, se você
acha que estou pronto... é só que os testes são
semana que vem e toda vez que penso nisso
sinto que vou me cagar até as tripas

Por favor, nunca mais use essa expressão
de novo

Foi mal!!!! Só estou muito nervoso!!!

Acabo às quatro.

12

DIAS SEM SHARA WHEELER: 17
DIAS PARA A FORMATURA: 26

O bilhete da arquibancada muda tudo.

Smith e Rory, que até então estavam agindo sob a impressão de que poderiam conquistar Shara se chegassem ao fim da trilha, realmente parecem estar achando difícil de engolir a ideia de que a princesa na torre está mais para um dragão. Eles param de se alfinetar e começam a trocar muitos olhares taciturnos enquanto Chloe faz todo o trabalho com as pistas. Ela praticamente tem que arrastá-los para a próxima.

Quanto a Chloe... bom, não é que Chloe se esqueça de pensar em outras coisas além de Shara Wheeler. Mas nada mais parece tão interessante, o que não é culpa dela. Sinceramente, talvez as outras coisas devessem se esforçar mais.

— Você vem hoje, Chloe? — Ash pergunta.

Chloe pisca, sendo arrancada de seus pensamentos. Ela olha para Ash, a duas cadeiras na arquibancadinha do coral, segurando tamanhos diferentes de iscas de pesca próximo aos lóbulos das orelhas de Benjy para testar com qual dos tamanhos elu quer fazer brincos, enquanto Benjy fica parado com relutância.

— Oi? — Chloe pergunta.

— Eu, Georgia, colheita no parque perto do mercado — Ash diz. — Georgia pegou aquele livro de identificação de cogumelos? Te falei na semana passada e você disse que ia pensar?

— Ah. — Chloe sinceramente não se lembra dessa conversa, mas finge que sim. — Sei, não posso. Estou com muito dever de casa.

Georgia semicerra os olhos para Chloe por cima do seu almoço, e Chloe se sente mal. De verdade. Mas só há uma coisa que ela quer fazer agora. Ela jura a si mesma que vai arranjar tempo para ficar com Georgia no fim de semana.

O resto da semana traz mais três pistas, uma por dia. Cada uma contém uma revelação nova, alguma maldade que Shara escondeu. Chloe arranca um papel quadriculado de um caderno e faz uma tabela para registrá-las de cor.

Nº do cartão	Local	Conteúdos pertinentes
1	Mesa da Shara	Senha do e-mail falso
2	Armário do Smith	Instruções para olhar os rascunhos
3	Drive-thru do Taco Bell	E-mail falso, ameaça implícita de que consegue prever todas as minhas ações
4	Dentro do piano do coral (obs.: chave roubada incluída)	Ficou acordada à noite toda para memorizar a cena de <u>Sonho</u> para eu não humilhá-la na frente da sala toda
5	Casa do Dixon	Planejou terminar com o Smith
6	Escritório do Wheeler	Chantageou o Dixon para cooperar, o apunhalou pelas costas mesmo assim
7	Auditório (primeira fileira, embaixo do assento)	Torceu contra mim na matinê de domingo, fez Ace e Summer terminarem

8	Estádio de futebol americano (embaixo da arquibancada)	Usou o Smith para deixar o Rory com ciúme porque achou que seria divertido
9	Laboratório de química (armário)	Manipulou o secretário do grêmio estudantil para fraudar a eleição da corte do baile de volta às aulas para que perdesse inesperadamente para Emma Grace Baker porque estava "com receio de superexposição"
10	Telhado do Rory (amarrado a uma pedra)	Fingiu estar gripada no dia em que Smith assinou com a faculdade, para não ter que participar da live dele
11	Armário do vestiário da Shara	Passou o verão em casa lendo com o celular no modo avião enquanto todos pensavam que ela estava em uma expedição missionária na Nicarágua

Cada cartão é mais uma dose cor-de-rosa de satisfação. Ela os guarda na bolsinha de maquiagem na parte de baixo do armário como se fosse um saco de evidências de cena do crime, catalogando todas as coisas que suspeitava que Shara fosse — desonesta, calculista e falsa — e um milhão de outras que antes nunca teria como provar. Vingativa. Destrutiva. Má. Uma verdadeira bola de demolição, balançando silenciosamente em um guindaste tão bonito a ponto de distrair.

Então Chloe está ganhando fôlego, enquanto Smith e Rory estão perdendo. O moral nunca esteve tão baixo no grupo "Eu beijei Shara Wheeler".

— Tá, o último bilhete diz que há instruções para o próximo na foto de um clube que um de nós tirou com ela para o anuário — Chloe diz, colocando a bandeja na mesa do Taco Bell perto da escola. — Deve ser a foto da Sociedade de Honra Nacional que ela tirou comigo. É a única atividade extracurricular que ela tem com algum de nós. Só não sei como chegar a ela.

Smith coloca a mão na testa e contempla a vida, bem como seu pedido de taco, que ele ainda nem decidiu qual vai ser.

— Então… essa não é nem uma pista pra achar o próximo bilhete — Smith diz. — É uma pista pra achar outra pista pra achar o próximo bilhete.

— Vamos, levanta a cabeça — Chloe replica. — Devemos estar quase lá. Tenho um pressentimento de que ela tornou esse mais difícil porque é o último.

— Não sei o quanto mais eu quero saber — Smith confessa enquanto Rory coloca uma bandeja supercheia na mesa.

Chloe revira os olhos e desembrulha sua *quesadilla*.

— Nossa, como vocês são *chatos*. A gente está montando, tipo, o perfil psicológico de alguém que ou vai ser presidenta dos Estados Unidos ou uma verdadeira assassina em série.

Rory começa a separar os burritos e tacos da sua pilha de comida e os colocar na frente de Smith, que finalmente desvia a atenção do cardápio.

— O que é isso? — ele pergunta.

— Peguei comida pra você.

Smith ergue as sobrancelhas.

— O que você pegou pra mim?

— Sei lá — Rory murmura —, o que você sempre pega.

— Você lembrou?

Rory fecha a cara.

— Eles não têm mais o Grande Soft Taco, então peguei dois soft tacos e um nacho com queijo de acompanhamento. É só montar você mesmo. Ou sei lá.

— Ah. Você pegou…?

— Um garfolher?

— Sim.

— Óbvio. — Rory começa a separar seus nachos.

— Quer que eu te transfira agora?

— Não precisa.

— Ah — Smith diz. Rory ergue os olhos a tempo de ver o sorriso de Smith se abrir. É realmente uma visão e tanto, o sorriso de Smith. Vem do nada e tem um efeito tipo o de um terremoto, total e devastador. — Obrigado, cara.

— De nada — Rory responde, piscando como se estivesse olhando para o sol.

— Uau — Chloe observa. — Uma amizade se refaz.

Rory volta a fechar a cara na mesma hora.

— Vai se foder, Chloe.

Mas Smith cantarola alegremente à medida que desembala o primeiro taco, e a carranca de Rory se suaviza.

Enquanto isso, Chloe navega de novo por todo o feed do Instagram de Shara em busca de alguma coisa que possa ter deixado escapar. Ela não encontra nenhuma pista nova, apenas pequenas surpresas que não levam a nada. Um ângulo novo que expõe uma marca de nascença em cima do ombro de Shara. Um verso bem camuflado de um poema de Mary Oliver em uma legenda. Tem uma foto de Shara sentada perto de Summer num píer, as duas de óculos escuros e com sorrisões, e, quando Chloe dá zoom, consegue distinguir o leve contorno de um livro no bronzeado da barriga de Shara, como se ela tivesse pegado no sono lendo ao sol. Todas as peças do quebra-cabeça, mas nenhuma que o complete.

Ela dá uma olhada no arquivo do Google Docs que mandou para o e-mail falso de Shara uma dezena de vezes por dia, mas nunca muda. Sempre as mesmas três palavras de Chloe, esperando a resposta de Shara. A data de edição mais recente no alto da página muda às vezes, mas nenhuma palavra se materializa.

Mesmo assim, ela está ganhando terreno. Tem todas essas pistas, esses segredos. Ela sabe que está chegando perto.

Se Shara fosse uma pergunta de prova, seria um daqueles enigmas de lógica confusos. Um argumento crítico sem nenhuma resposta óbvia que pudesse ser descartada. Palavras simples e diretas colocadas em uma estranha ordem sinuosa, algo em que se perder até se dar conta de que você está atrasado e vai ter que chutar os últimos quatro problemas.

Se Shara sai da cidade pela estrada rumo ao oeste a cem quilômetros por hora, e Chloe passa as três semanas seguintes correndo atrás dela, a que velocidade Shara vai estar viajando quando elas colidirem?

O tempo nunca passa corretamente nas últimas semanas de aula, muito menos no fim do último ano. Eles estão a um passo do fim dos uniformes escolares e dos trabalhos de literatura e de pedir permissão para fazer xixi, e tudo parece arrastado e bobo. A energia espiritual de toda a turma é uma vibe lanchonete às duas da manhã depois da última apresentação do musical da primavera.

Parece impossível que Shara estivesse do outro lado da pista de dança em seu vestido cor-de-rosa apenas duas semanas atrás.

Segundo as mesmas leis bizarras de tempo, parece que faz séculos que ela não vê Georgia fora da escola quando dirige até a Belltower com um Starbucks no fim da tarde de sábado, embora façam apenas alguns dias.

Georgia está na recepção organizando uma caixa de ficção literária, e fica feliz ao pegar o café gelado que Chloe passa para ela.

— Alguma coisa boa essa semana? — Chloe pergunta.

— Não, a menos que você curta dramas de casamento sobre heterossexuais brancos incapazes de parar de ter casos extraconjugais — Georgia responde.

— Estou de boa. Mas me avisa se tiver algum monstro tarado.

—Você sabe que estou sempre de olho em monstros tarados por você — Georgia diz. Ela olha ao redor, certificando-se que estão a sós antes de acrescentar, mais baixo: — E lésbicas com espadas.

Gostar de garotas não é tão simples para Georgia como é para Chloe. Georgia não sabe como seus pais vão reagir, muito menos todos os parentes batistas do Sul. A primeira vez em que ela visitou Chloe, ficou encarando as mães dela por tanto tempo enquanto as duas preparavam o jantar que Chloe ficou com medo de que ela pudesse ser homofóbica. Foi só mais tarde, quando elas estavam no chão do quarto recortando fotos de revistas para colar nos cadernos, que Georgia mencionou em voz baixa que nunca tinha visto um casal de lésbicas casadas ao vivo, e Chloe entendeu o que estava pegando.

Chloe se debruça para ajudar a tirar os livros da caixa.

— Por onde você andou a semana toda? — Georgia pergunta. — A gente tinha combinado de mexer no trabalho de francês na quinta.

Chloe fica tensa.

— Merda. Tinha?

— Tinha — Georgia responde. — Me adiantei e escrevi as três primeiras páginas.

— Eu cuido das últimas três, então — Chloe diz. — Juro.

— Tá.

— E juro que vou recompensar você um dia quando for uma editora fodona e você for minha autora mais premiada e estivermos causando um furor no mundo literário.

— Tá, tá.

— E juro que vou deixar você usar mais da metade da geladeira no ano que vem — Chloe acrescenta. — Você pode guardar todos os cogumelos que colher e que seu coração quiser.

Georgia mexe na presilha do cabelo.

— É. Hum, na verdade, tem uma coisa sobre a qual eu queria conversar com você — Georgia diz.

— Hum?

Ela olha para as prateleiras atrás de Georgia. A seção de Austen, especificamente, por onde Shara deve ter passado algumas semanas atrás quando entrou para comprar *Emma*.

Espera. Por que a Shara viria logo aqui para comprar um livro?

— Eu estava… hum, o que você está fazendo? — Georgia diz atrás dela, mas Chloe já está do outro lado da livraria, abrindo uma edição ilustrada de *Orgulho e preconceito*. Ela deveria ter revirado toda a seleção de Austen assim que Georgia contou a história para ela.

— Só lembrei que… — Shara deve ter visto Georgia lendo Austen na escola e pensou que, se comprasse um livro da mesma autora, Georgia comentaria com Chloe. Ela tira *Persuasão* na sequência, mas não há nada ali dentro também exceto cheiro de livro. — Acho que deixei alguma coisa em um desses livros.

— Como assim? — Georgia diz, baixando o livro de capa dura que está segurando. — Por quê?

— Eu, hum, ia comprar, mas mudei de ideia — Chloe mente, chacoalhando *A abadia de Northanger* em vão.

— Você não lembra qual? — Georgia pergunta, nitidamente perplexa.

O último que Chloe tenta é uma capa dura de *Mansfield Park* e, lá, escondido na primeira orelha, está um cartão cor-de-rosa. E, dentro do cartão, uma folha de papel, dobrada três vezes.

— Achei! — ela diz, colocando os dois no bolso antes que Georgia possa ver. — Mas, ai, merda, acabei de lembrar que eu… prometi que iria participar da noite de quebra-cabeça com as minhas mães, desculpa, preciso ir!

Ela sai e entra no carro antes de o sininho da porta terminar de tocar.

Parada na garagem de casa, ela lê a carta pela terceira vez. É a mais longa que Shara já deixou e é endereçada apenas para Chloe. Ela não consegue parar de tocar os traços de caneta no papel.

Oi, Chloe,

Parabéns. Fiquei com um pouco de medo de que o livro fosse vendido antes de você achar isto, mas imaginei que Mansfield Park fosse uma aposta segura. E, sejamos sinceras… os livros não andam vendendo que nem água por aqui.

Enfim. Você ficaria surpresa se eu dissesse que pedi para o sr. Davis nos tornar parceiras de laboratório em química?

E se eu dissesse que fingi que meu cadarço estava desamarrado para poder esperar do lado de fora da sala da sra. Farley para ver você entrar no primeiro dia de aula este ano? E se contasse a verdade, que fiz questão de passar três dedos no canto superior direito da sua carteira antes de me sentar na sua frente, e passei uma hora sentada lá tentando imaginar sua cara quando fiz isso?

E se contasse para você que, nos três anos de aulas de inglês que fizemos juntas antes deste, eu me sentava do outro lado da sala e pensava em todas as formas como poderia destruir seu histórico perfeito? Tentei denunciar você por violações de uniforme, mas nunca pareceu colar. Às vezes eu me imaginava invadindo o escritório do meu pai e dando uma forma de mudar todos os seus 9,9s para 8,9s. Às vezes criava toda uma conspiração na minha cabeça para incriminar você de plágio. Pensei até em cortar seus pneus na noite anterior à prova de Avançadas (admito que não foi um dos meus momentos mais cristãos).

Às vezes, quando me sentia no ápice da criatividade, imaginava como poderia fazer você se apaixonar por mim. Assim que soube que você gostava de meninas, vi que era a minha chance. Eu poderia passar a ponta dos dedos no seu queixo, poderia quase beijar você na biblioteca. Poderia partir seu coração de maneira tão primorosa que você deixaria de se importar com vencer. Sempre foi tão fácil fazer as pessoas se apaixonarem por mim. Eu tinha certeza de que conseguiria fazer isso com você.

Eu tentei, no segundo ano. Lembra de pré-cálculo? Fingi que não entendia alguma coisa porque sabia que você também não entendia. Era para ser uma forma de me aproximar de você para colocar em prática todos os truques que eu conhecia. Mas você sacou qual era a minha. Você não é como os outros. Os mesmos truques não funcionam com você.

Acho que foi aí que as coisas começaram a desandar para mim. Existem coisas sobre mim que não fazem sentido. Não sei se me encaixo aqui. Como é possível se sentir distante de um lugar onde todos amam você? Dever a vida a um lugar e ainda assim querer fugir? Tenho tentado muito entender o que é que me faz me sentir dessa forma e como isso parece tão profundo e tão grande que deve ser a maior parte de mim, meus ossos e a pele que cobre meus nós dos dedos e meus ombros.

Saber que eu não poderia ter você se quisesse — é quase a mesma dor. É quase a mesma sensação. Elas estão páreo a páreo. O que têm em comum?

Gostaria que você guardasse esta para você,

S

Quando Chloe estava no sexto ano, ganhou o concurso estadual de soletração.

Não foi fácil — não porque ela tivesse alguma dificuldade em soletrar, mas porque sua escola não acreditava em "criar um ambiente competitivo para os alunos". Aos nove anos, ela voltou para casa com um bilhete de advertência por obrigar os amigos a entrarem em um clube da luta clandestino de testes de matemática cronometrados durante o recreio. Eles não colocariam os alunos uns contra os outros nas qualificatórias do concurso de soletrar.

Mas ela viu o vencedor do ano anterior no jornal local e se recusou a largar o osso até suas mães encontrarem uma forma de fazer com que ela se qualificasse de maneira independente, e então destruiu todos os outros jovens de onze anos do estado com a palavra final, "dipsomaníaco".

Assim que colocou os pés no campus de Willowgrove, ela se inscreveu na equipe de Perguntas & Respostas. Entrou para o Clube de Francês sob a promessa de que haveria provas na convenção e começou a acompanhar discretamente as notas mais altas de cada uma de suas turmas, assim descobrindo que sua única adversária de verdade era Shara.

Essa carta é finalmente, *finalmente*, prova de que Shara sempre a viu da mesma forma. Elas são iguais. É isso que ela pensa enquanto passa a ponta dos dedos na dobra do papel.

Mas ela também está pensando que Shara pesquisou que o pai de Georgia é dono da Belltower. Que Chloe gosta de passar as tardes lá com os livros.

Será que ela descobriu os planos de Chloe naquele fim de semana para poder ir à loja quando Chloe não estivesse escondida em um canto com *Mulherzinhas*? Olhou a rua para confirmar se o carro de Chloe não estava estacionado lá? Quantas vezes escreveu o bilhete antes de decidir os traços exatos no nome de Chloe? Será que se sentou em seu edredom cor de marfim e planejou todo um dia para criar este momento, agora, com Chloe sentada ali com essa carta, pensando em Shara pensando nela?

Parece ainda mais íntimo do que o trecho de Shakespeare no piano. Willowgrove é onde Shara está — estava — todos os dias, mas Belltower é de Chloe. Shara não tem uma chave. Ela precisou entrar pelo batente que Chloe repintou no último verão e ficar de conversinha com a melhor amiga de Chloe.

Ela pensa na ponta do cabelo de Shara encostando na escrivaninha dela em pré-cálculo e na agitação dos batimentos cardíacos dela. Se Shara estava mesmo no controle daquela jogada, se isso era tudo que aquilo significava para ela, por que seu coração estava batendo tão rápido?

Quanto mais fundo ela entra nessa história, mais imagina as horas que Shara gastou nisso. Com Smith e Rory também, sim, mas foi Chloe quem recebeu uma carta inteira em uma folha de papel dirigida apenas a ela. Não há nenhuma pista levando a essa nem partindo dela. Foi para seu beijo que Shara comprou um brilho labial novo.

Os postscriptums nos cartões sempre aludem a algo que apenas um dos três consegue interpretar, mas, quando ela os coloca um ao lado do outro, algo não se encaixa. As pistas para Smith e Rory normalmente fazem referência a uma memória específica, mas as pistas para Chloe fazem referência à arte. Não qualquer arte — livros da Belltower, Shakespeare, *Fantasma*. Ela escolheu especificamente as coisas favoritas de Chloe, escreveu charadas na linguagem de Chloe e as escondeu nos lugares preferidos de Chloe. Como se Chloe fosse especial.

Ela fica pensando.

E se for por isso que Shara quer que Chloe saiba quem ela é?

E se aquele beijo no elevador tiver sido mais do que a primeira fase de um plano?

E se Shara for mais do que uma escrota perversa? E Shara for uma escrota perversa que está *apaixonada por ela*?

— Chloe, graças a Deus que você chegou — sua mamã diz quando ela finalmente entra. Ela está segurando uma das mil peças de quebra-cabeça espalhadas sobre a mesa da cozinha. — Você descreveria essa cor como mel ou âmbar?

— É amarelo — ela responde.

— Obrigada! — sua mãe diz. — Vai para a pilha de amarelo!

— Mas a pilha de amarelo tem cinco subseções, Val.

— Você está tornando isso muito mais complicado do que precisa ser, Jess.

Aproveitando a distração, Chloe escapa discretamente para o quarto. Ela pega o laptop na mesa, equilibrando-o em uma mão enquanto abre o zíper da saia e a deixa cair no chão. Ela está tão desesperada para conseguir mais uma peça de Shara que todo o seu corpo parece formigar. Seu Google Docs se abre instantaneamente, e...

Lá, no alto da página, em pequenas letras cinza: A última edição foi há alguns segundos.

Quando seus olhos voam para o espaço embaixo de suas três palavras, Onde você está?, há um cursor verde firme. Ela passa o mouse sobre ele até o nome da pessoa que está editando o documento aparecer: sw.

Shara está lá. Shara está no documento agora. Pela primeira vez desde o baile, elas estão no mesmo lugar ao mesmo tempo.

O pé de Chloe se prende na saia, e ela gane e cai de lado no carpete.

Quando recupera o laptop no chão, o cursor não está mais lá — onde quer que Shara esteja, deve ter se dado conta de que Chloe havia entrado e fechou a janela o mais rápido possível. Não há nada novo no documento, apenas a mesma extensão branca onde o cursor de Shara desapareceu. Mas o registro no alto ainda diz que a última edição foi segundos atrás. Ela estava *tão perto*.

Mas… espera. Não era para haver nenhum lugar para o cursor de Shara pousar se não havia nada embaixo das palavras de Chloe.

Caída de calcinha ao pé da cama, Chloe aperta o botão Command com o polegar e a tecla A com o dedo médio para selecionar tudo na página.

Shara digitou com texto branco. Tinta invisível.

Embaixo de Onde você está?, ela escreveu uma linha.

Qual é. Tem um milhão de perguntas mais interessantes que você poderia fazer.

— Maldita — Chloe solta, e digita: Beleza. Por que você foi embora?

Uma pausa. Chloe finalmente tira a saia do tornozelo com os pés e prende a respiração. Então um pequeno sw aparece em uma bolha no alto do documento. Shara deve ter ligado as notificações de edição para o documento — meu Deus, por que *Chloe* não pensou nisso?

Outra frase surge na página, em preto dessa vez.

Não acho que você quer que eu torne isso tão fácil. E então: Em que você está pensando agora?

Você, ela digita automaticamente, antes de se lembrar que Shara consegue ver, e então acrescenta às pressas: sabe que seu tempo está acabando. Os exames das turmas avançadas e as provas finais são na semana que vem.

Ela espera.

Obrigada por me lembrar, Shara digita. Qual foi o último bilhete que você encontrou?

Foi uma carta, na verdade, Chloe digita. Aquela que você deixou pra mim na Belltower e pediu pra eu não mostrar pra ninguém.

Um segundo se passa, e mais outro, e então o cursor de Shara desaparece.

DA PILHA DA FOGUEIRA

Bilhete de Chloe Green para Shara Wheeler,
escrito no verso de um trabalho de literatura sobre
O grande Gatsby

Achei isso no chão da sala da sra. Rodkey — pensei que você pudesse querer guardar. As coisas que você escreveu sobre o simbolismo da luz verde me pareceram meio pessoais.

13

DIAS SEM SHARA: 22
DIAS PARA A FORMATURA: 21

Shara some do documento pelo resto do fim de semana depois que descobre que Chloe leu a carta, e Chloe percebe que sua teoria está certa: Shara está apaixonada por ela.

Que *constrangedor* para Shara.

Todos esses anos, Shara ficou em seu quarto, penteando o cabelo em frente à penteadeira e pensando em como desvendar Chloe. Shara, a própria Shara Wheeler, está obcecada por *ela*. A filhinha cristã perfeita de Willowgrove quer a menina bissexual esquisita com delineador exagerado.

Mesmo se Chloe não quiser Shara, ela *quer* alugar um triplex naquela linda cabecinha. Se o próximo bilhete for parecido com o último, ela precisa dele. Tipo, por puro entretenimento.

Pelo menos ela tem uma ideia de como chegar a ele.

— A festa de fim de ano do teatro é hoje à noite — Chloe declara na segunda quando encontra Smith no armário dele. Ela não se lembra quando decorou o número do armário de Smith Parker, mas acrescenta isso à lista de formas como Shara descarrilhou a vida dela em questão de semanas.

— Certo — Smith diz.

— Brooklyn vai, e ela precisa tirar fotos para o anuário, então vai estar com a câmera dela, e podemos procurar as fotos do clube no cartão de memória — Chloe continua. — Todos que fizeram *Fantasma* estão convidados, incluindo Ace, então tudo que você precisa fazer é convencê-lo a ir...

— Ele vai estar lá.

— Esse é o espírito. Mostra a ele quem manda.

— Não, quero dizer que ele já me falou que vai.

Chloe pisca.

— Quê?

— Pois é, acho que ele está ansioso pra isso. Até comprou uma camisa nova.

— Eu... hum, tá. Bom, então, você pode só encontrar uma desculpa pra ir com ele. E aí, quando a Brooklyn estiver fazendo a apresentação dos veteranos, você pode pegar a câmera dela.

Smith suspira.

— Estamos perto, Smith — Chloe o lembra. — Você merece respostas. Todos nós merecemos.

Ele rói a unha do polegar.

— Tá. Eu vou.

— Entrem, entrem antes que o molho mexicano de sete camadas fique velho — o sr. Truman diz enquanto faz sinal para os alunos entrarem no ginásio como o apresentador do Kit Kat Club. — Não, Taelynn, não tem problema que sua mãe não colocou suco de limão nos avocados como falei para ela fazer da última vez e agora eles já estão marrons... Oi, Chloe, você parece estar com sangue nos olhos hoje, tomara que seja pelo teatro.

— Definitivamente é por alguma coisa — ela diz.

— Ótimo, sem mais perguntas.

Chloe está ansiosa pela festa de teatro dos veteranos desde seu primeiro ano na escola, quando ficou sentada no chão do ginásio com os olhos arregalados observando os protagonistas veteranos do musical de primavera daquele ano (que eram basicamente celebridades para ela aos catorze anos). Autoproclamado guardião das tradições, o sr. Truman inventou um ritual de teatro icônico em Willowgrove quando interpretou Conrad em *Adeus, amor* em 1996 e fez todo o número de encerramento como Rosie na festa de fim de ano. Isso evoluiu ao longo dos anos; agora, como manda a tradição, é a vez de Chloe e Benjy trocarem os papéis e guiarem os veteranos em uma performance exagerada e pura subversão de gênero do número principal.

Benjy, que não leva nada mais a sério do que uma oportunidade de se entregar a uma performance, a pega de surpresa perto da mesa dobrável de salgados e refrigerantes de dois litros.

— Você está, tipo, trinta minutos atrasada — ele diz. — Recebeu as observações de cena que te mandei? Sabe sua letra?

— Benjy, sei a letra dessa música desde que estava no útero — ela responde.

Ela repassa mentalmente o conteúdo dos e-mails; tem certeza de que passou os olhos pelo plano de Benjy para o número, mas quase todo ele foi substituído em sua mente pelo Google Docs de Shara.

Ela quer estar aqui, neste momento, fazendo essa coisa que sonha em fazer desde o início no ensino médio. Mas também está aqui porque precisa saber por onde seguir Shara depois.

Ela obriga suas mãos a pegarem um cupcake em vez do celular.

— Foi você que fez?

— Até parece — ele diz. — Eu lá tenho tempo. Eu... Espera. O que o Ace está fazendo aqui?

Ele está olhando para trás dela, para a entrada do ginásio, onde Ace surgiu em toda a sua glória estabanada.

— Ele foi o Fantasma — Chloe o lembra. — Ele recebeu um convite.

— Sim, mas não era para ele *vir*. Não era para ele agir como se nós existíssemos — Benjy replica, sua expressão ficando incisiva e azeda. — Planejei todo o número pensando que ele não viria. Quê, a gente vai ter *duas Christines*? Como um bando de *idiotas*? *E* ele vai estragar tudo porque isso não passa de uma *piada* pra ele.

Chloe coloca a mão no ombro dele no que torce para ser uma forma tranquilizadora. Normalmente é ela quem precisa ser tranquilizada, então não sabe bem se está fazendo certo. É aqui que vai a mão?

—Tá, não conta pra ninguém que te disse isso, mas a verdade é que o Ace Torres, tipo... curte muito musicais.

— Do que você está falando? — Benjy retruca. — Ele errou todos os versos até a semana antes da abertura. Não sei nem se ele leu o roteiro ou se só decorou o filme.

— Eu sei — Chloe diz. Nem ela acredita que está falando isso. — Mas acho que era porque ele estava nervoso. Ele praticou durante semanas antes dos testes.

— Ele te contou isso? Agora que você é amiga do Smith Parker, sabe-se lá por quê? Que, aliás... — ele franze a testa quando Smith se materializa atrás de Ace, visivelmente sem jeito — ... também está aqui?

— É uma longa história — Chloe responde. — Mas... por favor, não me mata... *acho* que o Ace talvez tenha sim... — ela se encolhe entre os ombros como uma tartaruga — ... merecido o papel?

Benjy olha para ela como se ela tivesse sido substituída por um clone.

— Chloe.

— Não estou dizendo que você não merecia! — Chloe se explica imediatamente. — Nem que ele tenha merecido mais! É só que ele... ele não é tão ruim quanto a gente pensava. Você deveria perguntar qual é o musical do Sondheim favorito dele.

Ele continua olhando feio para Chloe, mas pelo menos não parece que vai pular em cima dela.

— Você mudou.

— Para de ser dramático.

—A gente está literalmente numa festa de teatro.

— Certo, pessoal! — o sr. Truman grita, puxando uma arara de vestidos e smokings usados horrendos para dentro do ginásio. — Figurino! Maquiagem!

— Eu vou perguntar — Benjy comenta. — Mas, só pra constar, existe uma resposta errada.

— Eu sei que existe — Chloe diz, e corre com ele pra ver quem chega antes na arara.

★ ★ ★

O ginásio está ligado a um corredor dos fundos, onde ficam dois vestiários à frente da sala do coral, e, depois que todos terminam de brigar pelos figurinos, eles se dispersam para se trocar. Demora cerca de cinco segundos para o vestiário feminino se transformar em uma recriação quase perfeita da noite de encerramento do *Fantasma*. Kits de maquiagem explodindo sobre os bancos, alguém ligando uma caixa de som e colocando a trilha sonora para tocar, grampos de cabelo já espalhados por toda parte, de alguma forma. Três meninas do penúltimo ano tomam conta das bancadas, subindo para se sentar dentro das pias com os tênis apoiados no espelho para fazer o contorno na maquiagem de perto.

Quando Chloe tenta explicar o que tanto ama no teatro de escola, embora provavelmente nunca mais ponha os pés num palco depois da formatura, ela sempre acaba falando disto: o caos nos bastidores. Ficar sentada no chão do vestiário usando uma peruca suada e comendo uma caixa de McNuggets que a mãe de alguém trouxe, ver sem querer um pedaço da roupa de baixo de um ator ou atriz bonita que está se trocando atrás de uma toalha nas coxias, classificar os sapatos mais fedidos do pessoal do coro, e as loucas horas em que são deixados sem supervisão entre as apresentações da manhã e da noite de sábado.

Boa parte da vida de Chloe em Willowgrove é supercontrolada, para compensar o fato de ser diferente, mas não aqui, nesse caos cintilante.

— Que cor você pegou? — Chloe pergunta para Georgia, observando o próprio smoking com um ceticismo extremo.

Georgia mostra o dela, um tom de azul-claro que parece tirado de *Hairspray*.

— Trouxe o smoking do baile de formatura do meu tio-avô. Sabia que seria útil algum dia.

— Você é uma *gênia* — Chloe diz. — Parece que alguém morreu no meu.

Brooklyn passa por elas, ajeitando o cabelo para trás, nervosa. O smoking dela está dobrado por cima do braço, e é uma daquelas monstruosidades com estampa de camuflagem que são perturbadoramente comuns no Alabama.

— Pelo menos você não pegou o Especial do Casamento À Mão Armada.

Chloe vai para um canto vestir seu smoking, o que também lhe dá a oportunidade de olhar o celular sem ninguém questionar. Ainda nenhuma novidade de Shara.

— Viu que o Ace realmente veio? — ela escuta uma das veteranas do coral dizer para outra.

— Não acredito. Sério?

— Sim, e trouxe o Smith Parker junto com ele.

— Ai, meu Deus.

Elas parecem céticas, mas não hostis, então Chloe deixa de lado o estranho impulso de defendê-los. Desde quando ela começou a se preocupar com os atletas?

Depois de vestida, ela volta para a frente do espelho de corpo inteiro. Definitivamente poderia cair melhor, mas o cinza-escuro não parece tão fúnebre quanto ela temia e, para ser sincera, essa é meio que a pegada do *Fantasma* mesmo. Ela puxa as mangas, balançando a capa — uma abominação de veludo amassado que sua mãe desenterrou de uma fantasia de Halloween antiga — e observando o próprio reflexo. Poderia ser pior.

Atrás dela, a porta de uma baia se abre, e Georgia sai com seu smoking azul-claro.

— Ficou bom? — ela pergunta. — Ash me ajudou a ajustar um pouco.

Chloe vira para olhar para ela e fica boquiaberta.

A barra foi feita de modo a transformá-la em uma calça *cigarette* terminando logo acima do Vans, e ela dobrou as mangas do paletó até os cotovelos. O cabelo curto dela está penteado para trás e bagunçado, o que a faz parecer pelo menos uns três anos mais velha.

— Geo — Chloe diz —, você está maravilhosa.

Ela fica corada.

— Sério?

— Você parece a Kristen Stewart no Oscar.

— *Kristen Stewart?* — ela repete, corando ainda mais.

Ela vai até o espelho e vira de um lado para o outro, olhando seu perfil no reflexo, depois alisa as lapelas com uma elegância notável.

— Você pode… hum… — Ela vira para Chloe, que ainda está com o celular na mão. — Pode tirar uma foto e me mandar?

Ela olha para Georgia. Ela não costuma ser uma pessoa de selfies nem de postar fotos de coisas que não sejam cachorros ou livros no Instagram.

— Pra quem você vai mandar?

— Ninguém — ela insiste. — Só quero guardar pra mim.

Chloe dá de ombros e enquadra a foto: Georgia com as mãos no bolso, o quadril inclinado para o lado, com um ar despojado e confiante e sinceramente muito gata.

Logo antes de ela apertar o botão, uma notificação de e-mail surge no alto da tela: sw editou seu documento.

Shara, de volta a seu alcance.

— Chloe? — Georgia diz.

— Desculpa, desculpa! — Chloe tira a foto rapidamente. — Pronto, vou te mandar.

Ela envia a foto para Georgia, e então entra em uma baia e abre o documento. Demora séculos, já que o vestiário praticamente não tem sinal de celular, então ela sobe no assento do vaso para intensificar a rede.

Embaixo da última coisa que ela escreveu, novas palavras finalmente aparecem.

E aí, o que achou da carta?

Ela bate o celular no peito e olha para a o teto manchado de umidade, os gritos, as risadas, a música e a fofoca diminuindo sob o volume ensurdecedor do atrevimento de Shara.

Acho que você deixou sua mensagem bem clara, ela digita, os polegares atacando o teclado. O cursor de Shara está esperando a resposta dela. Mas estou surpresa que tenha mostrado suas cartas.

Shara responde na mesma hora.

Você sacou, então. Sabia que não estava superestimando você.

Chloe revira os olhos. É claro que Shara quer agir com naturalidade, como se não tivesse escrito toda uma carta sobre estar apaixonada por Chloe e depois desaparecido quando Chloe a leu. Shara Wheeler, sempre fugindo e fingindo que era tudo parte de seu plano.

O que não entendo é por que você tinha que fazer isso desse jeito, Chloe digita. Parece muito trabalho para algo que você poderia ter feito sem sair da sua carteira na aula da sra. Farley. Eu estava lá esse tempo todo.

Dessa vez, Shara leva mais tempo para começar a digitar. Chloe encara o cursor e a imagina do outro lado, colocando o cabelo comprido atrás da orelha e franzindo a testa para o teclado.

Esse é o problema, Shara digita. Eu estava perto demais para perceber que você era especial. Levei um tempo para entender como colocar você onde eu queria.

— Chloe!

Chloe leva um susto tão grande que quase enfia o pé na privada.

— Oi! — ela grita em resposta, descendo com um salto. Sua voz sai abafada, então ela pigarreia antes de abrir a porta. — O que foi?

Georgia está esperando por ela do outro lado da porta com um punhado de batons e uma sobrancelha inquisitiva.

— Você tem um minuto?

— Sim, lógico.

— Eu preciso...

— Que leve isso para Ash? — Chloe diz, tirando os batons da mão dela. — Pode deixar.

— Espera...

— Já sei — Chloe grita virando para trás, já à porta. — Não pode aplicar diretamente! Vou falar pra elu usar um pincel.

Na sala do coral, Ash montou algo semelhante à estação de maquiagem que tinha para o *Fantasma*. Elu é meio que uma lenda dentro do programa de teatro por fazer magia com um pincel da Morphe. Transformou o rosto de Ace em um verdadeiro show de horrores para a peça com pouca coisa além de látex líquido, lenços umedecidos e um tutorial do YouTube em russo sem legenda.

— Georgia pediu pra trazer isso pra você — Chloe anuncia, colocando os batons no colo de Ash.

— Ah, sério? — Ash diz. — Que gentil da parte dela.

A maioria dos caras ainda está se trocando, mas Ace está sentado de pernas cruzadas em um dos degraus da arquibancadinha, com o rosto todo contornado e sombra verde no olho. Perto dele, Smith está olhando, admirado.

— Você está bonito, Ace — Chloe comenta.

— Valeu — ele se envaidece. — Você também. A capa é irada.

— Você sabe entrar na brincadeira — ela diz, meio distraída, já tirando o celular do bolso.

— Deixei a Mackenzie passar batom em mim quando pegamos emprestados os uniformes das líderes de torcida pra festa antes da volta às aulas, mas isso é, tipo, muito mais irado — Ace diz.

— Fica parado, estou quase acabando — Ash pede.

— Opa. — Ace congela e, quando volta a falar, é entredentes e com o maxilar travado. — Foi mal.

No documento no celular de Chloe, Shara não digitou mais nada. Chloe deixa as últimas palavras se assentarem em seu estômago. Onde eu queria.

Ela digita com cautela: **E onde é isso?** E então esconde o celular antes que Smith note.

Mas, quando ela encara Smith, ele não está prestando atenção nenhuma nela. Ainda está observando Ash colocar o último floreio na maquiagem nos olhos de Ace.

— Beleza — Ash diz, baixando o pincel. — Pode se trocar agora.

— Valeu, Ash, você é demais — Ace diz, então sai andando devagar, deixando Ash piscando de forma acanhada atrás dele.

— Você acha que, hum — Smith diz —, acha que poderia passar um pouco em mim?

Ash vira, e agora é para Smith que fica piscando.

— Mas você nem estava no musical de primavera.

— Eu sei. — Ele toca o cabelo, depois a lateral do rosto. — Mas parece divertido.

Ash pensa a respeito e dá de ombros.

— Beleza.

Smith se senta no lugar de Ace, e Ash examina o rosto dele de alguns ângulos antes de escolher um punhado de pigmentos do kit.

— Vai usar um figurino? — Chloe pergunta a Ash. — Acho que tudo o que sobrou na arara deve ser grande demais pra você. Você vai ficar sem silhueta.

— Por mim tudo bem — Ash responde. — Meu corpo ideal é corpo nenhum.

Chloe ri.

— Só uma cabeça flutuando sobre um vácuo sexy.

— É essa minha ideia de gênero — Ash diz, começando a contornar os maxilares de Smith.

O celular vibra outra vez. Outra edição no documento.

Exatamente onde você está, Shara escreveu. Há uma pausa e, em uma linha nova, ela acrescenta: **Se sabe do que isso se trata, por que ainda está falando comigo?**

Ela leva quase um minuto inteiro para decidir o que dizer. Smith e Ash estão conversando baixo, mas ela não está escutando. É como se Shara estivesse bem ali na cadeira ao lado dela, refletida atrás dela no espelho grande da parede dos fundos, observando a boca de Chloe, à espera do que ela vai dizer.

Porque ainda não sei onde você está, ela digita finalmente.

Shara responde: **O próximo deve levar você até lá.**

E depois?

— Desculpa se essa for uma pergunta idiota — Smith diz para Ash —, e não precisa responder se não quiser, mas... o lance que você falou sobre gênero. Pode explicar todo o lance de identidade não binária para mim?

Isso finalmente traz Chloe de volta ao presente. O pincel de Ash paira sobre a pálpebra meio cintilante de Smith.

Não foi exatamente um processo tranquilo para Ash sair do armário, se é que saiu. Seus pais não sabem, e o corpo docente de Willowgrove provavelmente teria um ataque cardíaco coletivo se algum dos alunos pedisse para ter seu nome morto retirado das listas. Mas, no ano passado, um dos TikToks delu sobre brincos estranhos viralizou, e todo mundo na escola viu seus pronomes, e foi basicamente isso.

Chloe consegue ver elu fazendo as mesmas contas mentais que ela fez com Smith na festa de Dixon, mas, sob os cílios longos, os olhos de Smith são calorosos e curiosos. Uma memória fraca volta à mente de Chloe: Smith, empurrando elásticos de cabelo e base para o fundo do armário.

— Quando você começou em Willowgrove, no meio do fundamental, você teve que pedir pra todos os professores chamarem você de Smith, certo? — Ash pergunta. Seu pincel volta a se mover. — Porque esse não é seu primeiro nome?

— Sim. É meu nome do meio. O sobrenome da minha mãe antes dela se casar.

A resposta surpreende Chloe. Ela chegou a Willowgrove depois de Smith, então sempre presumiu que Smith fosse o primeiro nome dele.

— Qual é seu primeiro nome, então?

— William.

— Seus pais batizaram você de Will Smith? — Chloe exclama.

Ash a ignora.

— E quando você começou a atender por Smith?

— Quando eu era pequeno.

— Por que não William?

Smith dá de ombros.

— Sei lá. Só não parecia certo. Tipo, Smith parecia meu nome, mas William não.

— Como você sabe que não é um William?

— Sei lá. Eu só… sei.

— Tá, então — Ash diz. — É assim que eu me sentia sobre ser uma menina. Quando eu era criança, achava que não gostava de coisas de menina, mas daí fui crescendo e percebi que gostava, sim, de algumas coisas de menina, mas odiava que gostar delas fizesse as pessoas *pensarem* que eu era uma menina, porque em algum nível eu sempre soube que não era. *Então* pensei que na verdade fosse um menino, porque queria ser feminine como os meninos podem ser, mas daí olhava pros outros meninos e não era como eles também. Eu sabia que não era uma menina, e não era um menino. É como se alguém chamasse você pelo primeiro nome. Você poderia até atender, mas não pareceria certo, porque aquele não é você.

— Então, espera… por que você cortou o cabelo, se não queria ser homem?

Chloe se encolhe, mas Ash não parece se incomodar.

— Porque também não sou uma menina, então não gosto quando alguém olha para mim e automaticamente me enfia na categoria menina. O cabelo ajuda.

— Tá, mas eu sinto isso também, e não sou uma pessoa não binária.

Há uma leve mudança no rosto de Ash.

— Como assim?

— Tipo… eu gosto do meu corpo, porque é rápido e forte e bom pro futebol americano. Mas também tem que ser um corpo de homem *porque* eu jogo futebol americano. Então, tipo, talvez às vezes eu quisesse ser menor ou mais delicado ou… *diferente*…, mas não tenho muita escolha. Posso usar coisas como a minha jaqueta e me sentir melhor porque posso ter qualquer formato de corpo por debaixo dela, e posso imaginar que talvez eu não tenha uma forma masculina às vezes. Mas não é a mesma coisa que você está falando, é?

— Tem… vezes em que você queria *não* ser um homem?

Os olhos de Smith estão fechados para que Ash possa continuar o processo, mas ele franze as sobrancelhas.

— Importa? Eu teria que ser homem de qualquer maneira.

— Sabe… se ser um homem parece algo que você *tem* que fazer, como se fosse uma obrigação ou coisa assim… — Ash diz com cautela. — Talvez seja algo a se pensar.

Parece que Smith vai fazer outra pergunta, mas a porta da sala do coral se abre, e de repente uma dezena de calouros entram, prontos para ter sua maquiagem finalizada pelo pincel de purpurina de Ash.

— Façam fila, por favor — Ash grita mais alto que o barulho, e Smith olha para trás dele para ver seu rosto no espelho da parede.

Chloe o vê sorrir antes de sair.

— Se esse negócio fizer minha cara rachar por causa das excreções do seu rosto, vou matar você — Chloe ameaça, ajeitando a máscara para cobrir um lado do seu rosto.

— Minha pele é ótima — Ace diz. — Você deveria se lembrar disso depois de todas as vezes que me beijou.

— Tento não pensar nelas.

A roupa de Ace é um vestido floral frisado que está tão esticado no seu peito que periga rasgar e termina uns dez centímetros acima dos tornozelos. Ele parece estar no meio de uma transformação de lobisomem, e está se divertindo de forma espetacular. Chloe o encontrou cercado por membros do coral, gritando o final de uma piada que ela não consegue nem imaginar qual era. Ele está um pouco suado, mas está no clima.

— Adoro beijar as pessoas — Ace diz. — É, tipo, meu hobby. Eu me descreveria como um beijoqueiro amador.

— Que legal — Chloe diz, olhando o celular.

— Já beijei, tipo, todos os meus parças.

Chloe o encara.

— Até o Smith?

— Especialmente o Smith. — Ace abre um sorrisão de batom, e então avista algo atrás de Chloe e arregala os olhos. — Falando no diabo, puta que pariu.

Ela vira e, atrás dos alunos transvestidos e com a boca cheia de cupcake, está Smith.

Seus lábios estão pintados de um roxo-escuro que vai clareando até um tom de lavanda claro no centro. Suas bochechas estão contornadas, com um iluminador iridescente dando destaque às maçãs do rosto e as fazendo brilharem. E suas pálpebras estão cintilando, os cílios inferiores pontilhados de flocos grandes de purpurina. Chloe não consegue parar de encarar, não porque ele pareça estranho, mas porque parece... natural. É uma transformação sutil, e combina com o seu rosto como se ele mesmo a tivesse feito. Algo em seus ombros parece mais leve.

Ele avista Chloe do outro lado da multidão e abre um sorriso nervoso, e a purpurina sob seus olhos reflete a luz encardida do teto, transformando-se em poeira de estrelas.

Dois veteranos caem em cima dele, puxando-o para a festa, e Chloe se pergunta se Shara imaginou que esse seria um dos resultados de seu plano.

Em sua mão, seu celular vibra. A resposta de Shara: Depois acho que vai ser a sua vez de me surpreender.

Em pouco tempo, alguém apaga metade das luzes, outra pessoa coloca a música de fundo na caixa de som e os veteranos correm para seus lugares. Os calouros se empilham um em cima do outro em colchonetes do ginásio com copos plásticos de Sprite e manchas de batom no queixo, e o sr. Truman sobe em uma fileira de arquibancadas com o celular na horizontal, pronto para filmar a coisa toda para os veteranos guardarem para a posteridade. Ela nota Brooklyn dar a câmera para uma aluna do segundo ano antes de se juntar aos demais, e faz contato visual com Smith, que assente. Ele não deve ter dificuldade para usar seu papinho e tirar a câmera da garota, não com aquele visual.

— Não estraga isso — Benjy sussurra para Ace no último segundo de silêncio ansioso.

Chloe guarda o celular no bolso do terno e sacode a capa. Pela última vez em sua carreira escolar, é hora do show.

Inexplicavelmente, ela meio que deseja que Shara estivesse na primeira fileira de novo.

Os órgãos começam a tocar alto, e Chloe vai até o centro do palco e canta.

— Você pegou? — Chloe pergunta para Smith no segundo que a apresentação termina.

— Pois é — ele diz —, mas não sei bem o que quer dizer.

Ele mostra a foto no celular da parte de trás da câmera de Brooklyn, onde a foto da Sociedade de Honra Nacional está ampliada em Shara. Os veteranos têm o privilégio de fazer suas fotos das atividades extracurriculares com conceitos bobos e palhaçadas, então em vez de uma foto posada em grupo, a foto consiste em uma dezena dos alunos com as notas mais altas na sala da sra. Farley, cercados pela pilha de jogos de tabuleiro da sala.

Ela se lembra de ter tirado essa foto. Está no lado esquerdo da imagem com Georgia, fingindo brigar por causa de um jogo de Uno. Brooklyn está empertigada na frente de Lig 4, enquanto Drew Taylor finge estudar um tabuleiro de xadrez. Shara está na carteira do outro lado da sala, sozinha, o cotovelo apoiado no jogo de tabuleiro SORRY!.

Na foto, Shara está segurando algo na mão. Chloe amplia a imagem na tela do celular de Smith, estreitando os olhos para discernir os detalhes.

É a carta SORRY, aquela que fala para você mandar um oponente de volta à casa inicial no tabuleiro.

— *De volta ao começo...* — Chloe murmura.

Tudo isso começou com três beijos: Chloe, Smith, Rory. Eles foram à casa de Dixon, onde Shara beijou Smith pela última vez, e ao telhado onde ela beijou Rory. O único lugar que falta, o único beijo que não foi revisitado, é o de Chloe.

Ela devolve o celular para Smith, que está com uma cara confusa.

— Já sei aonde ir.

Com a capa voando, ela sai a toda velocidade pela porta dos fundos do ginásio e passa pela sala do coral, seguindo pelo corredor cheio de armários reservas, faz a curva e passa pela porta aberta onde os fundos do Bloco A se conectam às salas do fundamental no primeiro andar do B.

Ela passa por um arco-íris pálido de paredes com desenhos a giz de bolas de praia e cartolinas com desejos de boas férias de verão, um assistente de sala de aula grita atrás dela e ela para ao chegar ao elevador dos professores. As portas se abrem assim que ela chama.

Nada dentro dele parece fora do lugar. Ela olha atrás do corrimão antes de erguer a calça e subir nele para dar uma olhada na lâmpada do teto. É só quando as portas se fecham que ela vê.

Há uma mancha de esmalte cor-de-rosa na borda das portas internas, bem onde elas se encontram.

No primeiro ano, quando Georgia a mostrou o campus, ela descobriu o segredo desse elevador. Se você o parar entre um andar e outro e abrir as portas internas, vai ver que o lado de dentro das portas externas é coberto por trinta e seis anos de pichações de alunos de Willowgrove. Ela e Georgia deixaram suas iniciais em caneta permanente.

Ela aperta o botão para o último andar, conta os segundos e, no "dois", aperta a parada de emergência.

Quando abre as portas, a mensagem tem quase um metro de altura por um de largura. Devia estar escondida ali, ainda secando, quando Shara a puxou e beijou.

No alto das centenas de assinaturas e rabiscos obscenos, há um coração pintado com esmalte cor-de-rosa. E, dentro dele, as quatro palavras na letra cursiva de Shara.

Eu já te disse.

Chloe confirma três vezes para ter certeza de que leu certo.

Nenhum postscriptum. Nenhuma pista. Nenhuma confissão nova. Nem mesmo uma direção para onde olhar em seguida.

É o fim da linha. Tudo sempre guiou para ali: lugar nenhum.

DA PILHA DA FOGUEIRA

Conteúdo de uma das fitas de Rory, desenrolada.
Marcada com um adesivo verde de "pessoal".

Talvez eu só queira ser o Smith.

Não, tipo, como a maioria dos caras de Willowgrove quer ser ele. Não quero ser o quarterback nem nada assim. É mais, tipo, olhar para ele e Shara por cima da cerca e pensar no que Shara vê quando olha para ele. A maneira como ele joga a cabeça para trás quando ri ou como se comporta feito a versão humana daqueles vídeos de "Lo-fi Hip Hop Beats para Estudar" no YouTube. A vez em que ele apareceu na porta dela antes da aula numa manhã de quarta com um pote de isopor cheio de panquecas porque queria trazer café da manhã para ela. Lembro como era ver Smith de perto daquele jeito.

Então, acho que talvez eu queira saber como é ser daquele jeito. Olhar no espelho todo dia e ver alguém que sabe exatamente como se encaixar, ser capaz de querer — digo, ter — uma menina como a Shara.

Sei lá. Não sei de que outro jeito chamar isso.

14

DIAS SEM SHARA: AINDA 22

Rory para o carro na frente do ginásio dez minutos depois que Chloe manda mensagem para o grupo. Quando Smith entra no banco do carona, seu batom já saiu, mas o resto da maquiagem ainda está lá. Do banco de trás, Chloe observa Rory encarando-o.

— Não fala nada — Smith diz, a purpurina ao redor dos olhos cintilando sob a luz do painel.

— Eu... não ia falar — Rory diz. — Eu curti.

Ele começa a dirigir sem dizer mais nada.

Chloe conta sobre o elevador e o bilhete em esmalte e espera em silêncio pela reação deles. Talvez role um surto desta vez, ou um deles comece a chorar, ou Rory pare o carro para escrever o próximo grande hino dos meninos tristes. Se ela está inegavelmente no seu limite, eles também devem estar.

Em vez disso, Smith joga a cabeça para trás e ri.

— Não sei o que eu estava esperando — Rory diz, então começa a rir também.

— O *que* isso tem de engraçado? — Chloe questiona.

—Tudo — Smith responde, balançando a cabeça. —Tipo, só rindo mesmo.

— Mas ela...

— Querem comer alguma coisa? — Rory pergunta.

— Nossa — Smith diz —, sim, quero.

— Mas... — Chloe começa.

— Chloe — Smith diz —, não tem nada que a gente possa fazer sobre isso hoje.

Ela abre a boca para argumentar, mas aí Rory entra em um posto de gasolina e ela é a única que sobra no carro, enfurecida em seu terno com caimento ruim.

Ela olha feio pela janela enquanto Smith e Rory se acotovelam em direção às portas de vidro, estampadas com uma imagem gigante e descascada de uma salsicha empanada de noventa e nove centavos. Shara pode estar em qualquer lugar, e eles vão comprar salsicha empanada.

Ela suspira, abre a porta e grita:

— Peguem mostarda!

Eles rodam e rodam de carro, saem da cidade e sobem as colinas, até chegarem a uma estrada de terra na direção do lago Martin. As árvores vão se dispersando e desaparecendo na escuridão quanto mais eles se aproximam da água, até uma clareira surgir na penumbra úmida.

Rory estaciona no alto de um rochedo cercado por vegetação densa e pedras grandes e redondas e, quando ele apaga os faróis, Chloe consegue ver ao longe a água cintilante lá embaixo e os pontos verdes e vermelhos de luzes de barcos. A chuva da tarde deixou a terra macia e úmida, as árvores cheias de musgo pingando com a água residual da chuva. Tudo ali é verde, verde, verde.

Eles sobem no capô do carro, Rory no meio, e Chloe distribui as embalagens de papel alumínio de salsicha empanada. Rory abre a dele e inspira fundo.

— Já notaram que comida gordurosa de posto de gasolina é, tipo, o melhor cheiro do mundo? — ele diz.

— Discordo — responde Chloe. — O melhor cheiro do mundo é quando sua mãe traz coentro fresco do mercado e você enfia a cara no saco e dá a maior fungada da vida.

Rory franze o nariz.

— Eca.

— Ah, você é desses que odeia coentro — Chloe diz.

— Ele é desses que odeia tudo — Smith comenta.

Ele olha de rabo de olho para Rory com uma piscadinha, como se estivesse deixando claro para o outro que é uma piada. Chloe observa aquela interação.

— Tá — Rory solta. — Qual *você* acha que é o melhor cheiro, então?

Smith pensa a respeito, engole uma mordida de salsicha e declara, confiante:

— O frango ao molho da minha mãe.

— Ai, cara — Rory se lamenta. — Frango ao molho. Que saudade do que o meu pai faz. Não como isso desde o Natal que passei com ele.

— Passa lá em casa quando minha mãe fizer — Smith diz.

Rory erra o canudinho do refrigerante, mas o acerta na segunda tentativa.

— Sabe que cheiro é incrível? Caneta marca-texto. Tipo, uma nova, quando está suculenta.

Chloe solta uma gargalha.

— Você acabou de dizer suculenta?

— Vai me dizer que uma marca-texto nova não é suculenta?

— Suco de laranja — Smith comenta. — É o melhor cheiro. Ou, tipo, as mãos depois que você descasca a laranja.

— Lilases — Chloe diz sem pensar. Ela espera Smith ou Rory reagirem, mas, se algum deles se tocou que ela estava falando de Shara, eles não dizem. Com as bochechas rosadas, ela se apressa em acrescentar: — Ou um livro muito velho.

— Nachos com queijo do Taco Bell.

— Sálvia.

— Um caderno de prova padronizado assim que você abre.

— Esse cheiro me dá gatilho — Rory diz. — Pinho Sol.

Smith só dá risada, mas Chloe pergunta:

— Como assim? Por quê?

— Quando eu era criança, ficava na casa dos meus primos por parte de pai no Texas e, todo sábado de manhã, minha tia acordava cedo e começava a limpar a casa. Alto pra cacete, sempre acordava todo mundo, mas a gente ficava lá deitado fingindo dormir pra não ter que ajudar até ela vir nos obrigar. Então agora esse cheiro me faz lembrar de ficar num saco de dormir no chão do quarto do meu primo, ouvindo meu outro primo fingir que estava roncando e tentando não rir pra não precisar dobrar meias.

Smith, que ainda está rindo, diz:

— Espera, já sei. Sexta à tarde no fim de outubro, depois que a escola nos libera, mas antes de a gente começar a aquecer pro jogo, quando parece que somos os únicos na escola e ninguém pode nos dar ordens, e estão ligando as grelhas atrás do quiosque, e alguém está queimando folhas a mais de um quilômetro. Carvão e hambúrguer e fumaça e grama molhada e aquele nervosismo de leve. É o melhor cheiro do mundo.

Chloe suspira, mastigando sua salsicha empanada.

— Nossa, a cabeça de um atleta...

— Desculpa se não estou enfiando a cara numa enciclopédia de 1927.

— Tá — Chloe cede —, mas e o pior cheiro do mundo?

— Definitivamente o laboratório de biologia na semana de dissecação de sapos. — Smith estremece. — Que bom que inundaram o laboratório na semana que eu tinha que fazer a minha.

— Por causa do cheiro? — Chloe pergunta.

— Porque eu me sinto mal em fazer aquilo com um sapo — Smith responde. — Tipo, não sei como ele morreu! E se ele tinha uma família? E se tinha, tipo, sonhos? E se nunca terminou de ver *Breaking Bad*?

— Smith — Chloe diz. — É só um sapo.

— Não dá corda pra ele começar falar de sapo...

Rory fala como se ela estivesse abrindo uma tumba que ele tentou manter fechada desde o fundamental, mas já é tarde demais. Smith começou a falar de sapos.

— É cruel! — Smith declara, com os olhos arregalados, gesticulando tão enfaticamente que quase joga o refrigerante no meio do mato. — Tudo que os sapos fazem é comer insetos que odiamos e cuidar da vida deles. Eles não merecem isso. Estão literalmente curtindo o rolê deles.

Nesse exato momento, uma rã-touro gigante pula no capô do carro com um baque pesado.

— Ai, meu Deus, olha! — Smith diz, no mesmo instante em que Chloe grita e Rory se afasta do novo amigo anfíbio de Smith. — Ele me ouviu falar de sapos e veio dar oi! — Ele faz carinho nas costas da rã com o dedo. — E aí, amigão?

— Não encosta nele! — Chloe exclama, com a voz esganiçada de horror. — Você não sabe por onde ele andou.

Smith ri de leve.

— Cara, você realmente não é daqui, né?

A rã sai pulando na grama ao lado do carro antes de desaparecer atrás de uma rocha.

— Espera — Smith grita, levantando-se desajeitadamente —, volta!

Smith vai atrás da rã, com a salsicha empanada na mão.

— Eeee, pronto, agora ele ficou amigo de um sapo — Rory diz, sorrindo como se não conseguisse acreditar.

Ele apoia os ombros no para-brisa e observa a silhueta de Smith desaparecer no mato iluminado pela lua. Não há nenhum vestígio do mistério de Shara em seu rosto, apenas uma expressão contemplativa depois que sua risada dá lugar aos sons do vento na água e dos bichos na lama.

Mas, quando Chloe se recosta ao lado dele e ergue os olhos para as estrelas, ela ainda está pensando em Shara, em algum lugar sob o mesmo céu, como uma lona enorme. O elevador, a letra cor-de-rosa. Hoje foi a primeira vez em que ela voltou ao lugar onde elas se beijaram.

Se perguntassem, Chloe insistiria que não estava evitando o elevador. Havia outros atalhos para a sala de francês, obviamente. Ela nunca mudaria seus trajetos de sempre pelo que provavelmente era apenas uma peça cruel de uma menina hétero. Ela nem pensa naquele beijo.

O que ela *pensou* a respeito foi em como, se ela não tivesse deixado o dever de francês no carro, não teria precisado correr para o estacionamento entre as aulas, e poderia ter chegado ao elevador dois minutos antes e não encontrado Shara. Se tivesse apertado o botão "fechar portas" mais rápido, elas teriam se fechado na cara de Shara. Pareceu tão acidental, um acaso tão bobo e passageiro que ela e Shara tivessem acabado no mesmo elevador.

Mas é lógico que não foi acidental. Foi planejado: a rota de sempre de Chloe para a quinta aula, dedos delicados ao redor do punho de Chloe, brilho labial de baunilha e hortelã. Ela não apenas *foi* beijada, houve um segundo em que perdeu o controle por completo e se entregou de maneira vergonhosa e desesperada ao beijo, mas as *circunstâncias* dessa entrega só aconteceram porque Shara as planejou. Porque Shara queria que acontecessem.

Se ela soubesse disso tudo na época, não teria se permitido ser largada em um elevador. Teria puxado Shara de volta e a obrigado a *encarar essa porra toda*.

Ela vira para Rory.

— Posso te perguntar uma coisa?

Ele faz que sim, ainda observando os arbustos ao longe.

— Você não está mesmo irritado com a Shara?

Rory pisca algumas vezes, como se não tivesse entendido a pergunta de cara.

— Pra ser sincero? — ele diz por fim. — Eu me sinto… me sinto aliviado por ela ter me livrado dessa história.

— Sério? — Chloe pergunta, incrédula. — Você não gostava dela há, tipo, *anos*?

— Acho que sim — Rory diz. — É mais, tipo… nunca teve outra menina em que eu pensei.

Chloe amassa a embalagem vazia de salsicha empanada, depois tira a capa e a coloca atrás da cabeça como um travesseiro improvisado.

— É, não entendo.

Depois de uma longa pausa, Rory diz:

— Eu, hum... Fico pensando nisso, na verdade. No fato de que só pensei na Shara. Acha que quer dizer alguma coisa?

Chloe franze a testa para o céu.

— Tipo o quê? Que vocês nasceram um pro outro?

Pelo canto do olho, ela vê que Rory está balançando a cabeça.

— Não, tipo... tipo, talvez eu tenha me convencido a pensar na Shara porque, quando olhava pra ela e Smith juntos, ficava com muito ciúme, e ela pareceu o lugar certo onde depositar isso.

— Ela não é um lugar — Chloe ressalta. — Nem uma ideia. Ela é uma pessoa.

— Sim — Rory diz. — Mas uma ideia não pode querer você de volta. E estou começando a pensar que essa era meio que a intenção.

Ele desvia os olhos, e Chloe segue a linha do olhar dele pela clareira até a beira do penhasco, onde Smith ainda está revirando a vegetação rasteira, e, de todas as lembranças idiotas, a que vem à sua mente é Ace na festa gritando sobre "Mr. Brightside": *Ele nunca diz de qual dos dois tem inveja.*

Ela pensa em Georgia rasgando em pedacinhos uma foto de revista e mordendo o lábio inferior a caminho da capela. Pensa nos potes de tinta de cabelo da mãe juntando poeira no armário do banheiro, e no sr. Truman enchendo um carrinho de vestidos de dama de honra no brechó. Ela imagina Rory, criado por Willowgrove desde o jardim de infância, sentado à janela do quarto enquanto Shara e Smith se despediam com um beijo de boa-noite, ansioso e trêmulo de inveja e moldando isso em algo que não significasse que havia algo de errado com ele.

Nossa. Ok.

Seu cérebro às vezes tem dificuldade de entender isso — a ideia de que, para a maioria das pessoas daqui, as coisas que ela escuta na aula de Bíblia são reais. Quem ela seria se não tivesse sido criada por duas mães e um pequeno exército de californianos gays de meia-idade? E se Willowgrove sempre tivesse sido seu mundo, e as pessoas responsáveis por ele, que deixavam as portas das salas de aula abertas para ela e faziam piadas com ela como se a vissem como uma pessoa, lhe falassem de maneira gentil, mas firme que ela era errada? Que havia algo dentro dela — mesmo que não conseguisse dar um nome — que precisava ser consertado?

— Sabe — Chloe diz em voz baixa, o tom despreocupado —, não teria problema. Se você não gostasse da Shara. Se você não gostasse de meninas.

Ela deixa as palavras se assentarem entre eles, caindo sobre o capô reluzente do carro de Rory como as primeiras gotas de chuva antes de uma tempestade. Rory não diz nada, mas não ri com escárnio nem dá de ombros nem faz uma piada sarcástica. Continua olhando para as árvores e, depois de longos segundos, solta o ar.

— Porra — ele diz.

— Pois é.

Não é justo, ela pensa. Aqui está ela, em um penhasco, vestindo um terno de brechó, com um quarterback purpurinado e um menino que é a personificação da angústia homoerótica reprimida, e nenhum deles teve o luxo de fugir do que são. Nem Georgia, nem Benjy, nem sua mãe, nem o sr. Truman, nem Ash. Nenhum deles.

Talvez seja difícil ser Shara e amar uma menina. Mas por que *ela* tem o direito de fugir? Por que não precisa passar por esse mesmo inferno?

Por que isso deveria acabar só por que Shara disse?

DA PILHA DA FOGUEIRA

Exercício de redação: Smith Parker
Tema: Discorra sobre um momento da sua vida em que
você mais se sentiu você mesmo

Quando eu era criança, minha mãe me dizia que eu era infinito como o Espírito Santo. Ela dizia: "Não há começo nem fim ao seu coração. Isso significa que você pode ser qualquer coisa". Ela dizia que isso era uma expressão de Deus, e que essa expansão era divina.

Ainda me sinto infinito às vezes. Como se pudesse ter o que ela via em mim, mas de maneiras diferentes. Sinto que há lados diferentes de mim, como se eu pudesse ser qualquer pessoa e tocar qualquer pessoa e amar do jeito como o Espírito Santo ama — em todos os lugares e todas as pessoas. Quase todos os meus amigos agem como se soubessem exatamente quem são e o que são, como se só existisse uma resposta, mas, para mim, isso é como colocar um fim em algo que não é para ter fim.

Fui a uma festa com um bando de pessoas que não conhecia, e colocaram estrelas em volta dos meus olhos, e notei coisas sobre o meu rosto que nunca tinha notado antes. Eu me vi no espelho retrovisor de uma pessoa que amo desde os treze anos, e me senti infinito. Tipo, infinito como o Espírito Santo. Talvez seja isso o que significa me sentir eu mesmo.

15

DIAS SEM SHARA: 24

Ressacas devem ser assim.

Chloe apoia a testa dolorida na porta do armário, sem saber se a dor é culpa da salsicha empanada do posto de gasolina ou de uma enxaqueca relacionada a Shara. Ela nem ficou até *tão* tarde na rua — Rory a deixou no carro dela antes das dez, e ela estava na cama às dez e meia —, mas passou metade da noite recitando os bilhetes de Shara para o teto do quarto como se fosse Arya Stark de franja.

Ela está virando a última lata de seu estoque de expresso de emergência quando escuta o tilintar da garrafa d'água de Georgia nos armários prenunciando a chegada dela.

— Ah, achei você — Georgia diz, um pouco esbaforida. — Você não estava no estacionamento. Fiquei com medo de não encontrar você antes da primeira aula para juntarmos tudo.

O estômago de Chloe dá uma cambalhota terrível quando Georgia abre o zíper da mochila e estende a mão.

As três últimas páginas do trabalho de francês. Vinte por cento da nota final. Para hoje.

— Georgia, eu…

— Eu sei, você falou especificamente que não queria nenhuma cor divertida — Georgia diz, estendendo a pasta magenta. — Mas é minha última entrega de trabalho do ensino médio, beleza?

— Não, Geo. — Chloe se sente prestes a vomitar ou a chorar ou a vomitar de tanto chorar. — Eu esqueci.

Georgia congela.

— Como assim, você esqueceu?

— Eu não trouxe — Chloe responde. — Eu não fiz.

Ela nunca deixou de fazer um trabalho na vida. Ia ficar acordada até tarde e faria tudo depois da festa do teatro. Ela tinha escrito isso na agenda e tudo…, mas então Shara…

— Por favor, me diz que você está brincando — Georgia diz.

— Eu vou… vou matar a primeira aula e ir à biblioteca e escrever isso agora — Chloe diz, já entrando no modo eficiente, metade dos seus pensamentos apavorados surgindo em francês. *Je suis completamente ferrada.* — Vou ter terminado antes da quinta aula…

— Esquece — Georgia retruca, e pega a pasta e a garrafa d'água e sai andando com raiva.

— Geo! — Chloe corre para alcançá-la, trombando em um calouro curioso no caminho. De perto, o rosto de Georgia está vermelho, as sobrancelhas grossas fazendo um V irritado. — Não fica brava comigo! Eu vou dar um jeito!

— Não importa, Chloe.

— É claro que importa — Chloe diz. — Não vou estragar minha média nem a sua.

Georgia resmunga e muda a direção, entrando numa sala vazia. Chloe a segue.

— Não ligo pra minha maldita média, e ninguém vai ligar pra sua depois que a gente se formar — Georgia rebate. — Você sabe disso, não sabe?

— É importante pra mim — Chloe diz.

— Bom, seria legal se *eu* fosse importante pra você — Georgia vocifera.

— *Quê?* — Chloe a encara. — É óbvio que você é importante pra mim! Do que você está *falando*?

— Faz um mês que estou implorando pra você me ajudar com esse projeto, e toda vez você me dá bolo pra ficar com o Smith e com o Rory e o resto dos seus amigos novos.

Sério? É *esse* o problema?

— Isso está acontecendo faz, tipo, *quatro semanas*.

— Sim, as quatro semanas mais importantes da nossa vida até agora! — Georgia diz, veemente. — Acha que eu não sei que você estava numa festa com o Smith quando era pra estar na nossa última noite de filme do último ano? Acha que não sei aonde você vai quando não almoça com a gente? A gente passou quatro anos falando sobre a festa do elenco do último ano, e você saiu antes mesmo de acabar! Era pra termos feito aquilo *juntos*.

Umas cem coisas sobem pela garganta de Chloe. Argumentos, defesas, a imagem de Georgia de smoking azul-claro. Uma memória de duas meninas de catorze anos no tapete da sala lendo Tolkien em voz alta com todos os sotaques. Ela engole todas.

— Você vai embora para Nova York e vai se esquecer de mim — Georgia diz, em tom mais baixo agora.

— Você vai estar lá ao meu lado o tempo todo — Chloe insiste.

— Não, não vou.

— É claro que vai.

— Não — Georgia repete. — Não vou.

O sinal toca. Uma vozinha terrível no fundo da mente de Chloe diz que ela precisa acabar com isso logo se quiser terminar o trabalho.

— Do que você está falando?

Georgia morde o lábio.

— Não posso ir pra Universidade de Nova York.

— A gente falou sobre o lance da bolsa…

— Vou pra Auburn.

Não.

O plano sempre foi Chloe, Georgia e a Universidade de Nova York. Nunca houve outro plano. Definitivamente nunca houve um plano que envolvesse…

— *Auburn*? Tipo, Auburn a quarenta minutos daqui?

— A loja não está indo bem, e faculdade é uma coisa cara, mesmo com a bolsa — Georgia explica. Ela desvia o olhar, encarando uma mancha de tinta na carteira perto dela. — Meus pais não têm mais como pagar funcionários, mas não dão conta de fazer tudo sozinhos. Então vou ficar em casa e ajudar com a loja e estudar na Auburn.

— Desde *quando*?

— Decidi no mês passado.

— Quando você pretendia me contar?

— Estou tentando te contar isso faz semanas! Mas toda vez que tento falar com você, você está ocupada ou distraída ou saindo com outras pessoas, e eu...

— Georgia, você não pode passar a vida inteira em False Beach.

— Nossa, você continua não me *escutando*! Já passou pela sua cabeça que talvez eu não odeie tanto este lugar?

— A gente fala mal deste lugar literalmente todo santo dia.

— Não, *você* fala — Georgia diz. — Sim, tem muita coisa neste lugar que é um saco, mas também é onde eu nasci. E, sinceramente, às vezes fico cansada de você agindo como se fosse muito melhor do que esta cidade, como se sua família não fosse daqui também.

— Mas você quer sair daqui. Você passou os últimos quatro anos me falando que quer ir embora.

Georgia desvia o rosto, torcendo as mãos.

— O que eu quero é... Quero me apaixonar. Quero ter uma grande história de amor dramática e ridícula, como uma obra de época em que meu par romântico seja representado pela Saoirse Ronan e eu possa usar um corselete chique. Quero escrever livros sobre essa sensação. E não sei se vou ter nada disso aqui, mas sei o que vou perder se sair.

— Então você vai ficar?

Georgia faz que sim, ainda sem olhar para ela.

— Não posso deixar que a Belltower feche as portas.

— Você acha mesmo que pode ser feliz aqui? Quer perguntar pra minha mãe como é pra ela?

— Eu sei, ela se mudou. Muita gente se muda. E tudo bem! Eu entendo. As pessoas têm que fazer o que têm que fazer. Mas, se todo mundo abandonar False Beach, a cidade nunca vai mudar. Alguém tem que ficar.

— Mas por que tem que ser você?

Georgia finalmente a encara.

— Porque eu aguento.

— Isso é *loucura*, Georgia — Chloe diz, erguendo as mãos. — E o que eu vou fazer? Ir pra Nova York sozinha?

— Sei lá, Chloe, você parece bem sem mim.

Eu não estou bem, ela quer gritar. *Não vou ficar bem.*

— Dane-se — Chloe diz em vez disso. Ela sai, secando os olhos. — Vejo você no francês.

Ela mata as duas primeiras aulas, passa pela terceira e pela quarta de forma relutante e leva sua metade do trabalho para a aula de francês, onde Georgia o pega sem dizer uma palavra e o entrega para a madame Clark. Elas não se falam pelo resto da aula e, quando o sinal toca para o almoço, Georgia sai com Ash, e Chloe vai batendo os pés para o ginásio.

Talvez ela tenha errado, mas não foi tudo culpa dela. Se encontrar Shara, ela vai poder provar.

No alto do carvalho de Rory, Jake e April estão dividindo uma bandeja de papelão enorme cheia de nachos, que está tão mal equilibrada no galho entre eles que Chloe toma cuidado para não ficar embaixo dela.

— Ei — Chloe diz, apertando as alças da mochila.

— Ei — Jake diz, de boca cheia. — Quer um taco?

— Quê? — Chloe diz, mas April já enfiou a mão no saco plástico da Taco Bell pendurado num galho e atirou um soft taco na cabeça de Chloe. O taco acerta a bochecha dela e cai em suas mãos. — Hum. Valeu. Cadê o Rory?

Jake aponta com o vaper: Rory, um galho acima, do outro lado da árvore. E, ao lado dele, sentado com mais leveza do que parece possível para alguém do seu tamanho, está Smith.

— Ah — Chloe diz.

Ela deixa a mochila nas raízes largas, enfia o taco no bolso da camisa e começa a subir.

— Desde quando você almoça aqui, Smith? — Chloe pergunta para ele.

Do outro lado do pátio, Mackenzie e Dixon e os outros ainda estão no mesmo banco. Smith dá de ombros.

— Já é quase a formatura. Tipo, olha só pro Ace.

Ele aponta, e ela olha: Ace saiu do lugar habitual e está tendo uma conversa animada com uma das meninas do teatro do penúltimo ano. Ela percebe que não vê Summer em nenhum lugar.

Ela balança a cabeça e puxa um galho para subir mais.

— Tá — ela diz —, sobre o que a Shara escreveu no elevador: *Eu já te disse*. Acho que quer dizer que tem uma pista em algum dos bilhetes que explica onde ela está, e precisamos descobrir qual é e encontrá-la lá.

Rory engole uma mordida do burrito e assente devagar.

— Uhum.

— A gente precisa analisar de novo os cartões — ela continua. — Querem fazer isso agora ou se encontrar depois da sétima aula?

Rory e Smith trocam um olhar, como se tivessem voltado a se comunicar sem dizer nada, tipo deviam fazer quando tinham treze anos, o que é bom para eles e incrivelmente inconveniente para Chloe.

— Quê? — ela questiona.

— Chloe — Rory diz. — Se ela quisesse que soubéssemos, nós já saberíamos.

— Mas talvez a gente *saiba* — Chloe insiste — e ainda não se deu conta.

Mais um olhar silencioso entre Smith e Rory.

— Quê? — ela repete. — Vocês vão *desistir*?

— Olha — Smith diz. — Eu gosto da Shara. Muito. Mas estou cansado. E estou começando a me perguntar se ela queria mesmo que a gente a encontrasse. Tipo, vai ver esse lance todo foi um grande adeus.

Ela balança a cabeça.

— Rory?

— Não sei aonde mais a gente pode ir — ele diz. — Meio que parece um beco sem saída.

Um beco sem saída?

— Bom, talvez eu perca todos os meus amigos por causa disso, e as provas finais são na semana que vem, o que quer dizer que, se ela não aparecer até lá, não vai ter nem possibilidade de ser oradora da turma, o que significa que o segundo melhor aluno vai ser Drew Taylor, o que é uma vergonha — Chloe retruca. — Ele tem um canal no YouTube sobre porque as meninas de Willowgrove são vadias por tomarem anticoncepcionais. Ele não merece ficar em segundo depois de mim.

— Mas você vai vencer mesmo assim — Smith comenta. — Não é suficiente?

— Não! Não é! Não se ela *me deixar* vencer!

Ela desce, caindo em pé sem jeito e saindo furiosamente rumo à sexta aula, tirando o taco não comido do bolso e o jogando na primeira lixeira pela qual passa.

Ela não pediu por nada disso. Mas ela vai terminar, nem que tenha que fazer isso sozinha.

Georgia olha para Chloe na frente da casa dela e diz:

— Você só pode estar de brincadeira.

— Espera. — Chloe coloca o pé na porta para que não bata na cara dela. — Por favor, escuta um segundo.

—Tudo que eu faço é escutar você, Chloe. Esse é o problema.

— Se você souber o que está rolando comigo, tudo vai fazer sentido. Juro.

Chloe foi direto para a Belltower depois da aula, mas Georgia não estava lá, motivo por que está agora nesse pórtico minúsculo com sua bolsinha de maquiagem, tentando provar que foi Shara que estragou tudo, não ela.

—Tá. — Georgia cruza os braços. — O que tem na bolsa?

— Lembra de quando a Shara me beijou?

A indignação leva um momento para tomar conta do rosto de Georgia.

— Shara Wheeler? — Georgia diz, os olhos arregalados. — Isso é por causa da *Shara Wheeler*?

— Me escuta. Shara me beijou, daí ela fugiu, daí ela me deixou aquele bilhete. O que recebi no drive-thru do Taco Bell.

— Uhum.

Ela abre o zíper da bolsinha e o entrega para Georgia.

— Ela deixou bilhetes para o Rory e o Smith também — Chloe diz quando Georgia começa a tirar um cartão cor-de-rosa atrás do ou-tro. — Com *pistas* neles, cada um levando a outra pista, e outra, e mais outra. E eles estão nesses lugares ridículos. De verdade, Georgia, foi um trabalho em tempo integral encontrá-los, é por isso que estou passando tanto tempo com o Smith e com o Rory. Precisei ir à festa do Dixon porque ela escondeu um lá, e daí precisei invadir a diretoria pra tirar um do armário de arquivos do pai dela... é, tipo, inacreditável. E cada pista tem um bilhete dela, e todos provam que eu estava certa sobre ela. Tipo, ela é *do mal*...

Georgia para de folhear os cartões.

— Espera — Georgia interrompe. — Você disse que invadiu a di-retoria? Como?

— Eu tinha uma chave — Chloe responde sem pensar.

— Da diretoria?

— Não exatamente.

Georgia estreita os olhos.

— Quando foi isso?

— Sei lá, umas duas semanas atrás.

— Duas semanas atrás — Georgia diz devagar —, quando te em-prestei minha chave da biblioteca?

Oh-oh.

— Eu... tomei cuidado pra não ser pega — ela titubeia.

— Você faz *ideia* dos problemas em que poderia ter me metido?

— Georgia questiona. Seu rosto está ficando vermelho nos lugares em que costuma ficar quando está de coração partido. — Você *mentiu* pra mim! Você poderia ter me feito ser *suspensa*!

— Eu não teria deixado isso acontecer!

Georgia joga a bolsinha de volta para ela.

— Vai pra casa, Chloe.

— Não…

— Você não pode decidir tudo! — Georgia diz. — *Eu* decidi que você vai embora! Então, vai!

Ela chuta o pé de Chloe da frente, solta um palavrão baixo quando seus pés, só de meia, batem no sapato de Chloe, e bate na porta.

— Geo! — Chloe grita para a madeira.

— Tchau! — Georgia grita do outro lado. — Vai embora!

— *Georgia!*

— E não me manda mensagem!

Ela chama o nome de Georgia mais uma vez, mas ninguém responde.

Chloe passa o resto da Semana do Saco Cheio — a semana de revisão para as provas — sozinha, com a cara enfiada em guias de estudo, as duas mãos um banho de sangue de marca-textos.

Talvez ela não precise dos seus amigos, que parecem estar ótimos rindo no estacionamento antes da aula sem ela, nem de Rory e Smith, nem de ninguém. Talvez esse seja um bom exercício para a vida dela depois do ensino médio, quando só poderá depender de si mesma para tudo. Só Chloe, almoçando sozinha na biblioteca com os cartões de Shara e uma montanha de provas. Ela tem muita coisa em que focar. Willowgrove gosta de marcar os exames avançados e as provas finais dos veteranos para a mesma semana do começo de maio, então a semana seguinte vai ser um inferno, por mais que as provas finais de suas aulas avançadas sejam todas uma mera formalidade que ela pode levar para casa e que mais servem como revisão para os verdadeiros testes.

Está tudo bem. Ótimo, na verdade, já que ela perdeu algumas aulas no último mês, então precisa recuperar o tempo perdido agora. Ela consegue dar conta. E não tem nada do que se envergonhar. Ela só fez o que tinha que fazer.

Foi Shara quem deu uma de *Garota exemplar* porque está apaixonada por Chloe. Por que *Chloe* seria a maluca da história?

A semana acaba — a última semana de aulas de verdade — e está tudo bem. Ela dá conta.

Oradora e seus amigos e Willowgrove e Shara e o mundo todo. Ela consegue.

— Eu consigo! — ela grita quando sua mamã tenta tirar um pote de óleo de pimenta das mãos dela na cozinha na sexta à noite.

Ela está sofrendo para abrir aquilo faz uns cinco minutos. Tudo o que ela quer é fazer um Cup Noodles e desaparecer no seu quarto até segunda.

— 'Oi' para você também — diz sua mamã, pondo as mãos no quadril do jeito que quer dizer: *Vamos conversar sobre isso agora.*

— Não quero conversar sobre isso — ela diz de imediato.

— Certo — sua mamã diz. — Val!

— Quê? — sua mãe grita na sala de estar.

— Chloe está muito brava com alguma coisa e disse que não quer conversar sobre isso!

— Por favor, não… — Chloe tenta.

— Ah, que divertido — diz sua mãe, e então se junta a elas na cozinha, guardando uma chave de fenda no bolso canguru do macacão.

— Eu disse que *não* quero *conversar* sobre isso — Chloe insiste.

Sua mamã a empurra para um dos banquinhos da bancada da cozinha, e as duas ficam em pé do outro lado com os braços cruzados e a expressão calma e cheia de expectativa. Era para Chloe se sentir reconfortada com isso, mas tudo que sente é uma raiva borbulhando em seu peito, turvando os cantos de sua visão.

Ela sabe que nenhuma das mães vai ceder até ela falar, então suspira e abre a boca para dar a elas os detalhes idiotas e exasperantes da sua vida idiota e exasperante — o gelo de Georgia, Shara, os exames de avançadas, as provas finais, Shara, a ideia de ter que ir para Nova York e começar uma vida nova sozinha quando era para ter sua melhor amiga do mundo ao seu lado, todos os detalhes sobre Shara Wheeler...

Ninguém fica mais surpresa do que Chloe ao ouvir a própria voz rouca dizer:

— Tem alguma coisa errada comigo?

Sua mamã se crispa com as palavras, fazendo que não com a cabeça.

— É claro que não.

— Tá, mas — Chloe continua. Ela não se sente mais no controle da própria boca. Chega a ser nauseante como sua voz sai vulnerável. — Tem certeza? Tipo, sou uma má pessoa?

Suas mães trocam um olhar.

— De onde veio isso? — sua mãe pergunta.

— Eu... só preciso saber.

— Você sabe se cuidar, e isso é importante — sua mãe diz. — E você não faz mal a ninguém.

— Mas eu faço mal *sim* às pessoas — Chloe insiste.

— Mas você faz de propósito?

— Não.

— Tá, então, você é humana.

— Mas Georgia disse que não me importo com ela, e eu... se sou tão maldosa que nem minha melhor amiga sabe que me importo com ela, então... qual é o meu *problema*?

— Não tem problema nenhum com você. Você é só você.

— Eu não sou uma pessoa boazinha.

— Chloe — sua mãe diz —, eu e sua mãe decidimos muito antes de você nascer que deixaríamos você ser quem quer que você fosse.

— E, se você é uma Lulu da Pomerânia rosnando com sangue nos olhos, então essa é quem você é, filha — sua mamã acrescenta.

— Jess — sua mãe a repreende. — O que ela quer dizer é que boazinha e boa não são a mesma coisa. Muita gente não é boazinha, mas é boa. E é isso que importa.

— Às vezes — Chloe diz sem pensar, apertando as têmporas —, às vezes parece que vou explodir, como se tudo o que estou sentindo fosse a primeira vez que alguém já sentiu alguma coisa na história do universo, e fico com tanta *raiva* quando as pessoas não entendem que me sinto desse jeito e mesmo assim faço tudo o que preciso fazer e tiro dez e entro na NYU e aturo todas as merdas de Willowgrove. Eu... não consigo nem explicar como eu me sinto, e parece errado dizer isso sem as palavras certas, então não digo nada, mas aí ninguém fica sabendo, e fico brava que ninguém saiba, por mais que eu não *queira* que saibam.

— Saibam o quê? — sua mãe pergunta com carinho.

— Que... — Chloe começa, mas a voz falha. — Que é *difícil*. Que preciso ser assim, porque é *difícil pra caralho.*

— Eu sei — sua mamã diz. — Mas passar por isso já é suficiente.

— Não, não é — Chloe declara, saindo da bancada. — *Não* é.

Suas mães tentam arrastá-la para jantar no Olive Garden, mas Chloe acha a ideia tão deprimente que grita de trás da porta do quarto para irem sem ela. Quando ela escuta o carro delas sair, levanta da cama e entra no banheiro.

A corrente de prata está no mesmo lugar em que ela deixou, e ela a pega e segura na palma da mão. É um colar, com um pingente fino e ornamentado: um crucifixo cravejado de diamante.

Colares de cruz são um símbolo de status em Willowgrove. Se seus pais conseguem te comprar um crucifixo chique de diamante antes de você conseguir sua carteira provisória, você é alguém. As mães de Chloe não teriam como comprar um para ela nem se ela quisesse.

Todas as meninas populares que já fizeram Chloe se sentir uma aberração tinham um cintilando entre os botões da polo do uniforme.

Shara tinha um até a metade do primeiro ano.

Chloe tinha sido sentenciada a escrever versos da Bíblia na detenção depois da aula, e estava fugindo disso. Ela parou na biblioteca vazia e se escondeu atrás de uma estante caso viessem procurar por ela.

Foi lá que ela viu Shara, olhando para a cesta de lixo perto das mesas de estudo.

Ela observou Shara hesitar por um momento, roendo com os dentes muito brancos uma das unhas cor-de-rosa lixadas antes de jogar o cabelo para o lado e soltar a corrente atrás do pescoço. Ela a jogou na lixeira e saiu.

Chloe não consegue se lembrar direito de quando decidiu pegar o colar. Ela tinha ouvido suas mães na noite anterior, conversando baixo na entrada dos fundos sobre o preço da mensalidade de Chloe quando acharam que ela tinha ido dormir. Vai ver ela o pegou meio que pensando em penhorá-lo como naqueles programas da A&E aos quais sua mamã gosta de assistir. Mas ela nunca nem pensou em vendê-lo.

Porque Shara voltou para buscá-lo. Dez minutos depois, ela observou Shara entrar na biblioteca, ir direto para a lixeira, e ficar cada vez mais em pânico enquanto tirava de lá vários pedaços de papel e embalagens de doce. Ela virou a lata toda e a chacoalhou, depois desistiu. Ela nem viu que Chloe estava lá.

E Chloe estava lá na semana seguinte no vestiário do ginásio quando Shara deu um show choroso porque teria perdido o colar enquanto corria em volta do campo de futebol americano na aula de educação física. A turma toda saiu para procurar de quatro no gramado, e Shara ficou lá e deixou que procurassem. Chloe ficou manchada da grama, mas valeu a pena para saber que Shara não é quem todos pensam.

Ela tira a bolsinha de bilhetes de baixo da cama, que está lá desde que Georgia a jogou na cara dela. Se ela conseguir resolver esse maldito quebra-cabeça, pode finalmente provar que não é uma má amiga, que não é maluca, que estava certa esse tempo todo e que Shara é uma falsiane que não consegue lidar com os próprios segredos sem torná-los problemas de todo mundo. E então ela vai vencer, e todos vão *ter* que perdoá-la.

Ela repassa os bilhetes de novo, relendo a letra de Shara, que passou a conhecer com um tipo de intimidade que a faz querer se deitar na vala atrás da sua casa e esquecer que já soube da existência de meninas como Shara Wheeler. Deve haver uma resposta ali. O que ela pode ter deixado passar?

Ela está passando o dedo nos traços de caneta do cartão da casa de Dixon quando sente.

A chave está lá, onde eu estou.

No fim da linha, as saliências no papel parecem diferentes. Ela o ergue a poucos centímetros do rosto e o inclina na direção do abajur até a luz brilhar sobre cada detalhezinho. Agora ela consegue ver: pequenos sulcos sob aquelas últimas três palavras, como se Shara tivesse colocado uma segunda folha de papel sobre o cartão e apertado uma caneta para deixar a impressão de linhas quase invisíveis. Elas sublinham as últimas três palavras, destacando-as. *Onde eu estou.*

Onde ela está?

A chave estava colada no verso da foto de Shara no veleiro dos pais. Era onde a imagem de Shara estava, fisicamente, no escritório, mas talvez seja mais do que isso — talvez a foto tivesse a intenção de dizer a ela onde Shara realmente, literalmente, *está*.

Chloe se sentou do outro lado da escrivaninha do diretor Wheeler umas cem vezes, e memorizou todos os detalhes daquela foto. O número quinze marcando a carreira. A placa no fundo indicando: Marina Anchor Bay. Shara, sorrindo, angelical.

— Eu vou matar essa menina — Chloe diz, e pega as chaves.

DA PILHA DA FOGUEIRA

Escrito em uma folha de papel solta no fundo do
fichário de física de Chloe Green

DISCURSO DE ORADORA: RASCUNHO Nº 17

Olá a todos. Meu nome é Chloe Green. Vocês podem me conhecer como a menina que sempre se oferece para ser a primeira a apresentar o trabalho na frente da sala. Tenho orgulho em dizer que nunca fui a pessoa que lembrava o professor que temos dever de casa, embora eu tenha pensado em fazer isso mais de uma vez, porque, afinal, eu tinha feito o dever de casa, e levei uma hora inteira, e sei que minhas respostas estavam certas, e mereço um dez de participação, mas quem liga? Não tem problema.

Vocês também podem me conhecer como a menina que derrotou Shara Wheeler para estar aqui neste pódio. Sei que a maioria de vocês devia estar torcendo por ela, mas a verdade é que ela nem sempre consegue o que quer. ~~Aliás, o cabelo dela nem é tão bonito assim. É só comprido. E acho que...~~

Anotação de Chloe:

Talvez um pouco menos pessoal?

16

DIAS SEM SHARA: 27

A Marina Anchor Bay está quase em silêncio total, azul sob um céu noturno sem nuvens, com apenas o som da água batendo na costa e nos cascos largos de barcos chiques. Píeres de madeira separam vinte carreiras individuais, que fazem um U em volta da casa de barcos atarracada, fechada a esse horário. O Jeep branco de Shara está no fundo do estacionamento. As entranhas de Chloe pegam fogo ao notá-lo.

Da margem, ela não consegue ver onde o barco dos Wheeler deveria estar, então começa pelo número um pintado em branco desbotado em um pilar e vai contando pelo píer.

Carreira dois, carreira três, carreira quatro.

Carreira sete, oito, nove.

Carreira doze, treze, catorze — ela faz a curva...

Nas semanas desde que Shara foi embora, ela sempre se manteve igual na mente de Chloe: congelada em seu vestido do baile, o cabelo caindo sobre os ombros feito a luz do sol e os lábios com um batom vermelho-cereja delicado — distante e inatingível sob o lustre cintilante do clube de campo.

Agora, esperando sob a lua na décima quinta carreira, Shara parece ter saído diretamente da memória de Chloe. Sobretudo porque, por algum motivo infernal, ela ainda está usando o vestido do baile de formatura.

Ela está sentada na frente do veleiro, como se fosse uma figura decorativa arrogante de um navio, o tule rosa-amêndoa se amontoando atrás dela no convés e caindo sobre as laterais da proa.

Shara, em carne e osso. Não uma frase em um cartão ou uma foto no armário de Smith ou uma lembrança importunando Chloe, mas a verdadeira Shara, com seu nariz empinado, os ombros elegantes e a expressão irritantemente inocente.

Chloe sente, mais do que o normal, que vai explodir.

E então Shara abre a boca e diz:

— Tive um pressentimento de que você viria.

Pois é, explodir. Uma combustão espontânea total. Cinco milhões de pequenas Chloes furiosas se espalhando pela Marina Anchor Bay, todas mostrando o dedo do meio para Shara.

Agora que está diante do barco, ela consegue ver que Shara não está *exatamente* igual à noite do baile. Seu rosto está sem maquiagem, os lábios em seu rosa natural. O cabelo está preso no alto da cabeça com um elástico.

Para o imenso desprazer de Chloe, a primeira coisa que pensa é no elástico de seda na bancada do banheiro de Shara. Essa é a primeira vez que ela vê Shara com o cabelo preso. Que coisa idiota de perceber.

— Devo dizer — Chloe diz, dando um passo à frente até a ponta de seus tênis ficar para fora da beira do píer — que isso é um pouco anticlimático.

Shara ergue uma das sobrancelhas.

— O que você estava esperando?

— Não me entenda mal. Não estou surpresa que você seja só uma idiota sem graça num barco, mas acho que parte de mim ainda estava esperando uma reviravolta. Tem um corpo escondido num freezer em algum lugar por aqui?

— Bom, foi você quem veio até aqui pra ver uma idiota sem graça num barco — Shara diz.

— Vim — Chloe confirma. É desagradável como sua boca está seca. As clavículas expostas de Shara parecem muito agressivas. — Pra poder contar pra todo mundo onde você estava.

Shara se levanta, erguendo o vestido ao virar. Ela não está usando sapatos, apenas meias com estampa de abelhas. Que saco que Chloe nunca mais vai gostar de abelhas agora.

— Mas não é isso que você vai fazer, é?

Chloe olha feio para a nuca dela mais uma vez para guardar para a posteridade.

— Você não sabe o que eu vou fazer.

— Claro — Shara diz, então abre uma porta branca no centro do barco e desaparece por um lance de escada.

Chloe fica lá, observando o vestido de Shara seguir atrás dela até desaparecer de seu campo de visão.

— Não vou entrar no seu maldito barco! — ela grita para a noite vazia.

Ela entra no maldito barco de Shara.

A escada que dá para a cabine parece uma armadilha mortal, o que até bate com a situação. O primeiro compartimento está cheio de latas de equipamentos e rolos de corda e tem uma cozinha minúscula. Há um fogãozinho a gás, do tipo que sua mãe leva para acampar, e um pedaço grande de madeira em cima, como uma bancada improvisada. Barras de cereal, caixas de macarrão instantâneo, potes de plástico de granola e um saco de tangerinas estão organizados em uma fileira como as canetas marca-textos de Shara no primeiro dia de aula de Chloe.

Ela se pergunta se Shara é sempre assim, ou se organizou tudo porque sabia que Chloe viria em breve.

Mais à frente, a cabine se abre para uma imitação de sala, dois bancos ao lado de uma mesa aparafusada. Há um MacBook rosa-dourado ao lado de um saco de chocolates e um caderno aberto com anotações caprichadas. Chloe passou todo esse tempo seguindo pistas, enquanto Shara comia bombons em um barco usando um vestido de festa.

Ela ficaria admirada se não fosse Shara, o que significa que precisa odiar.

Shara está ajoelhada em um dos bancos segurando a saia amontoada com uma das mãos, guardando um livro na prateleira embutida atrás dela. A barra do seu vestido está cinza de sujeira, e, quando ela olha para Chloe de novo, Chloe vê pontos estourados na juntura entre o corselete e a saia.

— Você está usando isso há quatro semanas? — Chloe questiona.

— Eca — Shara diz, sentando-se. — Que nojo seria. Trouxe outras roupas.

Ela aponta para a entrada da cabine. Chloe olha para a direita e vê uma pequena área de dormir escondida. Na base dela estão a mochila de Shara e duas pilhas de roupas dobradas.

— Então você está usando isso porque...? — Chloe pergunta, fingindo não examinar o monte macio de roupas de baixo, as que estavam faltando na gaveta de Shara.

— Porque eu gosto, às vezes — Shara responde. — É meio entediante aqui.

— Sabe o que mais você poderia fazer para quebrar a monotonia de viver num barco? — Chloe diz. Ela finalmente olha para Shara. A distância entre elas é pequena, mas ela ainda assim consegue parecer distante. — Não fugir pra viver num barco.

— Essa seria a coisa mais entediante que eu poderia fazer, na verdade — ela rebate.

— Você acha isso bonito?

— Acho divertido. E meio engraçado. — Ela puxa o saco de chocolates e tira um, depois olha para Chloe e inclina a cabeça para o lado. Ela faz um beicinho. — Você parece brava.

— É claro que estou brava. Você gastou um mês inteiro da minha vida na sua caça ao tesouro ridícula que nem deu em lugar nenhum, enquanto estava se deleitando em um iate como um barão do petróleo...

— Não é um iate — Shara diz. — Tem menos de dez metros.

Por algum motivo, é isso que finalmente faz Chloe estourar.

— Nossa, você é uma narcisista tão irritante que nem me sinto mal que esteja apaixonada por mim.

Shara congela, a embalagem do chocolate ainda embaixo da unha. Chloe tem todo um segundo de pura satisfação antes de ela dizer:

— *Quê*? Não. Como assim?

— Você está apaixonada por mim — Chloe repete. — É esse o segredo disso tudo. Você fugiu porque está apaixonada por mim e não quer lidar com as consequências. Tipo, é ridículo o quanto você está apaixonada por mim.

— Ai, meu Deus — Shara diz, e então *ri*. — É isso que você pensa?

— Você... — Chloe diz. Shara está blefando. Ela só pode estar blefando. — Você literalmente me contou na carta no *Mansfield Park*.

— Chloe, ai, meu Deus. Leia a carta de novo. Eu falei o que ia *fazer*. Meu plano era deixar você obcecada por mim. — Ela finalmente desembala o chocolate e o enfia na boca. — Ah, isso é tão decepcionante. Pensei que você tinha sacado o objetivo disso tudo, mas você *caiu*.

Chloe repassa o Google Docs entre elas. Será que ela... elas estavam tendo duas conversas completamente diferentes?

— Não. Não pode ser. Não faz sentido. Por que você queria que eu... ficasse obcecada por você?

Esse é o momento do chute na cara — o lembrete de que esse é exatamente o tipo de piada que meninas heterossexuais como Shara fazem com meninas como Chloe, que têm o azar de ser LGBTQIAP+ diante delas.

Mas o que Shara diz é:

— Não entrei em Harvard.

É uma mentira tão abrupta e óbvia que Chloe nem sabe o que responder. Ter sido aceita em Harvard é a maior parte do mito de Shara, a conquista que provava que ela realmente sairia mundo afora e faria com que False Beach se sentisse orgulhosa.

— Mentira — Chloe diz finalmente.

— Eu não entrei — Shara repete. Ela engole o chocolate e cruza os braços. Suas clavículas assumiram um ar trágico agora. Ela parece... estar falando a verdade. — Eu bombei na entrevista. Eles me rejeitaram. Não contei pra ninguém, nem pros meus pais.

— Mas..., mas o que isso tem a ver com me beijar, ou as pistas, ou tudo mais?

— Eu te *falei* — Shara diz. Ela encara Chloe, o rosto impassível. — Será que fiz um trabalho bom demais naquela carta? Você esqueceu todo o resto que estava nela? Poxa, qual é a coisa que nós duas queremos, que estou tentando conseguir desde que você entrou em Willowgrove?

Chloe repassa mentalmente o começo da carta, antes de todas as coisas sobre fazer Chloe se apaixonar por ela, para...

— Você está falando de ser *oradora*?

Shara abre um sorriso de miss.

— Foi tudo uma grande distração, não foi? — Shara diz. — Entreguei meus trabalhos das últimas nove semanas adiantados, mas você deve ter perdido alguns prazos, não? Caiu um ou dois décimos?

— Você fez isso pra... pra *sabotar minhas chances de ser oradora*?

Shara revira os olhos.

— Como se você não fosse capaz de fazer o mesmo se tivesse tido a ideia.

— *Por quê?* — é tudo que ela consegue dizer. — Por que precisa tanto disso?

— Porque é tudo o que me resta.

— Está me zoando? — ela quase grita. — Você tem *tudo*. Você... você tem uma cidade cheia de gente que é obcecada por você, um namorado que te ama, um vizinho gato que faria qualquer coisa por você, pais ricos que conseguem te dar tudo o que você quiser, um milhão de pessoas fazendo fila pra beijar o chão em que você pisa... *do que mais você precisa?*

Shara a deixa terminar antes de dizer com calma:

— Você sabe que meus pais têm uma câmera de segurança neste píer maldito? E eles acham que não sei que tem um rastreador no meu carro, mas eu sei. Eles sabem onde eu estou desde que fui embora. Achei que seria engraçado ver por quanto tempo eu conseguiria fazer isso até eles virem atrás de mim, mas me enganei. Eles estão fazendo o que sempre fazem quando tenho a audácia de fazer ou dizer ou pensar algo de que eles não gostam: fingindo que não está acontecendo até passar.

Deve ser uma jogada para conseguir sua compaixão, mas os punhos de Chloe se descerram uma fração de centímetro.

— E o Smith? — ela pergunta. — E o Rory? O que eles têm a ver com ser oradora?

— Chloe. Você é mais inteligente do que isso.

— Para de zoar com a minha cara e responde à pergunta, Shara.

Shara pausa, pegando outro chocolate. Ela não abre esse. Ele rola na palma da sua mão enquanto pensa no que vai dizer.

— Você já viu como eles se olham, não viu?

— O que isso quer dizer?

— Smith não tinha nenhum interesse por mim até descobrir que Rory tinha se mudado pra casa ao lado. Então, de repente, me chamou pro baile de volta às aulas, e ele parecia legal, então pensei em dar uma chance. Mas, quando ele foi me buscar, juro por Deus, Rory quase caiu do telhado quando eles se viram, e eu saquei. Eu sabia o que era pra eles. Você não estava lá no oitavo ano, mas eu via como eles eram juntos. — Shara ainda está rolando o chocolate na mão, deixando que comece a amolecer com o calor do seu corpo. — Os dois acham que me amam, mas não é por mim que eles estão nessa.

O bilhete na arquibancada. Shara disse que beijou Smith para deixar Rory com inveja, mas, se ela sabia como ele se sentia...

Ela nunca disse de qual dos dois era para ele ter inveja.

— Todo mundo quer me usar pra alguma coisa, Chloe — Shara declara. — Com eles, pelo menos, eu também ganhava alguma cosia.

— Como o quê?

— Capital social e entretenimento, basicamente. Mas estou entediada, e a escola está quase acabando, então pensei em jogar um pra cima do outro e ver o que aconteceria. — Ela solta o chocolate sem cerimônia de volta dentro do saco. — E eu sabia que vocês três manteriam uns aos outros na linha. Dois coelhos e tal. Bem bonitinho.

— Smith nunca usaria alguém dessa forma — Chloe diz. — Você partiu o coração dele.

Ela volta os olhos para ela, como se Chloe não tivesse o direito de dizer o nome de Smith na frente dela, o que é bem curioso, considerando tudo.

— Eu partiria o coração dele de qualquer forma, em algum momento.

— Por quê?

— Porque não consigo retribuir o amor dele.

— Por que não? — Chloe questiona.

— Porque não consigo, beleza? — Shara finalmente estoura. Ela tira uma mecha de cabelo do rosto. — Você ainda não está entendendo. Eu *não consigo*. Não consigo estar com Smith. Não consigo ser o que todo mundo quer que eu seja. Não consigo ir pra Harvard. Tudo o que consigo é ganhar essa última coisa, pra que *essa* seja a forma como todos vão se lembrar de mim, e eles nunca vão precisar saber do resto. E você está na minha frente, então fiz o que precisava fazer. É só com *isso* que eu me importo.

Chloe tem experiência suficiente em teatro para reconhecer uma fala ensaiada.

— Pode falar o que quiser para si mesma — Chloe diz. — Não vai mudar o fato de que você tem tanto medo do que as pessoas em uma cidadezinha no cu do mundo pensam de você que precisou fazer isso tudo.

Ela dá meia-volta e sobe a escada, saindo para a noite úmida. Shara sai com tudo atrás dela.

— Eu posso até ter medo — Shara grita —, mas não tanto quanto você!

Chloe vira. Lá está Shara de novo, em seu vestido de baile ridículo como em uma tragédia grega, seu rosto aquilino e detestável.

— O que é que você quer dizer?

— Sabe o que eu faço? Quando tenho medo? — Shara pergunta.
— Me olho no espelho e encontro algo para arrumar. Como se fosse

um daqueles jardineiros na entrada do condomínio podando roseiras. Eu hidrato o rosto e o cabelo e penso no que posso dizer a exatamente qual pessoa amanhã pra fazer com que ela acredite no que quero que acredite sobre mim. Mas você... você entra na escola todo dia como se soubesse de tudo e fosse melhor do que todo mundo, e é por isso que sei que você está apavorada. Você *precisa* decidir que está muito segura sobre tudo, porque a insegurança mata você de medo.

— Não sei expressar o quanto nada disso é sobre mim — Chloe diz.

— Você disse que tenho medo do que as pessoas pensam. Só estou dizendo que não sou a única.

Chloe, que está sem paciência para os monólogos marítimos de Shara sobre coisas a respeito das quais ela não sabe *absolutamente nada*, dá um passo em direção a ela.

É então que Shara faz algo que entrega toda a sua atuação: ela recua, pisando na barra do vestido, tropeçando até a lombar bater na amurada do barco.

Ela tem medo de deixar Chloe chegar mais perto. Porque sabe o que vai acontecer. Sabe o que vai fazer.

Chloe estava certa. Shara a deseja. Só não quer admitir.

Chloe dá mais um passo.

— Sabe, se a questão é mesmo ser oradora, havia formas mais fáceis. Você poderia até ter feito seu pai me expulsar. Mas isso não seria o que você realmente queria, não é?

Shara tenta revirar os olhos, mas, atrás das costas, está tateando com a mão para segurar a amurada.

— Não sei do que você está falando.

Algo quente envolve o coração de Chloe, mas as palavras parecem leves como uma pluma, tranquilas, uma brisa suave no corpo suado.

— Você queria saber que eu estava olhando pra você — ela diz. Ela está quase perto o bastante para tocar nela. — Você *gostou*, não gostou? Gostou de saber que eu estava pensando em você esse tempo todo.

— Eu te falei. Achei que seria engraçado.

— Pode ser isso que você disse a *si mesma* — Chloe diz. — Mas, no fundo, por trás de toda essa baboseira, você me beijou porque queria me beijar.

— Não é verdade — Shara insiste. — Não significou nada.

Quando Chloe se aproxima, ela vê: o olhar de Shara passando por seus lábios.

— Então por que quer que eu beije você agora?

— Não quero.

— Tá — Chloe diz. — Então não vou beijar.

Ela começa a se virar, mas lá está aquela sensação de novo: a mão de Shara se fechando em volta do seu braço, puxando-a. Os olhos verdes de Shara estão arregalados e furiosos, e um som indefeso e abafado sai de trás de seus dentes.

Quando ela beija Chloe dessa vez, Chloe está pronta.

Ela sabe exatamente o que está fazendo quando enrosca os dedos nos fios soltos de cabelo na nuca de Shara e retribui o beijo, intensamente. Sua outra mão segura o tule que desce da cintura de Shara e aperta o corpo de Shara no seu como quem diz *viu, nós combinamos*, e funciona — Shara suspira e solta a amurada para passar a palma da mão na bochecha de Chloe. A pele está gelada por causa do metal, e Chloe contém um calafrio.

Ela não se dá tempo para pensar na forma como o polegar de Shara roça sua maçã do rosto nem na sensação dos lábios de Shara sobre os seus. Em vez disso, recua, de forma tão abrupta que Shara fica piscando, atordoada, e, nossa, finalmente não é Chloe quem está passando vergonha ao se entregar. É para ela que a outra está passando vergonha. Incrível. Um dos melhores momentos da vida de Chloe.

— Não falei? — Chloe diz.

E, com um forte empurrão, ela joga Shara — com o vestido de baile e tudo — sobre a amurada para dentro no lago Martin.

DA PILHA DA FOGUEIRA

Rascunho descartado de um exercício de diário,
substituído depois por um com formulações
mais precisas.
Escondido no bolso de um dos cadernos de cinco
matérias de Shara

Não sou muito a favor de diários. Ter meus pensamentos particulares escritos em um lugar parece um risco.

No entanto, se é para fazer isso, o que mais está na minha cabeça hoje é como nos fizeram decorar as partes do tabernáculo no sétimo ano. Tudo parecia um pouco pomposo para mim, mas ainda consigo desenhar: o altar dos holocaustos, o candelabro de ouro, o altar do incenso. Penso muito na expressão "Santo dos Santos". Tem algo que amo na ideia de um lugar onde apenas uma pessoa pode entrar.

Pode ser que eles tenham pensado certo, em relação a sigilo. Os cristãos mais espalhafatosos que já conheci são os piores. Não acredito que fazer algo na frente de todos torne isso mais significativo, mesmo. No máximo, faz com que deixe de ser algo seu.

Às vezes, quando entro numa igreja, não sei se deveria estar lá, embora eu me sinta em casa. Casa nem sempre foi um bom lugar para mim.

17

DIAS PARA A FORMATURA: 15

Chloe acorda tarde na manhã seguinte com uma mensagem de Smith dizendo: ei, você curte Mario Kart? O que (1) por que, e (2) agora ela se sente culpada por gritar com ele no outro dia, e (3) argh, ela precisa contar para o Smith que beijou a namorada dele de novo. Duplamente culpada.

Ela deveria estar feliz. Ela venceu. Depois de todo aquele tempo reorganizando a vida em torno do jogo de Shara feito uma imitação barata de *Jogos mortais*, ela finalmente tem o poder. Ela tem os segredos *e* o coração de Shara. Pode expor toda a grande mentira de Shara sobre Harvard para toda a escola, se quiser. Shara deve estar mofando no barco agora, encharcada e tragicamente bela, se perguntando se um dia vai ter a chance de beijar Chloe de novo, e Chloe deveria estar satisfeita por saber que a resposta é não.

Precisa de tempo para a ficha cair. Só isso.

A casa está vazia e cheira a manteiga e calda, o que significa que suas mães acordaram cedo e estão lá fora fazendo seus projetinhos de fim de semana. Ela calça as Birkenstocks de sua mamã e vai para a garagem.

— Bom dia, docinho de coco — a mamã diz em uma espreguiçadeira. A porta da garagem está aberta para a manhã escaldante, e sua mamã está tomando chá gelado com a parte debaixo do biquíni e a camiseta de Chloe de uma excursão do quarto ano para o zoológico de San Diego, cortada em um cropped abaixo dos seios. — Você perdeu o café da manhã. A gente fez panquecas.

Chloe aponta para a caixa de som Bluetooth aos pés dela, que está tocando Pavarotti.

— Rigoletto, ato dois?

— Ato um — ela responde com uma piscadinha. Pavarotti sempre lembra Chloe de sua infância, rodando no apartamento em um dos vestidos de apresentação de sua mamã feito uma condessa. — Está se sentindo melhor? Depois de ontem à noite?

De início, ela se pergunta como é que sua mamã sabe sobre Shara, até se lembrar do próprio surto na cozinha. Foram umas longas vinte e quatro horas. Um longo mês, na verdade.

— Sim — Chloe diz. — Tudo bem. É tudo... muita coisa.

Sua mãe, que estava mexendo embaixo do chassi da caminhonete com uma chave inglesa, rola para fora e encara Chloe de seu carrinho.

— Sim — ela diz, secando o suor da testa e deixando uma mancha de graxa no rosto. — Willowgrove mexe com a cabeça da gente às vezes.

Chloe franze a testa, os ombros ficando tensos na mesma hora.

— Não é esse o problema.

— Tem certeza? Tenho a manhã livre, se quiser conversar. — A mãe se senta. — Eu passei por isso, lembra?

— Está tudo bem — ela repete, procurando uma saída. — Mas eu... tenho que estudar. Vou encontrar umas pessoas de biologia. Tá?

— Tá, mas volta para o jantar! — sua mamã grita enquanto ela vai em direção ao carro. — Finalmente aprendi a fazer tomates verdes fritos! Banquete da semana de provas!

— Tá — Chloe concorda, evitando o olhar da mãe antes que ela faça mais perguntas. Graças a Deus que ela deixou a mochila no carro ontem à noite. Uma fuga impecável.

Ela está agitada no caminho todo até a casa de Smith, pisando fundo no acelerador e passando em alta velocidade pelos amarelos. Ela tem que fazer isso rápido — precisa *mesmo* estudar —, mas está elétrica por umas setecentas emoções diferentes, nenhuma das quais está muito a fim de expressar para ninguém.

Quando a porta da frente se abre, a pessoa atrás dela é uma menina alta que Chloe nunca viu antes. Ela está segurando um Switch e parece estar no meio de uma batalha acalorada de *Smash*.

— Oi, aqui é a casa do Smith? — Chloe pergunta, olhando por cima do ombro da menina para a pequena sala de estar com cruzes na parede e um jogo de sofás floral. Essa deve ser a irmã de Smith, Jas.

— Quem é você? — ela diz sem olhar para cima.

— Sou a Chloe. Da escola.

O Mewtwo de Jas dá um Final Smash na Planta Piranha de alguém.

— Beleza, Chloe Da Escola. Smith não falou nada que viria uma menina.

— Cuida da sua vida, Jas — diz uma voz risonha, e Smith surge atrás dela, com uma cara surpresa, uma regata e um short cinza que parece macio. Só agora ela nota que o cabelo dele está um pouco mais comprido.

Ele empurra a cabeça de Jas para o lado com a palma da mão e diz:

— Vai embora. E não esquece de conectar esse troço quando acabar. Combinei Mario Kart com o Rory hoje à noite.

— Você é muito cuzão — ela retruca.

— Mãe, Jas me chamou de cuzão! — Smith grita.

— *Jasmine Parker*!

— Você é um *saco* — Jas solta, olhando feio, e então desaparece enquanto Smith segura o riso atrás do punho.

— Vou sentir falta dessa garota no ano que vem — Smith diz.

— É por isso que você me mandou mensagem sobre Mario Kart? — Chloe diz. — Por causa do Rory?

Smith dá de ombros.

— Eu ia convidar você.

— Vocês dois podem sair no fim de semana sem uma Chloe no meio.

— Eu sei, é só que… faz tempo — Smith murmura. — Enfim, tudo bem? Você está esquisita.

Certo.

— A gente pode conversar?

Smith faz que sim.

— Quer entrar?

Chloe deixa os sapatos na porta e segue Smith pela sala e por um corredor curto com várias fotos emolduradas: Smith de uniforme de futebol americano com o troféu do campeonato nacional, os pais de Smith sorrindo em um cruzeiro, seus dois irmãos mais novos em roupas de Páscoa combinando, Jas no palco com um microfone.

O quarto de Smith fica no fim do corredor, a barra de exercício no batente praticamente uma placa declarando que o quarto é dele. É pequeno e bagunçado, mas de um jeito aconchegante, não da forma imunda como o quarto de Dixon era bagunçado. As paredes são amarelo--limão, tem uma babosa em cima da cômoda e guias de estudo para as provas finais espalhados sobre a escrivaninha. Há uma pilha de livros no parapeito da janela entre uma laranja meio descascada e um capacete arranhado de futebol americano, e a cama de solteiro está coberta por almofadas. A caixa de som Bluetooth na mesa de cabeceira toca Frank Ocean baixo. Semiescondido atrás dela, há um vidro de esmalte prateado.

Ela não está nem há três segundos ali quando uma mulher bonita de meia-idade com exatamente os mesmos olhos e cachos que Smith surge no batente.

— Smith — ela diz —, quem é essa?

— Essa é a Chloe, mãe — Smith responde. — Ela é minha amiga da escola. Estava na peça com o Ace.

— Só uma amiga?

— *Sim*, mãe — Smith diz, morrendo de vergonha.

Sua mãe assente, olhando Chloe de cima a baixo.

— Tem carne na cozinha — ela anuncia. Ela sai apontando para a porta do quarto de Smith, cantarolando: — A porta fica aberta!

— Desculpa — Smith diz. — Tecnicamente não posso receber meninas aqui, mas estão começando a desistir agora que estou quase na faculdade. Além disso, você deveria aceitar aquela carne, meu pai defumou hoje cedo e está incr…

— Vi a Shara ontem à noite.

Smith para.

Ele não reage a princípio, só olha para ela por um longo tempo como se tentasse descobrir se ela está brincando. Então, quando internaliza que não está, puxa a cadeira de escritório e senta em uma pilha de moletons jogados.

— Eu descobri onde ela estava, e fui sozinha — Chloe conta. — Desculpa. Desculpa *mesmo*. Sei que deveria ter te contado, mas eu estava... eu estava *com tanta raiva* dela...

— Chloe — Smith diz finalmente, erguendo a mão. Tem um ponto de purpurina na unha do seu polegar, como se ele a tivesse pintado e tirado. — Tudo bem. Ela contou por que foi embora?

— Ela disse que fez isso tudo porque mentiu sobre ter entrado em Harvard, e porque queria me distrair pra poder ganhar o título de melhor aluna e oradora — Chloe desata a falar. — *E* forçar você e Rory a se falarem porque acha que você só estava namorando com ela por causa dele.

Smith se curva, com a testa nos joelhos, e Chloe pensa que deve estar sendo difícil para ele ouvir aquelas notícias, até escutar uma risada.

— *Ah, obrigado, Jesus.*

— Quê?

Smith se endireita de novo, ainda rindo. Ele passa a mão na testa.

— Pensei que eu mesmo teria que contar pra ela. *Ufa.*

— Você... o que você está dizendo? Ela estava *certa*?

— É... — Smith diz, estremecendo até ficar sério — ... complicado.

— Eu *defendi* você!

— Olha, só começou desse jeito! — ele insiste. — Foi... tá, então, primeiro ano, fui a uma festa na casa do Dixon e descobri que o Rory tinha se mudado pra casa vizinha à da Shara. E ele não queria falar comigo na escola, mas pensei que poderia continuar perto dele, e eu queria saber se ele estava bem. Eu estava preocupado com ele. Nos últimos meses em que éramos amigos, ele falava muito que tinha medo do pai ter que se mudar, e que o irmão dele não ia poder mais nos levar de carro por aí pra nos apresentar música nova porque ia pra faculdade. Eu sabia que devia estar sendo difícil pra ele. Então eu... chamei a Shara pro baile de volta às aulas, pra poder passar na casa dela e vê-lo.

— Você gastou vinte dólares em cravos por isso?

— Eu não sabia se ela diria sim — Smith diz. — Era pra ser só o baile, juro, mas daí eu *gostei* dela. Tipo, como pessoa. Ela era legal, e eu podia ser eu mesmo perto dela. Todo mundo gostava da gente junto, e deu certo pra nós dois, e me senti muito culpado pela forma como começou, mas já era tarde demais pra contar a verdade pra ela. E todas as vezes que eu disse que a amava era de verdade, é só que, sabe. Não nesse sentido. E tentei esquecer sobre o lance do Rory e ser um bom namorado, mas ele estava... ele estava sempre *lá*, e eu não conseguia pensar nela porque estava pensando nele...

— Ai, meu Deus — Chloe abafa uma exclamação —, você está *mesmo* apaixonado por ele.

Smith arregala os olhos.

— Foi isso que a Shara disse? Será que eu... Será que ele...?

— Não, não, não. — Chloe ergue as duas mãos para se defender. — *Não* vou me envolver nesse lado do quadrilátero amoroso. Volta à história.

— Tá — Smith diz, balançando a cabeça. Chloe definitivamente não vai participar da montanha-russa de emoções que vai ser essa sessão de Mario Kart entre Smith e Rory hoje. — Enfim, quando me dei conta, tinham passado dois anos e meio e Shara era minha melhor amiga além de Ace, e percebi que ela merecia saber antes que decidíssemos o que fazer depois da formatura. Então disse a mim mesmo que abriria o jogo depois do baile, mas daí ela sumiu. E a pior parte é que fiquei *aliviado*, porque significava que eu poderia adiar a conversa um pouco mais. É por isso que não falei nada depois do bilhete da casa do Dixon.

Chloe tenta acompanhar.

— O que tem o bilhete da casa do Dixon?

— Ela me falou onde ela estava naquele bilhete — Smith diz, passando a mão na nuca. — O *F* em "Formatura" estava em maiúscula.

Leva um segundo para a memória entrar em foco: o nome na parte de trás do veleiro dos Wheeler. *Formatura.*

Chloe, que ainda está processando a revelação de que Smith e Shara foram a versão de Willowgrove de um casamento de fachada desde o baile do segundo ano, tenta não gritar quando diz:

— *Você sabe onde ela está desde a festa do Dixon?*

— Eu sei! Eu sei! Sou um babaca! — Smith diz. — Acha que eu não me sinto um bosta? Eu me sinto um bosta! Mas, quanto mais demorava, mais tempo eu podia passar sem ter que me abrir com ela.

— Mas... — Chloe aperta os dedos nas têmporas. — Mas ela sabia que você sacaria essa. Por que te contaria tão cedo?

— Acho que ela queria me dar a opção de colocar um fim na coisa toda, mas confiava que eu a deixaria fazer o que precisava fazer primeiro. A gente sempre meio que se entendeu desse jeito. Tipo, mesmo com todas as coisas que descobri sobre ela desde que ela foi embora, ainda acho que essa parte sempre foi verdade.

— Então, você... você deixou Rory e eu corrermos por aí que nem dois idiotas por semanas. Nós entramos nos dutos de ventilação, Smith. Nos *dutos de ventilação.*

— Já falei, não tenho orgulho disso. De nada disso. Mas... Sei lá, Chloe. Meio que queria deixar que ela fizesse o lance dela. E não só porque não queria ter aquela conversa, ou porque me sentia culpado, ou porque estava começando a me questionar quem ela era de verdade. Nem porque isso significava que o Rory estava falando comigo de novo pela primeira vez desde que tínhamos catorze anos, apesar de... definitivamente ter sido parte do motivo.

Chloe balança a cabeça.

— Que outro motivo poderia ter?

Smith pensa a respeito, cruzando as mãos embaixo do queixo.

— Dia desses, depois da festa do teatro e do lago — Smith diz —, voltei pra casa quando todo mundo estava dormindo e colhi umas flores do jardim do meu pai. E me sentei na frente do espelho e as coloquei no cabelo. Só pra ver como ficaria. E ficou *incrível*. Então pensei no que Ash disse, e em algumas coisas que já conversei com a Summer, e em como tenho que parecer e agir pra jogar futebol americano, e como me sinto *eu* de verdade, e na forma como Shara me olhava às vezes... Tipo, sim, Shara fez umas merdas. É um saco. Mas, ao mesmo tempo, se você não é o que Willowgrove quer que você seja e se sua família acredita em certas coisas, isso pode deixar você meio doido. Entende o que eu quero dizer?

As palavras "não é o que Willowgrove quer que você seja" fazem o cérebro de Chloe trombar ruidosamente, como a garrafa d'água de Georgia quando ela a derrubou na escada do Bloco C. Seus ouvidos começam a zumbir.

Por que *todo mundo* fica falando isso?

— Eu, hum. Ok. Na verdade, preciso ir. — Ela vira para a porta, depois para. — Hum. Não por causa de você. Você está indo muito bem, com todo o, hum. Lance de identidade. Aliás, pronomes?

Smith morde o lábio. Parece que vai sorrir.

— Os mesmos por enquanto.

— Certo, legal — Chloe diz. — Hum. Depois a gente se fala?

Ela nem contou para ele sobre o beijo, mas precisa ir. Precisa.

Talvez seja assim que Shara se sentiu quando fugiu.

Ela não sabe aonde ir. Não pode ligar para Georgia. Está agitada demais para voltar para casa, tomada demais pelas palavras de Smith, com medo demais que tudo a alcance no instante em que ela parar de se mexer.

É só quando para o carro no meio-fio que se dá conta que seguiu todas as curvas e estradas secundárias de volta ao lote vazio.

Quando elas se mudaram para False Beach, sua avó ainda morava na casa em que a mãe de Chloe cresceu — uma casa móvel pré-fabricada em um trecho da estrada perto da periferia da cidade, próximo ao lago Martin. Chloe se lembra do cheiro de cigarro e de desodorizador de canela, do xale verde e laranja tricotado à mão na poltrona onde sua avó ficava sentada e via a pequena Chloe ler os livros de Brian Jacques durante suas poucas viagens ao Alabama na infância. Sua avó era mais conservadora, porém um comprometimento fiel à hospitalidade sulista fazia com que ela fosse gentil com todos os vizinhos ou hóspedes. Ela ficou três anos sem falar com a mãe de Chloe depois que ela se assumiu lésbica, mas, quando soube do noivado, apareceu em Los Angeles com uma caixa de cerveja em um gesto de paz e seu antigo vestido de casamento na bagagem de mão.

Depois do câncer, Chloe passou uma semana entre o segundo e o terceiro ano na casa com a mamã, encaixotando fotos velhas e colocando móveis à venda na internet para que sua mãe não tivesse que ver tudo vazio. Então elas venderam a casa móvel e a viram ser rebocada, e tudo que restou foi um lote vazio com uma placa desbotada de À VENDA enfiada entre as ervas daninhas.

Chloe desliga o motor e caminha pela grama alta. A terra está úmida da chuva recente, embora sempre pareça ser úmido tão perto do lago. Ela tira as sandálias e deixa os pés tocarem a terra fria, sentindo-a ceder um pouco sob seu peso, notando sua presença.

Chloe Green nasceu na Califórnia. O óvulo da sua mãe, o corpo da sua mamã, solo californiano. Cresceu em uma casa cheia de canecas do Obama e tigelas de canto tibetanas e tias extraoficiais que tocavam violoncelo na sala depois de jantares. Antes de se mudarem para cá, ela nunca tinha sentido nada em relação ao Alabama, e definitivamente nunca imaginou que o estado poderia fazer com que ela sentisse algo em relação a si mesma.

Mas o Alabama está dentro dela, por mais que ela finja que não.

Segundo o curso introdutório que Georgia deu a Chloe em seu primeiro dia em Willowgrove, houve exatamente uma pessoa que saiu do armário como gay enquanto ainda era aluna em todos os trinta e seis anos desde que a escola foi fundada.

Há muitas versões da história, porque muitas pessoas que se formam em Willowgrove nunca conseguem escapar completamente da força gravitacional das fofocas de lá. Quando Georgia a contou pela primeira vez, ela não sabia o nome da menina, só que se formou no final dos anos 1990 e se assumiu lésbica na frente de toda a turma no retiro dos veteranos quando todos estavam dando testemunhos pessoais. Outra versão é que essa lésbica mítica foi à escola com o cabelo pintado de azul e foi suspensa por tentar recrutar as meninas para sua seita sexual satânica. Em uma versão diferente, ela foi pega com um estoque de revistas *Playboy* no armário e agora está casada com uma senadora da Flórida.

Mas Chloe conhece a verdadeira história porque o nome dessa menina é Valerie Green.

Ela sabe que sua mãe fez uma mecha azul no cabelo com água oxigenada e suco em pó e contou para três amigos da marcenaria que gostava de meninas, e que, quando o segredo veio à tona, a fábrica de boatos de Willowgrove criou uma centena de versões em massa. Houve reuniões com o orientador, o diretor e o pastor, nas quais ela foi incentivada a terminar o ensino médio em outra escola até garantir que nenhum dos boatos fosse verdadeiro, e depois houve meses em que todos continuaram falando sobre o assunto mesmo assim. Esse foi o principal motivo de ela ter fugido para o oeste assim que teve uma oportunidade e só ter voltado quando foi necessário.

A mãe de Chloe contou tudo isso para ela antes da mudança.

— Você pode estudar onde quiser — sua mãe garantiu, acariciando seu cabelo enquanto estavam sentadas em uma pilha de caixas de mudança. — O dinheiro a gente arranja. Mas quero proteger você.

— Vou ficar bem, mãe — Chloe disse, confiante. — E também não deve ser a mesma coisa agora que era, tipo, vinte anos atrás.

Ela disse a si mesma que isso não a afetava. Ela sabia quem era. Suas mães a amam, seus amigos a amam, ela *sabe* quem *é*, e nunca comprou a ideia de que pessoas como ela fossem erradas, nem por um segundo. É uma dorzinha incômoda quando um professor pede para ela parar de tentar usar frases da Bíblia para provar que o amor entre suas mães não pode ser errado porque diz bem ali que Deus é amor e todo amor vem de Deus, mas… não. Não, desde que ela possa voltar para casa ao fim do dia e ver as duas mulheres que a criaram sentadas em volta da mesa da cozinha, ela sabe que não é verdade.

Mas isso não leva em conta o intervalo entre esses momentos.

Não leva em conta Mackenzie Harris se recusando a se trocar na frente dela no vestiário, nem os professores que só dão dez para ela, mas nunca usam seus trabalhos como exemplo para a turma, nem as piadas escrotas sobre as mães dela. Não leva em conta a campanha de Wheeler contra ela nem a forma como às vezes parece que todos estavam rindo dela logo antes de ela entrar na sala. Há aquela dorzinha inicial, e há o momento em que ela passa pela porta de casa e sente a dor passar, mas existe todo esse tempo entre as duas coisas, em que ela luta para manter a média lá no alto na base do ódio, em que marcha pelos corredores e viola pequenas regras para sentir que fez algo para merecer a maneira como as pessoas olham para ela.

Ela tinha tanta certeza de que não deveria acreditar em nada disso, que isso não teria como fazer mal a ela.

Será que Shara estava certa? Ela realmente passou esse tempo todo com medo? Aquela raiva em seu âmago, a coisa que agarrava seu coração — e se sempre tiver sido medo, esperando ali dentro dela, finalmente dando as caras no primeiro dia do ensino médio?

E se Willowgrove a afetou sim, afinal?

Às duas da tarde do domingo, o celular de Chloe se acende em sua mesa de cabeceira. Ela marca a página de seu guia de estudo de biologia avançada com o dedo e dá uma olhada.

shara.wheeler começou uma live no Instagram

Não pode ser. Ela se recusa a olhar. Ela venceu. Acabou.
Um segundo se passa, e mais um.
Ela joga as anotações ao pé da cama e pega o celular.

O vídeo é uma imagem vazia da cabine do veleiro dos pais de Shara, exatamente como Chloe se lembra: a cama pequena, a escada, a escova de dente rosa em um copo perto da pia minúscula. Ela vê o número no canto da tela subir cada vez mais: 37 pessoas, 61 pessoas, 112, 249, e não para de subir. Nomes conhecidos surgem com mensagens. Summer Collins digita uma série de pontos de interrogação. Tyler Miller pergunta se chegou atrasado. April Butcher envia uma série de emojis céticos de monóculos.

Quando o número chega a 300 — três quartos da população do ensino médio de Willowgrove —, Shara entra no quadro e diz:

— Oi.

O cabelo dela está preso, e seu rosto sem maquiagem. Ela está usando uma camiseta velha e larga com um buraco na gola, torta para um lado de modo que sua clavícula aparece. *De novo* aquelas clavículas.

— O lance é o seguinte. — Ela se senta e olha diretamente para a câmera, a cabeça erguida, os olhos atentos. Chloe já a viu fazer a mesma cara antes de gabaritar uma prova. — Eu menti.

Chloe se sente chegar mais perto da tela.

— Eu menti sobre... sobre muitas coisas, na verdade. Basicamente tudo. Mas vamos começar pela história da faculdade. Não entrei em Harvard. Quer dizer, quase entrei, mas fui um fracasso total na entrevista. — Ela ergue uma folha de papel com o selo de Harvard. — Esta é minha carta de rejeição. Então, tem isso, mas a outra parte da mentira é: eu bombei na entrevista de propósito.

Quê.

— Quê — Chloe murmura para o celular.

Shara puxa uma caixa de sapato para a tela — onde ela escondeu isso quando Chloe estava lá? — e a vira sobre a mesa. Papéis caem em cascata, envelopes abertos e carimbos.

— A verdade é que — Shara continua —, quanto mais eu pensava nisso, nos meus primeiros dias de aula em Harvard, onde metade das pessoas na sala seria tão inteligente quanto eu e a outra metade seria mais, eu não conseguia suportar a ideia. Eu não *queria*. Mas já tinha feito questão que todo mundo soubesse sobre Harvard, então decidi fingir. E também é claro que meu pai não me deixaria me candidatar só para uma faculdade, então me sentei na cozinha enquanto ele me via me candidatar a dezessete universidades diferentes que ele escolheu. Duke. Vanderbilt. Yale, Notre Dame, Rice... enfim. E, quando passou tempo o suficiente, comecei a falsificar cartas de admissão também. Pesquisei como eram. Fiz questão de buscar o correio sozinha todo dia. Até comprei alguns kits de boas-vindas na internet. — Ela dá de ombros, abrindo um sorriso de lado para a câmera. — Olha, ninguém pode dizer que não me dedico depois que enfio alguma coisa na cabeça, beleza? Não foi só com Harvard que eu estava me dedicando. E me concentrar em tudo isso significava que eu não tinha tempo para pensar no que viria depois.

Shara empurra a caixa para fora da tela, e Chloe vê os olhos dela descerem para os comentários que estão surgindo. Ela balança a cabeça de leve e continua.

— Pra ser sincera, foi fácil. Passei minha vida toda mentindo, mas prefiro pensar nisso como uma forma de adaptação. Um desenvolvimento. Desde que me entendo por gente, todo mundo me falava que eu era bonita, que eu era perfeita, que era a responsável por um legado, então decidi ser assim porque fazia meus pais gostarem mais de mim e me fazia me sentir segura. Menti pra minha família, pros meus amigos, pro meu namorado, pra pessoas que eu mal conhecia, e fiz tudo isso para as pessoas se apaixonarem por algo que inventei em vez de quem eu sou de verdade. Ainda não sei por que isso é uma coisa ruim... tipo, *gostei* de ser rainha do baile. *Escolhi* isso. Tornava tudo mais fácil. Qual é o problema de fazer o que for preciso para ter uma vida mais fácil? Por que é tão ruim querer se sentir especial, ou amada, ou aceita? O ensino médio parece tudo que existe às vezes, parece o mundo inteiro, e não queremos que o mundo inteiro gire em torno de nós? Não é isso que nossos pais dizem? Me deixem falar uma coisa pra vocês: às vezes, um pedestal é um lugar muito confortável pra estar, porque pelo menos lá em cima ninguém pode te fazer mal.

Ela pausa, tirando uma mecha de cabelo da frente do rosto.

— Mas, enfim — ela continua —, alguns meses atrás, quando vi o fim do último ano se aproximando, decidi fugir. Eu sabia que era só uma questão de tempo até as pessoas descobrirem sobre Harvard se eu ficasse. Eu voltaria quando todos sentissem minha falta, seria a oradora e deixaria que fosse essa a forma como todos vocês se lembrariam de mim. Adorei essa imagem que criei na minha mente: eu como a menina que tinha mais o que fazer do que ir à escola, mas que voltou uma última vez pra fechar esse ciclo com chave de ouro. Ninguém precisaria ver todos os alfinetes que prendiam o vestido, se é que vocês me entendem. Esse era o plano. A live nunca foi parte dele, mas isso era quando eu achava que sabia quais eram todas as minhas mentiras e por que eu tinha que recorrer a elas. Não tinha passado pela minha cabeça que também estava mentindo pra mim. Só soube dessa parte duas noites atrás, e foi então que decidi contar tudo a vocês. Acho que talvez eu precisasse de tantos segredos pra manter esse outro escondido, e agora que não está mais escondido, não preciso do resto.

Shara coloca a palma das mãos na mesa, olhando para a câmera com tanta intensidade que Chloe quer desviar os olhos, mas não consegue.

— O verdadeiro motivo por que eu fugi não é sequer um motivo. É uma pessoa. Fiz tudo isso pra chamar a atenção dela, e disse a mim mesma que era porque queria ganhar dela, mas, na verdade, queria saber que ela estava olhando para mim. Essa parte não deve ser uma surpresa pra ela... ela descobriu isso antes de mim. Acho que ela já saiu ganhando, né? Mas, bom, essa é a verdade. Toda a verdade. Cansei de mentir. E, se me odiarem agora, beleza. Só faltam duas semanas. Eu aguento. Vejo vocês na segunda.

DA PILHA DA FOGUEIRA

Bilhetes trocados entre Shara e Smith
Encontrados nas anotações de Economia de Mercado
de Smith

Quer sair pra jantar amanhã? É a minha
vez com o carro e o Olive Garden tem
buffet livre de sopa, salada e gressino nos
fins de semana ☺

Não posso, tenho que estudar.

Na sua casa?

Eu ia pra biblioteca

ahhh saquei

Na verdade, posso estudar em casa. Quer ir?

sim!

18

DIAS PARA A FORMATURA: 13
DIAS DESDE QUE SHARA VOLTOU: 1

Chloe está, como com frequência, e como esteve na verdade toda vez que pensou em Shara desde a primeira vez que a viu naquele maldito outdoor, furiosa.

Ela estava no controle. Sabia todos os segredos de Shara. Por exatamente trinta e seis horas, até Shara virar o jogo. De novo.

E agora Shara vai voltar, e Chloe está atrasada no cronograma de estudo de três matérias porque estava perdendo todo tempo e toda energia tentando vencer um jogo manipulado.

É segunda de manhã, e ela não está esperando Shara. Está sentada sozinha no capô do carro no estacionamento porque Georgia ainda não está falando com ela, por causa de Shara, assim como o resto dos amigos, então ela está repassando o guia de estudo de literatura avançada sozinha, e definitivamente não está esperando para ver o Jeep branco de Shara entrar ali pela primeira vez em um mês.

Não é o Jeep branco de Shara, mas a BMW vermelha de Rory que entra no estacionamento.

Ele está com a capota abaixada, Jimi Hendrix gritando nas caixas de som, e Shara no banco de passageiro.

As anotações de Chloe caem no concreto.

Rory, o traidor, está ao volante com um par de óculos escuros Ray--Ban. Tudo o que Chloe consegue fazer é olhar, boquiaberta, enquanto ele entra na vaga perto dela e estaciona. Todos estão boquiabertos, na verdade — uma onda de choque se inicia na ponta do pátio, onde

Emma Grace Baker derruba o Frappuccino de baunilha em cima dos Superstars dela.

Shara abre a porta e sai.

Sua saia está pelo menos oito centímetros mais curta do que manda a regra de comprimento. Seu rosto está sem maquiagem. E seu cabelo — a cascata loira ondulada característica de Shara Wheeler — foi cortado logo acima dos ombros em uma linha irregular, como se ela mesma o tivesse cortado com uma tesoura da cozinha em cima da pia do banheiro, e tingido em um tom de rosa-shocking expressamente proibido pelo código de vestimenta de Willowgrove. Quando ela passa a mão no cabelo, seus dedos estão manchados de tinta.

— Oi — ela diz a Chloe mais alto que o som das guitarras.

— Oi — Chloe responde.

Elas ficam lá. O cérebro de Chloe está reprisando sem parar o último minuto da live de Shara. O ângulo desafiador do queixo de Shara enquanto falava, o ardor em seus olhos. *Queria saber que ela estava olhando para mim.* E aqui está Chloe, olhando.

Finalmente, Shara diz, tensa:

— Não queria perder nenhuma prova.

Ela sai andando, e, como sempre, o mundo todo se curva para Shara Wheeler. Tudo fica em câmera lenta. Calouros odiosos calam a boca. Casais da bateria param de se agarrar. April dá um tapa tão forte em Jake que ele solta uma nuvem furtiva de *vaper*. A boca pintada da sra. Sherman fica tão fina que desaparece. Uma bola de futebol americano acerta o lado da cabeça de Ace e sai quicando, completamente esquecida.

Chloe observa a saia de Shara balançar no ritmo perfeito da música que ainda toca no carro de Rory e sente que está perdendo a cabeça.

Ela vira para Rory.

— Sério? "Purple Haze"?

Ele dá de ombros.

— É uma música boa.

— Por que você está pagando de *motorista dela*?

— Os pais dela arrancaram o volante do carro dela, então ela foi lá em casa e me pediu uma carona. A gente conversou. Está de boa.

— Está de boa? Depois de tudo o que ela fez você passar, está *de boa*? Pensei que você não estava mais apaixonado por ela.

— Não estou — ele diz. Ele desce os óculos de sol pelo nariz e ergue uma sobrancelha. — Na verdade, acho que tanto eu quanto ela somos gays.

A única cena que a imaginação de Chloe consegue oferecer nesse momento é a mão dela apertando um grande botão vermelho para lançar a si mesma e toda a escola para fora da órbita.

— Inútil. — Ela pega seus materiais de estudo e sai andando apressada para sua primeira prova. — *Inútil!*

— Ficou sabendo que a Shara voltou?

— Ouvi dizer que ela fingiu ter entrado em todas aquelas universidades.

— Você não *ouviu dizer*, ela *contou* — Chloe murmura, se enfiando pela multidão a caminho da prova.

Assim como na primeira segunda-feira depois que Shara fugiu, é impossível ir a qualquer lugar da escola sem ouvir o nome dela.

— Ouvi dizer que ela roubou um barco e velejou até o México e voltou sozinha.

— Ouvi dizer que o Smith deu um fora nela.

— Sério? Porque ouvi dizer que *ela* deu um fora *nele* porque é *lésb...*

Uma sirene corta o burburinho matinal, fazendo os alunos baixarem a cabeça e cobrirem os ouvidos. No centro do corredor está o diretor Wheeler, segurando um megafone, visivelmente sem fôlego.

— Alunos de Willowgrove! — ele grita no megafone. — Se vocês não forem veteranos, não existe motivo para não estarem nas salas da sua primeira aula, em seus lugares, prontos para a oração e para os anúncios matinais! Se *forem* veteranos, deveriam estar se dirigindo à sua primeira prova! Isto não é uma discoteca! Vocês ainda não estão de férias! Se eu vir algum aluno neste corredor em dois minutos quando o sinal da aula tocar, vai passar a tarde na detenção! Repito, detenção! Vamos lá!

Ele baixa o megafone enquanto todos dispersam, e então vira e dá de cara com Chloe.

Ele parece totalmente péssimo. O cabelo está desgrenhado, a camisa abotoada errado, olheiras escuras — a cara de um homem que teve um fim de semana horrível e agora está tendo uma manhã horrível. Por um breve momento, ela pensa em como deve ter ficado furioso quando entrou no quarto de Shara hoje de manhã e descobriu que sua filhotinha cristã havia desaparecido de novo sem deixar nada para trás além de bolas de feno de cabelo loiro cortado. Agora só resta a ele correr pelos corredores com um megafone, tentando impedir que o valor do nome Wheeler caia ainda mais.

Ele ergue o megafone e diz, sobre um ruído de feedback:

— Você também, srta. Green.

Ela não diz "Beijei sua filha, duas vezes", mas pensa. Pensa *com força*.

Em vez disso, ela sorri, bate continência e sai marchando para sua prova de literatura avançada.

Shara já está na carteira quando Chloe chega à sala de aula da sra. Farley. O resto da turma está virado para carteiras do lado, cochichando de trás de pilhas de anotações, e todos estão encarando a menina na primeira fileira com o cabelo cor-de-rosa.

Antes, quando todo mundo na sala olhava para Shara, isso a deixava mais poderosa, como a lua refletindo a luz do sol. Agora, se ela nota, não demonstra. Seus olhos estão voltados para a frente, fixados em sua linha organizada de canetas e lápis.

Ela nem ergue os olhos quando Chloe se senta atrás dela, mas sua postura se endireita de leve.

A sra. Farley não fala nada para Shara quando distribui as folhas de prova. Nenhuma advertência sobre o código de vestimento, nenhum pedido de licença médica pelo mês de aula que ela perdeu, não lança nem mesmo um olhar de reprovação. Deve ser bom ser filha do diretor.

Se Chloe falasse um monte de coisas gay numa live do Instagram e aparecesse na escola com o cabelo cor-de-rosa e uma saia supercurta, seria catapultada para fora do prédio, provavelmente sendo lançada para dentro de uma das lixeiras atrás do refeitório.

Pelo menos, ela termina a prova antes de Shara. Coloca os papéis com o ar presunçoso na mesa da sra. Farley, e é isso — sua última prova de inglês do ensino médio.

Quando vê Shara na primeira fileira, de cabeça baixa, escrevendo sua redação com afinco, ela se lembra da carta da garota: os três dedos na carteira de Chloe no primeiro dia de aula. Ela se lembra daquele momento, como ficou lá com os nervos à flor da pele e observou Shara tirar três lápis afiados de um estojo da mochila, o que também era irritante, sabe-se lá como — era sempre uma coisa dentro de uma coisa dentro de uma coisa com Shara.

Então, no caminho de volta à carteira, ela se inclina e toca o canto da carteira de Shara com a ponta de três dedos, leve e rápido o bastante para que qualquer pessoa pense que foi sem querer.

Mas Shara não é qualquer pessoa. Seu queixo se ergue na hora, e ela olha da mão para o rosto de Chloe, a caneta paralisada sobre o papel, um fio de cabelo rosa riscado caindo sobre a parte de cima do nariz.

A maneira como os olhos dela se voltam para Chloe... não é surpresa. Não é confusão. É uma expectativa brilhante e inebriada, como se ela soubesse que era apenas questão de tempo até isso acontecer. Como se ela estivesse esperando desde que se sentou que Chloe aparecesse e a beijasse.

E é então que ela se toca. Shara ainda acha que pode ter tudo que quer quando decide que quer. Ela pensa que, porque passou por uma transformação e parou de esconder seu crush, Chloe vai cair no colo dela. Como se Chloe fosse fazer como todos os outros que Shara já conheceu e *facilitar* as coisas.

Ela ainda tem algo contra Shara: ela mesma. Ela consegue fazer Shara correr atrás dela. Consegue usar isso a seu favor — deixar que ela pense que pode ter uma chance e então fazer com que, pela primeira vez em toda a sua vida encantada, Shara seja rejeitada *com vontade*. Chloe passou quatro anos tentando fazer com que Shara não conseguisse ao menos uma coisa. Agora ela pode *ser* essa coisa.

Sério, o plano original de Shara de partir o coração de Chloe não era ruim. Pena que ela o desperdiçou.

Ela abre um sorrisinho para Shara e se senta em seu lugar.

O plano de Chloe para o resto da semana de provas finais é simples: um, se colocar à disposição de Shara. Dois, fazer coisas que ela sabe que Shara vai curtir com base em comportamentos passados. Nada que conte objetivamente como um flerte, mas, tipo, pequenas armadilhas safadas. Três, exagerar tanto que Shara vai *precisar* tentar alguma coisa. Quatro, rejeição, satisfação, *glória*.

Shara basicamente faz o primeiro passo por ela. Nos dias seguintes, ela parece criar subitamente o hábito de estar em todos os lugares em que Chloe está. Chloe vai fazer uma pergunta para a professora de cálculo, e Shara está esperando na frente da sala. Chloe destranca o carro, e Shara está a duas vagas de distância no estacionamento, fingindo estar interessada na pressão dos pneus de Ace. Chloe para no canto do pátio, observando seus amigos dividirem uma caixa de batatinhas da Sonic e se perguntando se Ash chegou a terminar o portfólio e, de repente, Shara está sentada na floreira mais próxima com seu fichário separado por cores de guias de estudo.

Chloe só pode imaginar que a estratégia de Shara é parecida. Ela está ficando à disposição de Chloe, sob a falsa impressão de que Chloe ainda não caiu em seus braços por pura falta de oportunidade.

Ela pode usar isso.

Quando ela para no armário para um café de emergência, lá está Shara, recostada no armário do lado, tentando abrir uma barra de cereal.

É injusto, mas o cabelo cor-de-rosa curto ficou *sim* bom nela. Com seus traços definidos e cílios longos, a deixa parecida com uma personagem de quadrinho.

— Como você acha que foi na prova de cálculo? — Shara pergunta.

— Ah, você sabe — Chloe responde. Ela toma um gole, depois encara Shara enquanto passa o polegar na lateral do lábio inferior como se fosse uma menina dos romances do século XIX de Georgia. Os dedos de Shara ficam tensos em volta da embalagem. — Bem. Derivadas implícitas até que são bem fáceis depois que você pega o jeito.

— Não — Shara discorda, olhando fixamente para a boca dela —, não são.

— Hum. Vai ver são só pra mim, então — Chloe diz. — E você?

— O que tem eu?

— A prova. Como você foi na prova?

— Ah. Bem.

— Melhor do que eu? — Chloe questiona.

Shara morde um canto do lábio.

— Talvez.

— Quer apostar? — Chloe pergunta.

— O que eu ganharia?

— Me fala você — Chloe diz. — Tenho certeza de que você consegue pensar em alguma coisa minha que queira.

Shara finalmente consegue rasgar a embalagem da barra de cereal.

— É — Shara diz numa explosão de migalhas —, provavelmente.

E então ela sai batendo o pé.

Isso é novo. Não a parte de fugir — esse é o lance da Shara —, mas o jeito indignado como ela olhou para Chloe antes de sair, como se Chloe a tivesse *traído*, de alguma forma. Como se Chloe tivesse cometido um crime contra ela, e o crime fosse "não tirar a camisa".

— Ah — ela se toca em voz alta —, que *divertido*.

No dia seguinte, Chloe está digitando o número de um doce e o reflexo de Shara se materializa ao lado do dela no vidro da máquina de vendas.

— Você está deixando a franja crescer? — Shara pergunta. — Está diferente.

Chloe inspira e olha para ela, relaxando a boca em um sorriso malicioso.

— Andei pensando em fazer isso, na verdade. Meio que quero deixar crescer tudo para poder prender se precisar. Sabe como você precisa prender o cabelo às vezes?

— Uhum — Shara diz.

— Acha que eu ficaria bem de cabelo comprido? — Chloe pergunta.

— Eu... — Shara começa. Os lábios dela se curvam, e Chloe segura o riso. — Claro. Se é o que você quer.

Shara bufa e sai de novo.

À tarde, na frente do espelho do banheiro feminino, Chloe está inclinada sobre a pia do banheiro para arrumar a ponta do delineado quando Shara se senta na pia mais próxima.

— Que marca de delineador você usa? — Shara pergunta.

— Por quê? — Chloe se vira para ela. — Quer experimentar?

— Ah, não...

— Posso passar em você — Chloe diz. — Vem cá.

— Não precisa, não — Shara replica, pulando para o chão.

Ela tenta sair com a cabeça erguida, mas seus sapatos fazem barulho no piso frio úmido no caminho todo, o que parece deixá-la ainda mais furiosa.

Quando a porta se fecha, Chloe sorri para seu reflexo.

Ela nunca pensou em si mesma como gata. Bonitinha, talvez, mas mais do tipo campanha da Gucci, com os dentes separados demais, os olhos grandes demais. Mas esse lance com Shara — uma garota que cresceu com o tipo de beleza que a maioria das pessoas nunca nem viu no mundo real, tão linda que quase machuca os olhos — é como entrar em uma nova pele cintilante. Como ser lançada ao espaço e ter todas as suas partículas rearranjadas em alguém tecnicamente parecido, mas que é uma versão melhorada da anterior. Ela é uma rebelde galáctica briguenta, e Shara é uma estrela, e ela está carregando um canhão de plasma enorme e o apontando bem para o coração de Shara.

Tipo, como essa poderia *não* ser a melhor coisa de todas?

★ ★ ★

Na quinta à tarde, depois de sua prova de biologia avançada, ela sai da sala e encontra Shara em frente ao armário de Smith.

É a primeira vez que Chloe os vê juntos desde que Shara voltou, o que é... estranho. Ela não sabe o que estava esperando — talvez Smith tentando se defender dela com uma cadeira, como um domador de leão —, mas certamente não era a sensação de calma e tranquilidade que paira ao redor deles. Eles estão como sempre estiveram, inclinados um na direção do outro feito duas plantas compridas, mesmo depois de tudo. Ela diz algo inaudível para ele, e ele dá aquele riso ensolarado dele.

Primeiro o Rory, agora o Smith? *Como* ela consegue entrar de volta na vida deles como se nada tivesse acontecido? Mesmo que Smith se sinta culpado por namorar com ela sob um pretexto falso, ela ainda assim fez todo o resto.

Uma dúzia de armários à frente, Ash está enfiando seu kit de arte — basicamente uma caixa de pesca cheia de cerâmica plástica e olhinhos de brinquedo — no armário. Elu olha na direção dela, e Chloe quase ergue a mão para acenar, mas Ash faz uma cara triste e vira as costas.

Certo. Chloe é a única que tem que sofrer as consequências pelos seus atos. Até agora, pelo menos.

Ela vai até o armário duas colunas ao lado do de Smith, onde Brooklyn Bennett está com os olhos arregalados folheando suas pilhas de cartões de anotação presos por elásticos.

— Oi, Brooklyn — ela diz, agressivamente simpática. — Qual é a boa?

— Estou prestes a ter um colapso nervoso, essa é a boa — Brooklyn responde.

A garota desata a fazer uma longa lista detalhada de todas as perguntas que acha que errou em cada uma de suas provas, e Chloe finge uma expressão solidária e não presta atenção, enquanto escuta a conversa de Shara e Smith.

— ... acabamos de voltar a conversar — Smith está dizendo em tom baixo. — E se eu fizer besteira e ele voltar a fingir que não existo?

— Certo — Shara diz, impassível —, esse tempo todo ele estava cuidando da vida dele e *não* encarando você da janela do quarto.

— Estou falando sério, Shara. Acho que esta é minha última chance.

— *Eu* estou falando sério — Shara rebate. — Não acho que suas chances vão se esgotar tão cedo.

Atrás deles, Chloe consegue ver a foto do baile ainda fixada na porta do armário. O vestido azul, a sombra dos mamilos que foi assunto no mundo todo.

— Vou estudar na biblioteca — Chloe anuncia alto.

— Hum — Brooklyn diz, espantada. — Tá.

— Pois é — ela diz. A dois armários, ela consegue notar a leve mudança nos ombros de Shara ao escutar. — Devo passar a tarde toda lá.

— Tá — Brooklyn diz de novo. — Valeu.

Ela deixa Brooklyn a encarando e se dirige ao próprio armário. Da bolsinha de maquiagem, a que antes usava para guardar os cartões de Shara, ela tira algo que trouxe para a escola no começo da semana. É um agravamento, sem dúvida. Uma ação do tipo "quebre o vidro em caso de emergência".

Por mais divertido que tenha sido ver Shara corar e fechar a cara e olhar fixamente para ela com aqueles olhos grandes e brilhantes, por mais viciante que seja ser tão doce com ela que, se cortada aquela doçura, se partiria como uma bala de hortelã em pedacinhos cortantes, por mais que ela saiba que pode continuar controlando isso até o fim do universo e nunca se entediar, está na hora. Alguém tem que fazer Shara pagar por alguma coisa, e Chloe vai ser essa pessoa. Bora aquecer aquele canhão espacial, gata!

Ela dá uma última olhada na franja no espelho de plástico na porta do armário, entre um bilhete da mãe e uma série de fotos dela e Georgia no cinema. Nossa, se Georgia soubesse disso, ela ficaria muito estressada. Já Benjy toparia, ele adora um esquema, e Ash...

Ela fecha o armário e vai para a biblioteca.

DA PILHA DA FOGUEIRA

Rabiscado nas margens de uma lição de leitura à
primeira vista

DISCURSO DE ORADORA: RASCUNHO Nº 29

Gostaria de começar me dirigindo ao diretor Wheeler: com
todo o respeito, senhor, vou encontrar um jeito de destruir a sua
vida nem que seja a última coisa que eu faça.

19

DIAS PARA A FORMATURA: 9

Ela leva meia hora para editar suas anotações de história europeia até manter apenas aquelas com potencial erótico nas entrelinhas. Guerra Peninsular? Não. Corn Laws? De jeito nenhum. Déspota esclarecido? Provavelmente é como Shara se enxerga, mas não. Ajudaria muito se a história europeia fosse menos horrível. Ela vai ter que pegar pesado com as coisas religiosas.

Chloe está tão absorta decidindo se Francis Bacon poderia ser sexy que quase não escuta Shara entrando pela porta lateral da biblioteca.

Sua mesa é uma das isoladas fora da área central, então ela tem cerca de um segundo e meio até Shara vê-la. Nesse tempo, ela chuta a mochila da cadeira perto dela, tira as anotações do caminho, ajeita o cabelo, endireita os ombros e, para o toque final, engancha o tornozelo na cadeira vazia e a puxa uns trinta centímetros mais para perto.

Quando ela sente os olhos de Shara nela, está com uma pose serena, o rosto virado de modo a refletir as lâmpadas fluorescentes do teto no ângulo que mais a favorece.

Ela escuta os tênis de Shara pararem no carpete, então o *pat-pat-pat* suave de sua aproximação.

— Sabe — Shara diz ao lado da mesa —, se você queria que eu te encontrasse aqui, era só ter me chamado.

— Ah, oi, Shara — Chloe cumprimenta, piscando para ela com uma falsa surpresa.

— Não precisava ter enfiado a Brooklyn no meio disso — Shara continua. — Aquela menina está a uma pergunta de prova de um colapso nervoso.

— Não sei do que você está falando — Chloe declara —, mas, se estiver a fim de confrontar certas coisas, pode começar em outros lugares.

Shara morde o lábio.

— Qual é sua última prova?

— Você não sabe? — Chloe pergunta.

O lábio de Shara fica branco como creme embaixo dos dentes, depois vermelho-cereja quando ela o solta. Ela se senta na cadeira vazia e começa a abrir o zíper da mochila, tão perto que Chloe sente o cheiro de lilases pela primeira vez desde o veleiro. Ela tenta não se perder demais na memória de Shara gritando e se debatendo em uma nuvem encharcada de tule cor-de-rosa. Sério, um dos melhores momentos da vida de Chloe.

— História europeia — Shara admite finalmente.

— E a sua é química II — Chloe diz. Shara pisca, como se realmente achasse que Chloe fosse burra a ponto de não decorar o horário dela também. — Você melhorou nos problemas de reagentes limitantes desde o segundo ano ou quer ajuda?

Shara coloca o fichário na mesa.

— Já descobriu a diferença entre Prússia e Alemanha ou vou ter que ler suas anotações pra você?

— Na verdade — Chloe diz, sorrindo. Se essa é a sensação de ver seus planos correrem perfeitamente, ela entende por que Shara gosta tanto deles. — Seria bem útil.

E, portanto, como recusar significaria aceitar a alternativa — uma conversa consciente e honesta sobre seus sentimentos —, Shara abre a mão e aceita a pilha de anotações de Chloe.

Chloe, é lógico, já os decorou. Ela apoia o queixo na mão e contempla o rosto corado de Shara enquanto recita as respostas sem dificuldade.

— Instituição da Religião Cristã — Shara pergunta.

— Escrita por João Calvino, 1536. Diz que a Bíblia é a única fonte de doutrina cristã e que há apenas dois sacramentos: batismo e comunhão.

— Defenestração de Praga.

— 1618 — Chloe diz. — Os protestantes jogaram um monte de oficiais católicos pela janela de um castelo na Boêmia. Começou a Guerra dos Trinta Anos.

Shara tira os olhos do cartão.

— Sabe o nome dos oficiais?

Uma manobra óbvia.

— Conde Jaroslav Bořita de Martinice, conde Vilem Slavata de Chlum, Adam II von Sternberg e Matthew Leopold Popel Lobkowitz — Chloe recita.

Shara passa para o próximo, parecendo profundamente abalada.

— Regicídio.

— Assassinato de um rei — Chloe diz. — Ou rainha.

— Lucrécia Bórgia.

— 1480 a 1519. Uma das mulheres mais famosas do Renascimento. Supergata. Loira. Cabelo lindo. Inteligente, culta, brilhante, muitos casamentos politicamente estratégicos, boatos de que curtia envenenar pessoas. Muito usada em manobras de poder pelo pai, o papa Alexandre VI.

Por cima da carta, Shara vasculha o rosto de Chloe em busca de alguma coisa. Chloe abre mais um sorriso inocente.

— Continua — ela diz. — Você está indo bem.

Shara cerra o maxilar e passa para o próximo cartão.

— Botticelli.

— 1444 a 1510. Pintor importante do Renascimento florentino, patrocinado pela família Médici, mais conhecido por *Primavera*, 1482, e *O nascimento de Vênus*, meados de 1480. Tem um estilo muito particular.

— Em que sentido?

A armadilha. Shara acabou de pisar nela. Chloe puxa a alavanca.

— Bom — Chloe diz —, era meio que sobre a ideia dele de beleza.

Especialmente mulheres: ele sempre pintava as mulheres meio que flutuando pelo espaço. Meninas com um tipo natural de elegância, como se fossem leves e sólidas ao mesmo tempo. Sabe?

Shara engole em seco e assente.

— E então, tipo, essa linha. — E é agora que ela faz: ela estende a mão e quase toca a curva do maxilar de Shara com a ponta do dedo, passando da linha da mandíbula dela até seu queixo. Shara fica absolutamente imóvel. — Ele a teria pintado com uma borda forte, porque gostava de contornos muito dramáticos e definidos.

Ela se recosta e, antes que Shara tenha a chance de se recuperar, vira a cabeça para o lado e, casualmente, puxa a gola para o lado, como se fosse um acidente.

É meio que engraçado, ela precisa admitir. Ela é uma donzela passeando pela mansão de Drácula à luz de velas com o pescoço para fora, suspirando: "*Ahhhh nãããão*, olha minhas *pobres artérias expostas e vulneráveis*, não seria uma *verdadeira tragédia* se alguém viesse e as *chupasse?*".

Funciona. O olhar de Shara vai diretamente aonde ela quer, bem para a abertura da camisa de Chloe, onde sua arma secreta está pousada na curva entre suas clavículas. O colar de crucifixo prateado de Shara.

— Esse é... — Shara sussurra. — Onde você arranjou isso?

— O quê, isso? — Chloe baixa os olhos, erguendo as sobrancelhas. — Achei no lixo, na verdade. Louco, né? Por quê, ele significa alguma coisa pra você?

É seu, Shara. Me diz que é seu. Admita alguma coisa pela primeira vez na vida.

— Não faço ideia de como responder a essa pergunta — Shara diz em tom baixo, como se não soubesse se estava se dirigindo a Chloe, a si mesma ou a Deus.

— Tem certeza? — Chloe pergunta.

Chloe sente algo quente na pele.

Em cima da mesa, sobre as pilhas de anotações de Chloe, Shara passa o mindinho esquerdo devagar, com cuidado e delicadamente, entre os dois primeiros dedos da mão direita de Chloe.

É agora. Shara vai olhar para ela e dizer: "Ah, esse é o meu colar, você estava certa esse tempo todo, você me conhece melhor do que eu mesma, eu mentia o tempo todo até você aparecer", e então Chloe vai dizer "dã" e Shara vai continuar: "me abraça, sua gênia gostosa", e Chloe vai deixar que Shara a beije, e juntas elas vão entrar num canto discreto entre as estantes para que Shara possa beijá-la na seção de ficção, M a R, e ela vai tocar a lateral do pescoço de Shara embaixo do cabelo dela...

Não. Espera. Não é esse o plano.

Ela vai deixar que Shara se aproxime para o beijo e, então, quando Shara estiver lá naquele segundo antes de seus lábios se tocarem, ela vai recuar e dizer: "Ah, foi mal, mas não gosto de você desse jeito".

Ela volta o olhar de suas mãos para o rosto lindo e ansioso de Shara, que está mais próximo do que segundos atrás. Ela está olhando para o pescoço de Chloe, para a boca de Chloe quando ela a inclina para imitar a de Shara.

Vai logo, Chloe pensa. *Fala logo que é seu. Faça alguma coisa.*

Shara entreabre os lábios.

— Eu...

Ela derruba as anotações de Chloe e empurra a cadeira, pegando o fichário e a mochila.

— Preciso ir — ela diz. — Rory vai me dar uma carona, e ele... fiquei de encontrar com ele...

Sem dizer mais nada, ela dá meia-volta e sai da biblioteca tão rápido quanto saiu naquela tarde em que ensaiaram as falas de *Sonho de uma noite de verão*.

Em casa à noite, sua mãe pergunta:

— Onde você arranjou isso?

Ela segue os olhos da mãe para a abertura da camisa. Merda. Esqueceu de tirar o crucifixo de Shara.

— Ah, hum. Eu encontrei.

A mãe parece cética.

— Isso aí tem cara de que custou uns milhares de dólares, Chloe. Por que está usando isso?

— Eu... tá, então, é... — Não tem como fugir dessa, na verdade. — É... por causa de uma menina. É o colar dela, e eu estava tentando mexer com a cabeça dela, então meio que, hum. Usei na frente dela.

— Parece eu usando o avental de solda da sua mãe pela casa quando estava a fim — sua mamã murmura à mesa da cozinha.

— Jesus *Cristo*. — Chloe suspira.

— Então é *isso* que está acontecendo — a mãe diz. — Você está com uma quedinha por uma menina cristã.

— Eu não...

— Olha, eu entendo... todas aquelas meninas andando por aí com Jesus em cima dos peitos? Sempre me pareceu uma armadilha quando eu tinha sua idade. — Ela faz carinho na cabeça de Chloe. — Você está fingindo ir à igreja agora pra poder namorar a filha de uma família de bem?

— Não é nada disso — Chloe insiste. Sua mamã já está cantando "Papa Don't Preach" baixinho. Chloe tira o colar e segura a corrente. — Viu? Ainda a pagã que vocês criaram.

— Você é sempre perfeita — sua mãe diz, dando um beijo em seu cabelo. — Depois me conta o nome dela. Precisa de jantar?

— Estou de boa — ela responde, pegando um pacote de pasteizinhos congelados. — Vou comer enquanto estudo.

No quarto, ela espalha as anotações na cama e vê se tem algo que ainda precisa repassar. Está prestes a começar com os bolcheviques quando as luzes ativadas por sensor de movimento do outro lado da janela se acendem.

Ela semicerra os olhos para as persianas fechadas e deseja sorte a Titania em sua missão de acabar com todos os grilos deste plano mortal, mas então escuta: um leve arranhão metálico em sua vidraça. O som de alguém tirando a tela.

Ela não sabe como sabe, mas sabe.

Ela pula da cama e abre as cortinas e lá, ajoelhada em frente à janela, o nariz a centímetros do vidro, está Shara.

Ela está sem a camisa do uniforme que usava à tarde, vestindo agora apenas a saia e uma camiseta de algodão branco sob o brilho das luzes. Por um louco e maravilhoso segundo, Chloe acha que ela está lá para fazer o que não conseguiu fazer na biblioteca. Ela acha que Shara vai finalmente entrar na vida de Chloe e tornar aquilo tudo real.

Então, ela olha para a mão de Shara e vê o cartão cor-de-rosa.

Por um momento, elas ficam paralisadas em uma imagem congelada. Chloe imagina uma câmera de cinema rodando em volta delas, de trás dos ombros de Shara para o perfil atordoado de Shara para o monograma bonitinho e florido do cartão, para o quarto de Chloe sob o zumbido do ventilador de teto até o ar quente que ela inspira entredentes, terminando no sangue que sobe às bochechas de Chloe quando ela solta:

— *Não.*

Ela abre a janela e salta tão rápido que mal encosta no parapeito. Em um segundo, ela está no quarto e, no outro, seu corpo todo está fora da casa e ela está com a bunda e a cabeça e os quatro membros voando para cima de Shara feito um lêmure furioso na National Geographic, rosnando e rolando na grama, a tela rodando noite adentro enquanto Shara grita e rola no chão. As *duas* gritam e rolam no chão, esperneando e se debatendo até baterem de lado no aparelho gigante de ar-condicionado na lateral da casa, que está praticamente *rugindo*, porque no Alabama faz trinta graus mesmo à noite... o cotovelo de Chloe bate em algo que pode ser um nariz... as unhas de Shara são *afiadas*... Shara acerta o peito de Chloe com o ombro, fazendo-a cair de costas...

— Para! — Shara grita.

— Eu não vou fazer isso de novo! — Chloe exclama, a voz aguda.

Ela arranca um punhado de grama e joga na cara de Shara e, enquanto Shara balbucia e cospe, Chloe se debate até ficar em cima de novo.

— Só pega! — Shara rosna, soltando o braço e erguendo o cartão, que a essa altura está todo amassado na sua mão.

— Não!

— Pega!

— Você não pode me mmmmf...!

Aparentemente sem opções, Shara enfia o cartão na boca de Chloe.

Chloe recua, cuspindo o cartão na grama — a cartolina corta o canto da sua boca, o que é perfeito, na verdade, afinal o que é Shara se não um corte de papel no canto da boca da vida de Chloe —, e, com um uivo meio selvagem, ela morde o dedo de Shara.

— *Ai!*

— Qual é o seu *problema*? — Chloe berra.

Ela enfia o polegar na parte interna e vulnerável da coxa de Shara, e Shara se entrega pela duração de mais um "*ai!*", tempo o suficiente para Chloe se ajoelhar. Com uma das mãos, prende o primeiro punho que consegue segurar na barriga de Shara e, então — também sem opções —, monta na cintura de Shara para imobilizá-la.

Shara para de se mexer.

— Você vai fugir de novo? — Chloe questiona. Ela está sem ar, o coração batendo forte em seu peito.

— Eu... — Shara começa. Acima da cabeça dela, sua mão livre cai fraca sobre a grama, a palma aberta para o céu. — Não, eu... escrevi um cartão pra você.

— Ai, meu Deus, por que você não consegue agir como um *ser humano normal*? Por que não consegue fazer *uma coisa* que não seja uma porra de manipulação emocional a vinte e cinco milhões de quilômetros de distância? Não vou mais entrar nessa com você! Tudo o que eu fiz no último mês foi tentar descobrir quem você é, mas acho que nem *você* sabe!

— Chloe...

— Você acha que amor é só alguém moldar a vida toda em torno do que você quer? — ela continua, ignorando Shara, cujo rosto está tão cor-de-rosa quanto o cabelo. — Você tem alguma ideia do que quer dizer quando fala que me quer? *Não*, você *não* faz porra de ideia *nenhuma*, porque, se *fizesse*, se isso realmente *significasse alguma coisa pra você*, se não tivesse só a ver com o prazer que sente por alguém ficar obcecado por você, se realmente estivesse disposta a confrontar alguma coisa sobre si mesma ou sacrificar alguma coisa que realmente importasse pra você, você não estaria enfiando bilhetes na minha janela quando não estou olhando! Teria me beijado quando teve oportunidade na biblioteca hoje!

Ela só se dá conta do tempo que ficaram ali, imóveis no gramado, quando as luzes se apagam automaticamente. De repente, ela está olhando para Shara embaixo do seu corpo, sob o banho lavanda do luar, sentindo as inspirações e expirações de Shara entre suas coxas.

A mão livre de Shara ainda está solta acima da sua cabeça. Está simplesmente jogada lá, rendida, bem aberta. Chloe está completamente farta de esperar que ela a use.

— Eu contei pra todo mundo — Shara diz.

— Conta *pra mim*.

— Chloe. Leia o cartão.

— Não! — Chloe vocifera. — Fala na minha cara! Faz isso pra valer! Me chama pra *sair* como todo mundo que já gostou de alguém na história do universo!

Ela dá dez segundos para Shara responder, mas ela não responde. Ela encara Chloe, os olhos arregalados, os lábios entreabertos sem nada a dizer.

Ela solta o punho de Shara e se levanta.

Na sua cabeça, já elencou Shara no papel de um milhão de lindas mulheres derrotadas: Maria Antonieta em sedas pastel, Lucrécia Bórgia entornando veneno, rainhas vampiras e meninas no espaço. Agora, ali acima dela, não vê nenhuma. Vê uma menina com um corte de cabelo feito com uma tesoura de cozinha no jardim de um bairro residencial.

Um mês antes, ela estava diante da porta da casa de Shara e se recusava a acreditar que a outra havia fugido, porque sabia que o mito era uma mentira. Não havia nada de extraordinário em Shara Wheeler.

Esta é a verdadeira tragédia: tudo de extraordinário sobre ela está preso atrás de um mito.

— Preciso estudar — Chloe diz. — Vai pra casa, Shara.

Ao sair da sua última prova, Chloe ouve um boato novo.

Uma aluna do terceiro ano está contando para a outra que alguma fofoqueira do segundo ano viu duas meninas se pegando no banheiro do Bloco B. Cinco armários ao lado, dois caras do time de beisebol estão murmurando que as meninas foram denunciadas para o diretor Wheeler, e ele vai suspendê-las.

Ela para diante do bebedouro perto da saída, tentando ouvir o nome da dedo-duro que vai se tornar sua inimiga mortal, quando uma das portas duplas se abre.

— *Aí* está você — Shara diz quando vê Chloe, como se não soubesse o paradeiro exato de Chloe há meses.

Ela está iluminada pelo sol da tarde no batente, uma brisa quente esvoaçando seu cabelo em volta do rosto em um tom de rosa dourado.

Chloe resmunga. Shara Wheeler, cinematográfica como sempre.

— Falei pra você…

— Foi a Georgia — Shara a interrompe.

O estômago de Chloe se revira. O nome de Georgia na boca de Shara não pode significar coisa boa.

— Quê? O que foi a Georgia?

— Uma das meninas do banheiro do Bloco B — Shara diz. — Achei que você deveria saber.

— Georgia? Com *quem*?

— Summer — Shara responde —, mas só viram a Georgia, então ela foi a única que foi denunciada.

— *Summer Collins*? Elas… Desde *quando*?

— Não sei, ninguém me contou também. Summer não anda exatamente louca pra me contar as coisas ultimamente.

Chloe não tem tempo para reagir a isso.

— Cadê a Georgia agora?

— Na diretoria — Shara diz. — Meu pai vai ligar pros pais dela.

Shara dá um passo para trás, segurando a porta aberta. Os olhos dela estão arregalados, as sobrancelhas em um arco grave. Ela ainda está recuperando o fôlego — deve ter corrido pela escola inteira.

— Dá tempo se você correr — ela diz.

Chloe corre.

DA PILHA DA FOGUEIRA

Bilhetes trocados entre Georgia e Summer
Encontrados no verso das instruções do trabalho
de geometria, no qual elas tiraram 9,5

Onde você quer me encontrar depois da aula
pra fazer o trabalho? Acho que a sala da sra.
Johnson vai estar aberta e ela é de boa

Preciso trabalhar logo depois da aula, e
amanhã?

Treino de softball :(Será que posso passar
no seu emprego?
Onde você trabalha?

Sim, pode ser! Trabalho na Belltower Books

VOCÊ TRABALHA LÁ??? que massa

não é nada demais haha, meus pais são
os donos!

Sabe que isso torna ainda mais massa, né? Beleza, te encontro lá.

20

DIAS PARA A FORMATURA: 8

Chloe se choca contra a porta de vidro da secretaria feito um pombo camicase.

Quando a empurra, ela não escuta a porta bater na parede oposta nem o grito espantado da recepcionista. Não vê nada além de Georgia, sentada em uma das cadeiras acarpetadas medonhas, esperando ser chamada.

Seus olhares se encontram, e a expressão de Georgia vai e volta entre confusão e raiva em menos de um segundo, até o elo mental de melhor amiga voltar, e ela faz com a boca: "Isengard".

Não é tarde demais, então.

Chloe continua correndo diretamente para a diretoria, onde Wheeler para com a mão em cima do teclado numérico do telefone fixo, o fone ainda encaixado entre a orelha e o ombro.

— Srta. Green — ele diz —, se quiser uma reunião, pode marcar com a sra...

— Não era a Georgia quem estava beijando uma menina no banheiro do Bloco B — Chloe declara —, era eu.

Wheeler a encara por um longo segundo. Ele coloca o fone no gancho.

— É mesmo? — pergunta.

— Sim — ela diz e, para garantir, acrescenta —, senhor.

Eca. Essa doeu.

Wheeler estuda seu rosto, que ela molda em algo que torce para parecer arrependimento.

— Quer me explicar por que uma aluna denunciou Georgia Neale para mim?

— Vive acontecendo — Chloe responde rápido. — Somos parecidas, e estamos sempre com as mesmas pessoas e fazendo as mesmas coisas, e desde o outono temos quase o mesmo corte de cabelo, e os alunos mais novos são burros, mas…, mas juro, era eu. Tipo, a Georgia nunca quebrou uma regra na vida dela, sou eu quem faz isso, então pode ligar para as minhas m… meus responsáveis e contar o que aconteceu. Mas não castigue a Georgia pelo que eu fiz.

Wheeler reflete por um instante, recostando-se na cadeira alta de couro com um rangido.

— Conduta sexual inapropriada dentro da escola é totalmente contra o manual do aluno — Wheeler diz. — Em geral, algo assim seria motivo para suspensão. Mas, a essa altura, seria a mesma coisa que colocar você de férias mais cedo, não?

Um pavor vai se moldando em uma bolha horrível dentro de Chloe, como se ela estivesse subindo antes da grande descida de uma montanha-russa. Ela sabe onde isso vai dar.

— Mas, quando um lobo está atrás do seu rebanho, o pastor precisa deixar claro que ele não é bem-vindo — Wheeler continua. — Criar um precedente. Que tal… uma proibição de participar da cerimônia de formatura?

— Tá — Chloe se ouve dizer.

— Quer dizer nada de subir ao palco, nada de prêmios, nada de capelo e beca, nada de foto com seus amiguinhos. — Ele pausa, entrelaçando as mãos à frente dele em cima da mesa. — E, se por acaso você receber as notas para ser oradora, bom… espero que não tenha perdido tempo demais rascunhando um discurso.

Dói. É óbvio que dói.

Mas Georgia não está pronta para passar por essa situação, e é isso que importa. Todas as vezes em que ela se colocou como inimiga de Wheeler valerão a pena por isso.

— Vou perguntar mais uma vez, Chloe — Wheeler diz. — Tem certeza de que foi você?

Chloe engole o ardor em sua garganta e faz que sim.

Quando sai para o carro trinta minutos mais tarde, depois de uma choradinha rápida no banheiro em que ela supostamente teria cometido o crime imperdoável de beijar uma menina, Georgia está sentada com as costas na roda dianteira do lado do motorista.

Agora ela se lembra, todas as frases incompletas do último mês. Georgia tentou contar para ela sobre Auburn. Talvez estivesse tentando contar sobre Summer também.

— Você está bem? — Chloe pergunta.

Georgia funga e faz que sim.

— E você?

Chloe dá de ombros e estende a mão.

— Taco Bell?

Georgia faz que sim de novo, deixando que Chloe a puxe para cima.

— Taco Bell.

Elas entram na Belltower com dois sacos pesados de burritos e dão tchauzinho para o pai de Georgia quando ele passa o turno do fim de tarde para Georgia. Se Chloe tivesse prestado mais atenção, ela teria notado os sinais. Georgia anda cuidando da loja tanto quanto os pais nos últimos seis meses. É óbvio que ela não poderia ir embora.

Elas sobem a escada para o loft e se acomodam em meio aos livros raros, em cima do tapete remendado que antes ficava na sala da casa de Georgia até os pais comprarem um novo e colocarem esse na loja.

— Lembra quando tirei minha carteira de motorista — Chloe diz, tirando o canudinho da embalagem —, busquei você em casa, a gente foi ao Taco Bell e depois ao Walmart e ficamos rodando lá por uma hora? Você não comprou uns quinze sabores daquelas balas Laffy Taffy?

— Eram Airheads.

— Isso. E comprei uma arminha de água.

— O poder tinha subido à nossa cabeça.

— Nossa, aquele foi o melhor dia — Chloe diz com um suspiro.
— Por que a liberdade de vagar pelo Walmart sem um adulto é tão inebriante?

— Sei lá, cara. — Georgia ri.

Chloe ri também, e então diz:

— Desculpa.

No momento exato em que Georgia diz:

— Obrigada.

Chloe coloca a bebida no chão.

— Você primeiro.

— Eu só… — Georgia começa. — Você realmente pulou em cima da granada gay por mim hoje. Obrigada.

— Não se preocupa — Chloe diz. — Desculpa… Desculpa por ter dado uma sumida, e por ter roubado a chave, e por ter mentido pra você, e por ter ficado tão envolvida nas minhas próprias coisas que deixei que elas me tornassem uma péssima amiga. E pelo trabalho de francês. — Ela expira. É realmente uma lista longa. — E me desculpa de verdade por não ter pedido desculpa antes. Eu pularia em cima de uma granada gay por você em qualquer dia da minha vida, e é uma droga que eu não estivesse demonstrando isso.

— Eu sei que pularia. — Georgia cutuca os nachos. — E eu… sei que poderia ter falado sobre como estava me sentindo antes em vez de estourar com você.

— Meio que mereci que você estourasse.

Georgia faz uma cara séria.

— Mesmo assim.

— Bom — Chloe diz —, se nossa relação vai ser à distância, temos que prometer que vamos nos comunicar melhor, beleza?

— Você ainda está brava comigo por causa de Auburn?

— Nunca fiquei brava com você por causa de Auburn. Acha que fiquei brava com você por causa de Auburn?

Georgia dá de ombros.

— Meio que sim.

— Não fiquei brava com você — Chloe assegura. — É só que... meio que morro de medo de fazer isso sem você. E fico com receio de você fazer isso sem mim. E às vezes acho que quando fico com medo, sai meio como raiva.

— Sim, você faz isso.

Chloe se encolhe.

— Desculpa. Preciso trabalhar nisso.

— Tudo bem — Georgia diz. — Tipo, também tenho medo. Mas eu te amo, e nós duas vamos dar um jeito.

— Também te amo.

Não é fácil para Chloe dizer coisas assim. Mas tudo é fácil com Georgia.

Ela volta a pegar a bebida.

— Agora — diz. — Posso perguntar uma coisa?

Georgia faz que sim.

— *Como* e *quando* você começou a sair com *Summer Collins*?

Georgia cobre o rosto com as duas mãos.

— Ai, meu Deus.

— Você está *vermelha*! — Chloe solta uma arfada teatral. — Ela é lésbica, meritíssimo!

— Você dá tanta *vergonha* — Georgia resmunga. — Lembra no primeiro ano quando tive que fazer um trabalho de geometria com ela? Eu tinha um crush nela desde aquela época. Ela foi meio que a menina que me fez entender que eu gostava de meninas.

— Você *nunca* me falou!

— Acho que falei *sim* que achava ela bonita, mas sempre virava uma conversa sobre como ela era amiga da Shara, e como a Shara era péssima.

Chloe se encolhe de novo.

— Ok. Justo. Continua.

Georgia volta aos seus nachos, contendo um sorriso.

— Nunca deletei o número dela depois do trabalho. Sempre torci pra que algum dia ela, tipo, me sentisse encarando a página do contato dela e tivesse um impulso aleatório de me mandar mensagem. E daí a gente conversaria, e se apaixonaria e se mudaria juntas para as montanhas e aprenderia a criar ovelhas ou coisa assim.

— E foi isso que aconteceu?

— Não, o que aconteceu foi que você começou a andar com o Smith, e ela me mandou mensagem perguntando se eu sabia o que estava rolando, e daí a gente começou a conversar, e foi ótimo... tipo, ótimo *mesmo*... e conversamos sobre nossas famílias e como não queríamos deixá-los pra ir pra faculdade embora tivesse um monte de coisa que queríamos fazer, e descobrimos que nós duas iríamos pra Auburn... e daí ela perguntou se eu queria ir à Sonic com ela, e ela comprou batatas pra mim, e daí... eu dei um beijo nela.

Chloe segura uma exclamação.

— *Você* deu um beijo *nela*?

Georgia está com um sorrisão.

— Sim.

— Ai, meu Deus! — Chloe dá um soco no ar. — O que ela fez?

— Ela ficou, tipo: "O que eu ganho se comprar um xis-bacon pra você?".

— *Ahhhh, meu Deeeeeeus.*

Ela ouve que Summer vai estudar medicina e gosta de milk--shake de banana e romances de fantasia, que Summer e Ace finalmente fizeram as pazes, que Summer vai comprar ingressos para o Hangout Music Festival porque o Paramore vai tocar e as duas adoram acampar na praia e a Hayley Williams, que Georgia é a primeira menina que ela já beijou, mas ela tem uma irmã mais velha lésbica e sabe que é bi desde o ano passado. Chloe entende por que elas dão certo. Duas meninas inteligentes que usam sapatos práticos e não ligam muito para as bobagens do ensino médio. É provável que as duas sejam as únicas pessoas no Hangout a levarem uma quantidade boa de água.

— Mas tenho uma pergunta — Chloe diz. — Summer não é tipo... meio de Jesus?

Georgia dá de ombros.

— Ela vai à igreja com a família, sim, mas não do jeito de Willow-grove. Ela tem o lance dela. — Ela olha para Chloe de rabo de olho. — Para de julgar.

— Não estou julgando! Mas... é estranho pra você?

— Não muito. Tipo, cresci acreditando nessas coisas também. Nos últimos anos, não tenho mais certeza, mas... sei que a igreja da Summer curte mais o Jesus socialista de pele negra do que todo o lance do castigo eterno. E os pais dela na verdade foram bem de boa com a irmã dela, então é legal.

Chloe ergue as sobrancelhas.

— Não sabia que existia essa variedade de cristão no Alabama.

— É porque você não é daqui — Georgia responde. — Tudo o que você conhece do Alabama é Willowgrove.

— Eu...

Bom. É verdade. A primeira vez que ela teve mais contato com o cristianismo foi em Willowgrove e, portanto, para ela, fé é isto: santinhos do pau oco hipócritas que escondem o ódio atrás de passagens da Bíblia, colares de crucifixo de vinte e quatro quilates, e pastores brancos carismáticos com todos os segredos horríveis que o dinheiro é capaz de proteger.

Ela nunca foi a um churrasco de igreja nem conheceu um cristão praticante que também fosse gay. Nunca sequer entrou em uma igreja onde se sentisse segura. Talvez se tivesse — talvez se sua mãe não tivesse sido tão machucada a ponto de só levar Chloe para perto de Jesus quando foi necessário —, ela pensaria de outro modo. Nesse momento, ela não sabe se um dia vai pensar.

Mas ela sabe que o Alabama é mais do que Willowgrove. E, se isso for verdade, talvez a fé possa significar mais do que Willowgrove também.

No andar de baixo, o sininho da entrada toca quando a porta se abre.

— Georgia?

Summer surge ali, sob um raio de luz, ainda com o short cáqui do uniforme e uma camiseta de softball.

— Aqui em cima — Georgia chama, levantando-se para se debruçar no parapeito do loft. — Oi, Summer.

— Ai, meu Deus, você está bem? — Summer diz. — Eu estava te procurando, daí a Shara me contou que mandou a Chloe atrás de você...

Georgia se vira para Chloe.

— A *Shara* mandou você?

Chloe tensiona o maxilar.

— Tecnicamente?

— Vamos conversar sobre *isso*.

— O que aconteceu? — Summer pergunta.

Georgia se vira para ela.

— Chloe levou a culpa por mim. Wheeler a proibiu de participar da formatura.

— Está falando sério? — Summer diz. Chloe dá de ombros. — Gente, aquele cara é um *porre*.

A porta da frente se abre de novo e, dessa vez, é Benjy, com sua polo e sua viseira da Sonic, entrando na loja em alta velocidade. Ele para trombando na mesa mais próxima, derruba uma pilha de livros de mistério e grita para o loft:

— O que *aconteceu*?

Summer se vira para ele.

— Chloe levou a culpa pela Georgia, então o Wheeler a proibiu de participar da formatura.

— *Como assim?* — Benjy exclama. — Aliás, oi, Summer, vocês têm muita coisa pra me contar, mas... *como assim*? Ele *pode* fazer isso?

— Wheeler pode fazer praticamente tudo que quiser — Summer diz.

— Mas... a comissão da igreja não manda nele? Alguém contou pra eles?

— Não acho que a comissão da igreja vá se incomodar com isso — Summer responde, de cara fechada. — Pelo contrário, eles devem até ser a favor.

A porta se abre, e Ash entra com tudo.

— O que aconteceu? — elu pergunta.

— Wheeler proibiu Chloe de participar da formatura porque acha que era ela quem estava pegando meninas no banheiro — Benjy conta.

— *Como assim?*

BANG. A porta, de novo, antes mesmo de terminar de se fechar depois de Ash. Que bom que o pai da Georgia trocou o batente no ano passado, embora Smith Parker arrancando a coisa toda das dobradiças seria o final perfeito para esse desfile de entradas dramáticas. Logo atrás dele, a careta de Rory está ainda mais azeda que o normal. Chloe suspira e se voluntaria para assumir a vez.

— Eu...

— A gente sabe o que aconteceu — Rory interrompe.

Chloe olha para ele.

— Como?

— Mandei mensagem pro Smith — Summer diz. — Só não achei que ele apareceria, tipo, imediatamente.

— Bom — Smith diz. — Sou rápido quando fico puto. Você está bem, Summer?

— Estou — Summer responde. — E você?

— Só acho que é uma palhaçada — Smith exclama. — Tipo, a Chloe não faz nem metade das coisas que os caras do time fazem. Ela não faz nem metade das coisas que os moleques da *bateria* fazem. — Ele pausa. — Sem ofensa, Chloe.

Chloe franze a testa, pensativa.

— Pesado, mas justo.

— E, tipo — Smith continua —, se essa pessoa tivesse visto a Summer, ela também teria sido proibida de participar da formatura. E a Summer nunca quebrou uma regra na vida, e sei disso porque eu também não, porque *não podemos*, porque eu e ela temos que ser perfeitos pra todo mundo gostar de nós, não existe espaço pra mais nada. Não existe espaço pra ser *nada* além dessa versão específica de você que Willowgrove curte, e… e é uma merda do caralho. Tudo isso. E o Wheeler nem tenta fingir que não é, porque sabe que ninguém nunca vai bater de frente com ele. — Smith está frenético agora, passando por cima dos livros que Benjy derrubou para andar de um lado para o outro pela frente da loja. — Tipo, meu irmão caçula também curte futebol americano, e ele sabe tanto quanto eu que Willowgrove é o caminho pra entrar no profissional, mas e se ele chegar e curtir meninos, ou descobrir que *não* é um menino, ou sei lá… não vou deixar que façam isso com ele também. É uma *merda*. É uma merda como eles nos fazem nos sentir em relação a nós mesmos, e aguentamos isso porque não achamos que existe alguma coisa que possamos fazer a respeito. Aguentamos por tanto tempo que nem sabemos mais quem nós somos, só o que eles querem que a gente seja. E não quero mais aturar isso.

É a primeira vez que ela vê Smith perder a calma. Deve ser assim que ele brilha em campo na prorrogação. Ele está incandescente.

— Quando minha irmã foi pra faculdade — Summer diz —, ela contava para as pessoas sobre Willowgrove, e eles não acreditavam. Tipo, às vezes nem meus amigos da igreja acreditam. Tipo, não é assim em lugar nenhum. Não precisa ser assim aqui.

Chloe desce para a escada do loft.

— Não mesmo — ela concorda.

— Quero fazer alguma coisa — Smith diz. — Mas eu…

Ele não termina a frase, mas todos sabem o resto. Revolta não é exatamente um luxo que Smith Parker pode ter.

— Eu topo — diz Rory, o maxilar cerrado. — Voto pra roubarmos a estátua do Bucky, o Cervo, da praça e a jogarmos em cima do carro do Wheeler.

— Isso — Smith diz — não é bem o que eu tinha em mente.

— Por quê? Não é tão difícil derrubar uma estátua. Só precisa de uma caminhonete e algumas correntes.

— Como você sabe? — Benjy pergunta.

— Quem você acha que jogou a estátua do Jefferson Davis no lago Martin?

Ash estica a cabeça de trás de Benjy.

— Foi *você*?

— Se perguntarem, estou brincando.

— E se as pessoas fora de False Beach soubessem como é em Willowgrove? — Summer diz. — E se desse pra expor o Wheeler de alguma forma? A comissão da igreja pode não se importar agora, mas poderíamos... poderíamos colocar pressão. Fazer com que mudem as coisas pra salvar a reputação deles. Não tem nada que eles odeiem mais do que uma imagem ruim.

— Teria que ser grande o bastante pra a comissão da igreja não ter como ignorar — Georgia complementa. Ela pensa por um tempo. — E se *nenhum* de nós for à formatura?

— Tipo um boicote? — Benjy pergunta.

— É uma ideia melhor — Summer comenta —, mas acho é que o Wheeler ficaria muito feliz se nenhum de nós aparecesse. Seria meio que a cerimônia dos sonhos dele.

— E se — Chloe diz, as engrenagens girando —, em vez de só um boicote, fizéssemos, tipo, uma formatura de protesto? Tipo, nós mesmos organizamos, e não vamos ter diplomas nem nada, mas podemos *ter* uma cerimônia mesmo assim.

— Pode funcionar — Summer concorda. — Podemos fazer na concessionária do meu pai, no mesmo horário que a cerimônia comum. É bem na frente de Willowgrove, então todo mundo vai ver a gente.

— Podemos fazer cartazes — Ash sugere.

— Podemos chamar gente do jornal da TV — Benjy acrescenta.

— Mas precisamos de mais gente — Georgia argumenta. — Pra chamar a atenção de verdade.

— Pode deixar — Smith diz, e pega o celular.

A maneira como Willowgrove sempre funcionou, pelo que Chloe viu e ouviu, é que existem tantos alunos confortáveis com a forma como as coisas são que dá a sensação de que você é a única pessoa que não se encaixa. Pode ser difícil, quando todas as regras dizem ser boas e morais e divinas, sentir que que não há como desafiá-las sem admitir que há algo de mau ou errado com você. E, se você conseguir ignorar isso, é uma queda livre rumo às fofocas de cidade pequena, e você nunca sai dessa com suas boas intenções intactas.

Mas esse é um mundo em que a realeza de Willowgrove não chama você no celular para dizer que você não é o único, afinal.

A primeira pessoa a aparecer é Ace, de óculos escuros e se declarando pronto para entrar em qualquer causa em que Smith estiver. Então vêm April e Jake, que podem não ligar tanto para a formatura, mas ligam para coisas que irritem a administração.

Depois: os amigos de Ash do clube de arte, os caras da bateria de April, amigos da menina que foi expulsa por mandar nudes, as meninas do coro de *Fantasma*, as colegas de softball de Summer, o povo de Perguntas & Respostas de Chloe que ainda parece ter um pouco de medo dela. Brooklyn Bennett, a fã número um de regras, entra com tudo feito uma chihuahua furiosa.

— Eu sou a *presidenta do corpo discente* — ela diz para a primeira pessoa que vê, que é April, desconcertada, com um pirulito no canto da boca. — Se vão fazer um protesto, vocês precisam me *informar*.

April tira o pirulito com um estalo e o aponta para Brooklyn.

— Por quê, pra você dedurar a gente?

— Pra eu poder *organizar*.

Depois disso começa um fluxo contínuo de gente entrando pela porta da Belltower feito uma cavalaria: jogadores de beisebol, maconheiros, vítimas de boatos, otakus, Tyler Miller cercado por um contingente da banda, incluindo meninas do clarinete que Chloe sempre meio que desconfiou que poderiam ser um pouco gays (ela ouviu muitos rumores sobre o fundão do ônibus da banda). Em meia hora, ao menos cinco dezenas de veteranos se reuniram dentro da Belltower como um protesto improvisado, quase um terço da turma formanda. Alguns até trouxerem amigos e irmãos mais novos.

Todos estão falando um por cima dos outros, comentando a fofoca que ouviram sobre o que aconteceu hoje, falando sobre as vezes em que pegaram detenção por falar de sexo em educação sexual, ou discutir na aula de Bíblia, ou colocar um adesivo de Bernie Sanders no armário.

Chloe está perto do balcão do caixa entre Georgia e Ash, tentando entender o que está acontecendo exatamente. Tudo o que ela sempre quis era lançar uma revolução em Willowgrove. De algum modo, parece que sua expulsão da formatura pode ter causado isso sem querer.

Summer se vira para Georgia.

— Posso subir no balcão?

Georgia faz que sim, os olhos feito corações de desenho animado.

— Deixa que eu ajudo você.

— Ei, pessoal! — Summer grita mais alto que a multidão depois que Georgia a ajuda a subir. — Vamos fazer um plano!

Summer liga para o pai, depois convence o açougueiro do outro lado da praça a dar um rolo de papel para ela enquanto Georgia arranja lápis e tinta no estoque dos fundos da Belltower. Ash junta tudo no meio da loja e começa a fazer um cartaz para pendurar na cerimônia, grande o bastante para ser lido do outro lado da avenida de pista dupla: MUDEM AS REGRAS EM WILLOWGROVE. Em um segundo rolo de papel, Summer e Chloe ditam seus pedidos enquanto Ash escreve. Chloe lança o primeiro: DEMITAM O DIRETOR WHEELER.

Eles descobrem que Brooklyn tem o contato de um editor do *Tuscaloosa News* porque é óbvio que ela estagiou lá nas últimas férias de verão, então dão para ela o número de um repórter do jornal da TV de False Beach e, em cinco minutos, ela contatou todas as equipes de notícias da região central do Alabama. A pauta: um contingente de alunos da Escola Cristã Willowgrove está boicotando a própria cerimônia de graduação em protesto contra o código de conduta da escola e, aliás, eles estão, *sim*, falando com a presidenta do corpo estudantil, muito obrigada.

Em um canto, Benjy aborda April e Rory para discutir um plano para a música da passeata. Em outro, Jake e Ash estão pintando formas no rosto um do outro. Entre eles, todos se revezam para ir à Webster's ao lado, onde Ace teima em pagar pela casquinha de duas bolas de morango com confeitos e marshmallows de Chloe. Ele diz que é o que um cavalheiro do sul faz quando beija alguém, mesmo que tenha sido meses antes, interpretando um fantasma da ópera. Ele passa a casquinha para Chloe e dá uma lambida nada cavalheiresca na casquinha de noz--pecã de Smith.

Jake surge com um caixa de som Bluetooth e coloca uma playlist surpreendentemente boa, e a coisa toda vira um meio-termo anárquico entre protesto e festa. Chloe olha a seu redor na Belltower e vê coisas que nunca tinha visto antes. Uma menina do softball se dando bem com uma menina do clarinete. Benjy perguntando o tamanho dos bíceps de Ace. Brooklyn sem jeito enquanto conversa com April, que está sentada numa mesa à frente dela parecendo profundamente entretida e cutucando o joelho de Brooklyn com a ponta do tênis. Há algo no ar, como um alívio coletivo de tensão.

Ela passa uma esponja para Ash e diz:

— Que loucura, hein?

Ash assente. Elu já está com tinta salpicada na lateral do pescoço, grudando tufos de cabelo ruivo.

— Demais.

— De onde veio isso tudo? — ela diz. — Tipo, estava *todo mundo* esperando secretamente uma chance de derrubar o Wheeler? Eu realmente achava que éramos só nós.

— Sim, às vezes parece que é — Ash responde. — Sabe do que isso me lembra?

— Do quê?

— MMORPGS.

Ah. Uma clássica tangente de Ash. Chloe mal pode esperar para ver onde isso vai dar.

— Fala mais.

— Então, está todo mundo andando por aí no mesmo mundo cumprindo as mesmas missões, mas todos estão em linhas do tempo diferentes e pontos diferentes da história — Ash explica. — Tipo, dá pra encontrar um amigo e, no mesmo ponto exato do mapa no mesmo horário exato, você pode conseguir ver um personagem que ele não consegue ver porque o personagem já morreu no ponto do jogo em que seu amigo está.

— Uhum.

— Ou você pode estar numa missão pra salvar um aldeão de um monte de esquilos gigantes na floresta logo depois da cidade, mas ninguém mais consegue ver esse aldeão porque eles não estão nessa missão. — Ash tira os olhos do trabalho para sorrir para Chloe. — Não é que *escolham* deixar o aldeão ser atacado pelos esquilos. É só que estão em uma missão completamente diferente.

— Então, só pra deixar claro — Chloe diz —, os esquilos gigantes são os traumas do ensino médio.

— Isso — Ash responde simplesmente. — Agora, pode levar esse glitter pra Georgia?

Chloe pega a lata de glitter que Ash coloca nas mãos dela e se levanta.

Ela olha ao redor em busca de Georgia, mas, em vez dela, vê Smith ajudando uma aluna do penúltimo ano a tirar uma mancha de sorvete da camisa. Dois garotos da banda criando uma estratégia para explicar isso para os pais. Summer sorrindo como se estivesse em uma festa pré-jogo. Pessoas que nunca conversam na aula.

Deve haver muitos esquilos gigantes que ela não consegue ver, ela pensa.

A vergonha é um estilo de vida aqui. Está nas máquinas de vendas automáticas, grudada como chiclete embaixo das carteiras, declarada nas orações de todas as manhãs. Chloe sabe que carrega um pouco dela. Foi uma escolha fácil não voltar para o armário quando chegou aqui, mas, se tivesse crescido nesse lugar, talvez nunca nem tivesse se assumido. Ela poderia ser uma pessoa completamente diferente. Há tantas coisas aqui, tantas coisas sobre as quais ninguém fala.

Então, se ela é a única na turma de 2022 que é realmente *assumida*, se sua existência pode dar cobertura para metade de sua turma de graduandos lutarem por algo sem dizer coisas sobre si mesmos que ainda não estão prontos para dizer, isso basta. É mais do que suficiente.

— Então — Benjy diz quando Chloe encontra Georgia perto dele —, sei que está tudo uma maluquice, mas só queria dizer: ah, meu Deus, Shara Wheeler está apaixonada por você, e Georgia está namorando em segredo uma garota da corte de volta às aulas. Tipo, *o que* está acontecendo? Além disso, quando eu vou arranjar uma pessoa gata?

— Vi você flertando com o Ace — Chloe argumenta.

— É, ele é, tipo, mais hétero do que uma promoção de caminhonete — Benjy replica com desdém. — Não vou perder meu tempo.

— Benjy, deita aqui e me deixa traçar você — Ash chama.

— *Por quê?*

— É *arte*.

Benjy suspira, mas vai.

— É, hum — Georgia diz em voz baixa, tirando os olhos da tinta. — Em que momento *nós* vamos falar sobre o caso Shara?

Chloe se concentra em mergulhar seu pincel.

— O que tem ela?

— Basicamente, por que você não está ficando com ela agora?

— *Por que* — Chloe diz, quase virando a lata e estragando o cartaz todo — eu estaria fazendo isso?

— Quê, preciso fingir que a menina de quem ela estava falando na live não era você? Até o Benjy sacou isso, e ele está longe de ser espertinho.

— Tipo, sim — Chloe confirma, relutante —, mas não vou sair com ela só porque ela anunciou que gosta de mim.

— Então você está dizendo que não gosta dela.

— Por que eu gostaria dela? Ela não é uma boa pessoa!

— Preciso lembrar você de todas as vezes em que você admitiu que ela é gata? — Georgia diz. — Ou devo pegar a Coleção de Foder

Monstros de trás do balcão? Meio que parece que *ela* é a megavilã dos seus sonhos.

Ser conhecida por alguém da forma como Georgia a conhece é muito irritante às vezes.

— Tá, beleza, eu *sinto atração* por ela — Chloe admite —, mas não vou *sair* com ela. Na verdade, estou me *recusando* a sair com ela, como uma jogada de poder.

— Chloe, eu te amo, mas essa é a coisa mais idiota que já ouvi na vida. Você ainda está fazendo as coisas com base no que ela quer, e não porque é o que *você* quer. Isso é, tipo, o oposto de uma jogada de poder.

— Estou com a impressão de que estamos perdendo o ponto central — Chloe diz, recusando-se a responder —, que é: ela não é uma boa pessoa!

Ela agarra um dos tornozelos de Rory assim que ele passa.

— Posso ajudar? — Rory diz, olhando para ela com a testa franzida.

— Fala pra Georgia que estou certa, que a Shara não é uma boa pessoa.

Rory reflete sobre o assunto, depois se senta entre as duas. Ele está comendo um copo de sorvete de café com uma colherzinha de plástico rosa e, quando ela olha para ele, vê que ele deixou seu piercing no septo à mostra.

— Explica — ele diz.

— Quero que você conte pra Georgia sobre as coisas que ela fez com você e Smith.

— Que coisas?

— Viu? — Chloe diz, gesticulando para Georgia. — Que tal a vez em que ela fingiu que estava doente no dia que o Smith assinou com a faculdade?

— Quer dizer porque ela sabia que ela iria terminar com o Smith — Rory diz — e não queria que ele tivesse que cortá-la das fotos?

— Ela... — Chloe rebobina o que Rory disse. — Quando ela te contou isso?

— Quando eu estava ajudando a pintar o cabelo dela.

— Você... o quê? *Por quê?*

— Depois que ela voltou, ela foi escondida pra minha casa porque era o único lugar aonde ela conseguia ir sem os pais notarem, e ela disse que estava com medo de que todo mundo a ficasse encarando na escola, então achei um pouco de tinta velha e falei pra ela que poderíamos dar um motivo pra todos encararem. Tive essa ideia pelo que você falou sobre as violações do código de vestimenta, na verdade.

— Tá — Chloe insiste —, mas e o negócio de ela ter feito você e Smith ficarem com ciúmes um do outro de propósito pra fazer vocês se odiarem ainda mais?

— Isso, hum. Não foi bem esse o resultado.

— Ela chantageou o Dixon.

— Mas o Dixon é um babaca.

— Ela chantageou o *Ace*.

Ele pausa, tirando os olhos do sorvete.

— É, sim, essa foi feia. Ela não curte que as pessoas saibam com o que ela se importa de verdade.

— Ela deu um perdido no namorado de dois anos em vez de terminar com ele como uma pessoa normal.

Rory aponta a colherzinha para o outro lado da sala, onde Smith e uma das meninas do teatro estão tendo uma conversa animada.

— Finalmente decidi que a relação do Smith e da Shara não é da minha conta.

— Ela é *má*.

— Às vezes — Rory diz, virando-se para ela. — Às vezes você também é. Mesmo assim ainda acho você legal.

Isso deixa Chloe sem palavras por um momento. Rory dá de ombros, dá um tapinha no ombro de Chloe e se levanta.

— Tá — Chloe diz para Georgia depois que Rory vai embora e ela recupera a fala —, mas a *Summer* com certeza deve odiar a Shara ainda. Ela fez a Summer e o Ace terminarem sem motivo nenhum.

— Foi isso que o Ace disse?

Summer, que aparentemente surgiu atrás delas sem que elas notassem por causa de toda a música e o falatório, se senta no lugar que Rory deixou vago. Ela cruza as pernas de modo que seu joelho encosta no de Georgia.

— Ele disse que você ficou louca quando viu a Shara saindo da casa dele — Chloe responde.

— Ai, meu Deus — Summer diz, revirando os olhos. — *Não* foi isso que aconteceu. Tipo, fiquei brava com ele, sim, por causa disso, porque foi estranho pra caramba, mas eu vinha tentando terminar com ele fazia, tipo, uma semana e ele ficava fugindo de mim. — Ela lança um olhar para o canto de livros ilustrados, onde Ace derrubou uma pilha de livros novos com um dos ombros largos. — Ele é só... caótico demais pra mim. Um fofo, mas um desastre de pessoa.

Georgia concorda com a cabeça, e Chloe se dá conta de que ela já devia ter ouvido isso tudo. Se ela tivesse falado com Georgia sobre a história da Shara antes, poderia ter entendido muito mais muito antes.

— Então — Chloe diz —, se não é por isso que você se desentendeu com a Shara, pelo que foi?

— Tentei me assumir pra ela — Summer conta — e ela surtou e pulou do meu carro antes que eu conseguisse terminar. Tipo, do carro *em movimento*. Pensei que ela fosse homofóbica que nem o pai. Óbvio que *agora* sei o que estava rolando. Esta é uma coisa sobre aquela garota, ela vai fugir antes que qualquer pessoa consiga fazê-la pensar sobre ser lésbica.

É difícil para Chloe argumentar contra isso.

— Então você não está com raiva por ela ter dado um perdido em você quando fugiu? — Chloe pergunta.

— Não, eu estou — Summer diz, jogando as tranças para trás. — Mas ela também ajudou a salvar minha garota hoje, então...

Summer e Georgia saem para conversar sobre a ligação que ela fez para o pai sobre usar a concessionária para a cerimônia, mas Chloe fica sentada lá.

Ela está cercada por um bando de adolescentes barulhentos e desengonçados do Alabama que estão dando tudo de si e planejando um protesto contra todos os instintos que Willowgrove impôs a eles, e está pensando em Shara correndo hoje pela escola para achar Chloe antes que fosse tarde demais. Por que ela faria isso tudo se não por...

Não. Se Shara realmente se importasse com alguém além de si mesma, ela estaria aqui. Ela mesma teria impedido o pai em vez de colocar Chloe para fazer isso. Vai ver era sua última tentativa de tirar Chloe do caminho dela. Funcionou, certo?

Ela simplesmente não consegue acreditar que esteja errada sobre Shara. Ela não pode estar errada. Todo mundo que importa está aqui. Shara não.

Aqui, Chloe pensa pela primeira vez desde que saiu da Califórnia, *aqui é o meu lugar.*

Lá pelo pôr do sol, as pessoas começam a sair. A loja também só fica aberta até as nove durante a semana, então Georgia fecha o caixa enquanto Summer fuça os livros atrás do balcão e Benjy e Ash falam sobre ir ao Bojangles.

— Alguém viu minhas chaves? — Chloe pergunta.

— Não — Benjy responde.

— Você olhou no loft? — Georgia pergunta. — Vai ver deixou cair lá quando a gente estava comendo.

Chloe vai até a escada nos fundos da loja e sobe. Dito e feito, lá estão suas chaves atrás de alguns guias de pássaros antigos.

Quando ela as pega, escuta uma voz conhecida vindo de baixo.

— Eu falei — Rory diz. — Não tem por que ler o mangá se posso assistir à série.

Ela espia por cima do corrimão e vê Smith e Rory diante da estante de quadrinhos. Fazia pelo menos meia hora que não os via, então ela imaginou que os dois haviam saído sem que tivesse notado, mas eles deviam ter ido discretamente para as estantes.

— Cara, mas você perde *tanta* coisa.

Ela não consegue ver Rory revirar os olhos, mas basicamente consegue ouvir.

— Tanto faz.

Smith dá um empurrão amigável nele, e eles se dirigem ao espaço embaixo do loft. Chloe está se aproximando da escada quando ouve Smith dizer:

— Posso te perguntar uma coisa?

— Claro — Rory diz, a voz vacilando um pouco.

— Você realmente alagou o laboratório de biologia na semana dos sapos?

Uma pausa.

— Quando você descobriu?

— Semana passada, no lago.

— Foi besteira. — Rory parece envergonhado de verdade. — Eu sabia que você nem pensava mais em mim, mas… sei lá. Você realmente não queria dissecar aqueles sapos.

— Nunca parei de pensar em você — Smith diz, sério.

Eita, porra.

Será que *agora* é a hora?

Ela precisa sair dali, rápido — mas, quando olha para a escada, percebe que eles se moveram para um lugar que torna impossível que saia sem interrompê-los.

Seus amigos a estão esperando na frente da livraria, e ela realmente não quer bisbilhotar, mas demorou muito tempo para Smith e Rory chegarem ali. E se ela estragar esse momento e eles nunca chegarem a ele de novo?

— Sabe o que é isso? — Smith pergunta.

Sua voz é um raio de luz sob a iluminação fraca nos fundos da loja. Chloe arrisca uma espiada: ele tirou da mochila um Moleskine pequeno de couro.

É idêntico ao livro de músicas na escrivaninha de Rory, aquele que Chloe viu de relance quando tudo isso começou.

Se Smith começar a ler poemas de amor para Rory, ela nunca mais vai conseguir olhar nos olhos de nenhum dos dois.

Ela aperta as chaves na mão para impedir que elas façam barulho e fecha os olhos. Ela jura que, pelo resto da vida, vai simplesmente insistir que não viu nem ouviu nada.

— Isso é...? — Rory começa. — Parece aquele que você me deu.

— Nunca contei como escolhi — Smith diz. Há um rangido tênue, como se ele tivesse se recostado em uma estante. — Minha mãe queria comprar uma camiseta pro seu aniversário, mas falei que você gostava de escrever músicas e que não conseguia escrever as letras tão rápido quanto conseguia pensar nelas. Então ela disse que meu presente deveria ser transcrever suas músicas se você cantasse pra mim, e ela me deixou comprar um kit de cadernos de couro, aí dei um pra você e fiquei com o outro. Nunca usei o meu, mas não conseguia me livrar dele.

— Ainda uso o meu — Rory comenta.

— Eu sei — Smith diz. — Vi no seu quarto.

Dá para ouvir o sorriso de Rory quando ele diz:

— Acho que me apeguei à estética.

— Cabeça-dura.

— Mas demora muito mais tempo sem você.

Uma pausa. Outro rangido de estante.

— Posso ouvir uma qualquer dia? — Smith pergunta. — Uma das suas músicas novas?

— Depende — o outro responde.

— Depende do quê?

E, com toda a coragem do seu corpo magrelo, Rory diz:

— De você não se importar que são todas sobre você.

Chloe precisa se segurar para não dar um soco no ar como no fim de *Clube dos cinco*.

O andar de baixo fica silencioso, exceto por Summer conversando com a iguana no aquário na frente da loja e Ash fechando seu kit de arte. Então, depois de alguns segundos, tempo suficiente para um primeiro beijo cheio de nervosismo, Smith ri.

— Chloe! — Georgia chama da frente da loja. — Vamos! Preciso fechar!

— Eita, porra — Rory sussurra, e há o som abafado dos dois saindo juntos de trás das estantes, risadas abafadas e leves ruídos de cotovelos trombando.

Ela segue sem conseguir vê-los. Eles poderiam ser dois pré-adolescentes solitários com cadernos cheios de letras de música, ou poderiam ser dois quase adultos que não riem juntos dessa forma há anos.

— Já vou! — Chloe responde.

Ela não consegue parar de sorrir.

DA PILHA DA FOGUEIRA

Exercício de redação: Smith Parker

Tema: Discorra sobre um momento da sua vida
em que você mais se sentiu você mesmo

Quando paramos de fugir.

Escrito no verso do mesmo papel, com a mesma letra

Você é como o sol sob o luar
Você é rápido assim
Você é cinco anos atrás, é errar, acertar
Você é impossível para mim

Estive esperando por você
Talvez eu devesse ter imaginado
Depois de mais cinco, ainda é pra valer
Você sempre será meu ser amado

R. H.

21

DIAS PARA A FORMATURA: 6

Há cinco dias letivos depois das provas finais, mas antes da formatura em que o resto dos alunos está revisando para as provas, mas os veteranos precisam ir à escola todos os dias para não fazer nada. Segundo dizem, é uma exigência criada nos anos 2000 depois que uma turma de veteranos usou o período para pregar uma peça tão elaborada que todo o piso do ginásio precisou ser substituído. Agora, eles devem ser supervisionados.

Assim como a Semana do Saco Cheio, essa estranha semana intermediária tem um apelido, criado por antigos veteranos de Willowgrove e passado para a frente ao longo dos anos. Chloe o odeia.

— Não vou chamar a semana assim — Chloe diz na segunda de manhã, na passagem coberta à frente do Bloco C. — É podre.

— Mas faz todo o sentido — Benjy argumenta. — É um espaço inútil entre duas coisas importantes.

Ash abre as mãos na frente de si como um letreiro e diz:

— *Semana do Períneo.*

Chloe suspira.

— Não sei por que, mas isso me parece culpa do Ace.

Ela empurra a porta da escada, mas, antes de conseguir chegar às portas duplas seguintes, Dixon Wells passa com tudo por eles. Georgia joga o braço em um gesto protetor à frente do peito de Chloe antes que eles trombem um no outro.

Dixon está xingando, com o rosto vermelho, seu cabelo de Logan

Paul voando em todas as direções. Ele passa em alta velocidade por eles, descendo a escada e sumindo de vista.

— Ainda dá tempo de parar de ser cuzão, Dixon! — Georgia grita para ele.

— *Geo* — Chloe diz. — Essa foi *forte*.

Georgia dá de ombros, segurando a porta antes que bata.

— Alguém precisa falar pra ele.

Benjy é o primeiro a entrar no corredor, mas para de forma tão repentina que Ash e Chloe se esbarram atrás dele.

— Meu Deus do *céu* — ele diz.

O corredor inteiro está lotado de alunos e branco feito uma nevasca. Todos os armários, todos os murais, todas as portas de sala de aula — está tudo coberto de papel. Metade do corpo estudantil está lá, passando folhas uns para os outros, tirando papéis dobrados das fendas dos armários e pisoteando papéis no chão. Todas as páginas parecem cobertas em configurações diferentes de letrinhas pretas.

No alto, o sinal toca, mas ninguém dá a mínima. Chloe arranca uma página do mural mais próximo.

Sem dúvida podemos fazer esse acordo para o seu filho, diz, e, quanto à quantia, quinze mil dólares parece um pouco baixo. O que você está pedindo envolveria muito apoio logístico da nossa parte para garantir que isso seja feito do jeito certo e que a escola não perca sua posição como centro de provas...

— Ai, meu Deus — Georgia diz, no ombro dela. — Não pode ser. Não pode *ser*. São do...?

— Wheeler? — Chloe pergunta. — Ele está mesmo falando de...?

— *Fraude de vestibular?*

— Isso não é um...?

— Crime federal? É, hum, quase certeza que sim.

Chloe sai pelo corredor em um frenesi, pegando todas as páginas que consegue.

Os papéis são cópias de e-mails, centenas e centenas de e-mails entre Wheeler e pais de alunos. Subornos e propinas e acordos por baixo dos panos para aumentar as notas de alunos que fizeram a prova de admissão para as universidades em Willowgrove.

Ela *sabia* que a Mackenzie não tinha como ter conseguido uma nota tão alta.

Agora ela sabe por que Wheeler vinha passando horas no escritório depois que todos haviam ido embora. E por que Wheeler não queria envolver a polícia quando Shara fugiu, e por que ele se sentia tão ameaçado por pessoas tentando investigar sua família... Espera.

Será que *Shara* estava envolvida?

Ela pega mais uma página, e outra, passando os olhos o mais rápido possível.

... saldo devido...

... gabarito...

... minha filha...

Este.

Precisamos ser discretos. Não temos que envolver o seu filho se a participação dele não for necessária. Minha filha ainda não faz ideia de que pedi para Carol aumentar a nota final dela no ano passado, e é melhor assim. Se pensaram que mereceram isso, ficarão motivados a se esforçar e se manter longe de encrenca.

Ela volta a conferir o remetente para confirmar que leu o que pensa ter lido.

É do Wheeler, e ele está falando sobre a nota de Shara na aula da sra. Rodkey no ano passado. A matéria em que ela superou Chloe por um décimo.

— Puta merda — Chloe sussurra.

Ele acabou de admitir que pediu para mudar as notas de Shara.

O que significa que Shara foi desclassificada de...

— Acho que... — ela diz, olhando de forma tão fixa para o papel que sua visão fica turva — ... acho que ganhei como oradora.

No horário do almoço, todos os alunos de Willowgrove têm pelo menos uma página dos e-mails do diretor Wheeler, que provam sem sombra de dúvida que ele conspirou com os pais mais ricos da escola para fazer seus filhos entrarem na faculdade em troca de muito dinheiro e notas mais altas para atrair estudantes novos.

Dixon, cujo pai pagou pelo menos trinta mil dólares ao todo para que um supervisor olhasse para o outro lado enquanto um veterano de Auburn com uma carteira de identidade falsa fazia o teste em seu nome, sumiu completamente. Mackenzie foi vista surtando no banheiro, jurando a todos que chegassem perto que ela não fazia ideia de que os pais haviam pedido para trocar as respostas dela pelas de outra pessoa. Segundo os boatos, Emma Grace teria falado para ela que, se quisesse que as pessoas acreditassem no que ela diz, não deveria ter mentido sobre bater punheta para o crush da melhor amiga na festa de aniversário dela.

E Shara… Shara nem aparece na escola. Chloe a imagina na mansão Wheeler, dando água de pepino e um Xanax para a mãe enquanto se reúnem com o advogado da família.

Será que ela tinha mesmo como não saber?

— Quem vocês acham que foi? — Ash pergunta no almoço.

A sala do coral está muito mais cheia do que o normal, porque Georgia convidou Summer, e Benjy convidou Ace, e Ash de alguma maneira convenceu Jake e April a darem uma passada para assistir a elu jogando *Breath of the Wild* no Switch que trouxe escondido para a escola. Na fileira mais alta da arquibancadinha, Rory e Smith estão tendo uma conversa animada sobre poesia ou *Dragon Ball Z* — não dá para saber.

— Eu aposto na Brooklyn Bennett — Benjy diz. — É a cara da Brooklyn. Além disso, ela tem meios *e* motivo.

— Não, foi aquele menino das meias compridas — Summer aposta. — O algoritmo de YouTube ambulante. Ele é obcecado por notas de vestibular e ama teorias da conspiração.

— Drew Taylor? — Ash questiona. — Ele não tem essa capacidade.

— O que vai acontecer agora? — Georgia pergunta, roubando um dos Doritos da Summer.

Ace, que está fazendo agachamento na parede há cinco minutos sem intervalo, para no meio do exercício para dizer:

— Dixon disse que o pai dele vai tentar resolver isso porque é advogado. Dá pra ser advogado de si mesmo? É permitido?

— Sim, é permitido, Ace — Georgia diz, paciente.

Como sempre em Willowgrove, o poço de fofocas não tem fundo. Aparentemente, Wheeler se barricou na sala dele e só está falando com o consultor jurídico, ignorando a comissão da igreja de Willowgrove que dirige a escola e superintende toda a administração. Ninguém sabe se ele vai ser preso, demitido ou o quê. Estão aparecendo rachaduras no império Wheeler, e a parte mais maluca é que ninguém sabe quem as colocou lá.

Chloe nota, porém, enquanto se dispersam no corredor para a sexta aula, que uma pessoa não parece nada surpresa com as notícias.

Ela sai mais cedo da sétima aula — de jeito nenhum que Rory vai ficar até o fim do dia durante a Semana do Períneo. Semana de Intervalo. Tanto faz.

Ela o encontra saindo de ré da vaga no estacionamento, e ele precisa afundar o pé no freio para impedir que o para-choque traseiro acerte os joelhos de Chloe.

Ele bota a cabeça para fora da janela.

— Jesus Cristo, Green!

— Foi você? — ela pergunta diretamente, dando a volta até a janela dele. — Os e-mails do Wheeler?

— Quê? — ele diz. — Não.

Ela o observa: uma das mãos mexendo no volante, o cotovelo apoiado com um ar relaxado demais no painel.

— Não acredito em você — ela declara. — O que você não está me contando?

Ele suspira, recostando a cabeça no banco.

— Sabe como ganhei esse carro? — ele diz finalmente.

Sempre com as perguntas enigmáticas. Rory é como um saco de ângulos retos cheio de segredos.

— Já falamos sobre isso. Perguntas retóricas só funcionam se você não tiver que explicar a motivação delas.

— Quer que eu conte o que sei ou não?

— Tá — Chloe resmunga.

— Então — Rory continua —, meu padrasto me deu. Ele nunca me deu presente nenhum na vida, mas no ano passado ele surgiu do nada com esse conversível vintage todo fodão. Suspeito pra caralho. Então revirei o escritório dele quando ele não estava em casa e descobri que ele tinha comprado o carro do irmão em dinheiro porque todas as coisas do irmão estavam prestes a ser confiscadas porque ele foi pego subornando o diretor da escola do filho por respostas do vestibular.

— Tá...

— Então, quando a gente estava na sala do Wheeler procurando o cartão da Shara, vi alguns papéis na mesa, e pareciam um pouco com o que eu tinha visto no escritório do meu padrasto. Aí tirei algumas fotos e, quando a Shara voltou, eu... talvez tenha, hum, pedido pra ela olhar pra ter certeza.

— Mas... por que a Shara? Por que você não daria pra alguém que realmente pudesse fazer algo a respeito?

Rory balança a mão e ergue o queixo para ela em um gesto de *dã*.

— Shara fez algo a respeito.

— Ela... — O que Rory está sugerindo não pode ser verdade. — Você acha que a Shara jogou o próprio pai, e *ela mesma*, na fogueira?

— Ela é a única pessoa pra quem eu contei — Rory diz com um dar de ombros. — Eu nem mandei as cópias das fotos pra ela, então imagino que ela tenha posto as mãos nos originais. Mas não estou nem aí para o que acontecer com o Wheeler, nem ninguém naqueles e-mails. Você sabe que estou cagando e andando pra essas provas. Só achei que a Shara merecia saber.

Antigamente, a Chloe se considerava melhor do que pessoas como Rory, que agem como se tivessem vencido o sistema ao escolher não se importar. Mas é óbvio pela cara de Rory que ele se importa, sim, de formas diferentes sobre coisas diferentes. Vai ver o fingimento é só uma estratégia de sobrevivência ao ensino médio.

— Mas por que ela faria isso? — Chloe pergunta.

— Por que vamos boicotar a formatura? — Rory questiona. — É a mesma coisa, só outra abordagem.

Ele dá de ombros de novo e volta a ligar a música.

— Enfim — Rory diz, saindo da vaga. — Tenho compromisso. Tchau.

Ele deixa Chloe parada no estacionamento, atônita.

Tudo o que Chloe consegue fazer é entrar no carro e dirigir para casa.

Em um farol vermelho, ela pensa em como Shara poderia ter levado o que Rory deu a ela para o túmulo.

Shara poderia ter deixado o pai continuar aterrorizando adolescentes em seu trono de Willowgrove até se aposentar, e teria sido fácil. Pegar as propinas da universidade, fazer um casamento caro com algum cara de smoking com estampa de camuflagem, se contentar com uma vida longa e confortável como a rainha de False Beach, a herdeira da família perfeita.

É o que todos esperavam dela. É *sem dúvida* o que Chloe esperava.

Mas, em vez disso, Shara entrou no e-mail do pai e imprimiu todas as provas que conseguiu encontrar. Ela cobriu a escola com elas para garantir que ele não tivesse como esconder tudo aquilo. A comissão da igreja pode não ligar que o diretor é um fanático intolerante, mas vai ser mais difícil fazer isso desaparecer.

Ela fez isso mesmo sabendo que ela própria cairia junto com ele.

Quando chega em casa, Chloe vai direto para o quarto. Ela troca de roupa e então vai até a mesa de cabeceira, onde um cartão cor-de-rosa amassado e sujo de grama a espera. Ela não o abriu ainda, mas não pôde deixar de salvá-lo dos canteiros de flores.

Chloe,

Eu joguei ele fora porque significava demais para mim. Espero que você entenda.

Sua,
Shara

P.S.: Como presente de formatura, juro que este é o último cartão que você vai receber de mim. Vou deixar você em paz. Juro.

Ela se senta na cama.

Em algum lugar, brilhando na mente de Chloe, Shara está revirando uma lixeira da biblioteca e contando para os pais uma mentira sobre um fecho quebrado na aula de educação física. Está rezando sozinha em um santuário vazio. Está fechando as cortinas para ninguém ver que ela fingindo estar doente enquanto Smith aparece na TV. Está rasgando a partitura que leu para Ace enquanto publica uma foto de banco de imagens de uma expedição missionária que nunca aconteceu. Está cobrindo os próprios rastros. Está indo até a casa de Chloe deixar um último cartão, prendendo a fita adesiva no vidro, deixando-a livre.

Shara não joga as coisas fora porque não são importantes para ela. Joga as coisas fora porque são importantes demais.

É uma questão de lógica e raciocínio típica: se é verdade que Shara fez as coisas horríveis dos seus bilhetes, e também é verdade que Shara vive contando mentiras, então as coisas horríveis devem ser só uma parte da história. A outra parte, ainda escondida atrás de ilusões e da indiferença fingida, é alguém que se importa. Muito, de uma forma muito específica, com um grupo seleto e reduzido de pessoas e um grupo seleto e reduzido de coisas.

Se existe uma coisa que Chloe sabe, é o perigo de ser você mesmo em Willowgrove, em False Beach. Tudo o que ela gosta em si mesma é uma desvantagem aqui. Você esconde as coisas que mais importam antes que possam usá-las contra você.

Foi isso que a Shara fez. É isso que a Shara faz.

303

Finalmente, *finalmente*, ela entende.

Shara não é um monstro dentro de uma menina bonita, nem uma menina bonita dentro de um monstro. Ela é as duas coisas, uma dentro da outra dentro da outra.

E essa verdade — toda a verdade sobre Shara — impede que qualquer fingimento continue. *Nenhuma* delas fez tudo aquilo por um título. Era isto que Chloe tinha medo de que seus amigos enxergassem. Era a isto que a trilha levava. É por isto que ela não conseguia deixar a história acabar.

— Ai, meu Deus — Chloe diz em voz alta. Seu cérebro deve estar superaquecendo. — Estou apaixonada por um peru-pato-frango monstro.

DA PILHA DA FOGUEIRA

Comentários da professora de inglês de Shara
em seu boletim do nono ano, muito bem dobrado
e esquecido em um fichário antigo

É um verdadeiro prazer ter Shara na sala. Ela é popular e pontual, segue instruções e costuma se oferecer para guiar a oração da turma. É uma aluna brilhante e excepcional com ideias claras e perspicazes sobre as leituras, embora seja difícil fazer com que ela as compartilhe com a turma. Ela também me disse com muito boa vontade a marca de xampu que usa quando pedi conselhos para ter um cabelo com mais brilho. Em suma, um exemplo perfeito do tipo de mocinha que toda menina em Willowgrove deveria tentar ser.

22

DIAS PARA A FORMATURA: IRRELEVANTE

A fonte feia de golfinho parece diferente da última vez — ainda é feia, mas agora também está transbordando com nuvens espessas de espuma com cheiro de lilases. Alguém colocou sabão em pó nela. Até crianças ricas ficam entediadas, Chloe pensa.

Ela não segue direto para a casa. Em vez disso, dá a volta pela garagem de Rory, escondendo-se atrás da BMW e chegando discretamente à porta da frente. Ela toca a campainha, espera trinta segundos e a aperta mais duas vezes.

— Ei, *calminha aí* — Rory está dizendo antes mesmo de a porta se abrir e, quando vê Chloe, ele revira os olhos meio que *Não sei quem mais eu estava esperando.*

— Eu — Chloe diz. Ela se esqueceu de preparar uma desculpa. — Preciso pegar sua escada emprestada. Pra, hum. Minhas calhas.

— Suas calhas?

— É. Minhas calhas. Elas precisam de… ajustes.

Rory morde a língua, assentindo devagar, depois se inclina para dentro da casa e grita:

— Smith!

Smith aparece atrás dele, um pouco desgrenhado e com um bom humor radiante, até seus olhos pousarem em Chloe.

— Ah, oi, Chloe.

Ela o encara. Ele encara Rory. Eles ficam todos ali, se encarando. Parece que aquele "compromisso" que Rory mencionou era um quarterback de um metro e oitenta e três.

— Chloe precisa pegar minha escada emprestada — Rory informa.

— Ah, hum, beleza — Smith concorda. — Quer que eu a leve pro seu carro?

— Na verdade — Chloe diz —, eu, hum. Ia devolver logo depois. Só preciso levar, hum, no vizinho.

— No vizinho? — Smith questiona.

— É.

— Você… ah. Tá.

— Mas preciso de ajuda pra passar a escada por cima da cerca.

— Por causa das calhas — Rory acrescenta.

— Uhum.

E então Smith ri, e Rory está rindo também, e a risada de Chloe sai aguda e apavorada. Isso a lembra daquela primeira segunda diante do armário de Smith, tentando evitar o fato de que eles estavam todos atrás da mesma garota. É meio surreal se dar conta de que ela é a única que ainda está nessa corrida.

— Beleza — Smith diz.

Smith felizmente não fala nada enquanto Rory os guia pela sala, que está bagunçada, com salgadinhos e almofadas jogadas às pressas, ou enquanto passa a escada por cima da cerca. É só quando ela está em cima que ele grita para ela:

— Ei, Green!

Ela para e olha, e ele está ali na grama, contendo aquele sorriso radiante dele. Três metros atrás, Rory está perto dos móveis do quintal, fingindo não olhar.

— Boa sorte — Smith diz.

Chloe engole um som histérico e bate *continência* para ele, de todas as idiotices que ela poderia fazer. Começou bem. Ela entra no quintal de Shara antes que possa passar ainda mais vergonha.

Quando sobe para a janela aberta de Shara, percebe que ela voltou mesmo, porque o quarto parece menos um cenário de filme arrumado meticulosamente e está mais com cara de que uma adolescente humana mora nele. Ela vê anotações de revisão de prova e livros espalhados pela escrivaninha, e três vestidos foram colocados em cima da cama como se ela estivesse tentando escolher um. Na estante, a infame caixa de papéis de carta cor-de-rosa foi enfiada entre um livro de orações e o exemplar de *Emma* da Belltower. A única coisa que falta é Shara.

Então ela surge, entrando pela porta do quarto, prendendo um brinco. Ela está terminando de colocar um vestido branco. Chloe entrevê um sutiã de renda que já tinha notado na gaveta dela, e então elas fazem contato visual e ela cai da escada.

Chloe escuta um leve *Ai, meu Deus* — não sabe dizer se é ela ou Shara, talvez as duas —, até uma mão a segurar.

Acima dela, Shara está debruçada na janela, os olhos arregalados, o cabelo caindo em volta do rosto, as bochechas coradas. Seus dedos estão brancos em volta do punho de Chloe, e Chloe precisa engolir outra risada histérica.

— Estou bem! — ela diz. A ponta do seu tênis finalmente encontra o degrau de novo. A expressão de Shara assume um misto incrédulo de alívio e exasperação, como se talvez ela devesse ter deixado Chloe quebrar o braço. — Estou bem! Obrigada pela ajuda, mas eu consigo!

Shara ajuda Chloe a passar pela janela. Assim que ela cai no carpete, Shara volta para o closet e depois sai em um roupão cor-de-rosa felpudo.

Chloe abre a boca para falar, mas Shara a silencia, apontando para o batente aberto. Não está apenas aberto, Chloe se dá conta. A porta foi completamente arrancada das dobradiças.

— O que você está fazendo aqui? — Shara sussurra.

Chloe resmunga enquanto se levanta, baixando a voz.

— Preciso conversar com você.

— Eu quis dizer, como você veio parar na janela do meu quarto.

— Vim pelos fundos. — De repente, Chloe se arrepende de ter saído com tanta pressa porque ainda está vestindo as roupas encardidas de depois da aula. Ela vai ter a conversa mais importante da sua vida até hoje em uma camiseta do elenco de *Godspell* e um short de academia do Benjy. — Eu, hum, imaginei que seria melhor evitar seus pais.

— Faz sentido — Shara concorda com tranquilidade. — Podemos

conversar, mas tenho que sair para o grupo de estudo bíblico com a minha mãe em, tipo, dez minutos.

— Mesmo com todo o... hum, lance com seu pai?

— Ela está confiando que todo mundo vai ser educado o bastante pra não comentar. — Shara dá de ombros. — Sobre o que você queria falar?

Chloe respira fundo.

— Foi... Rory disse... foi mesmo você? Você vazou os e-mails do seu pai?

Algo parecido com decepção passa pelo rosto de Shara antes de ela assumir um ar de indiferença, como se alguém na aula tivesse levantado a mão rápido demais para dar uma resposta terrivelmente óbvia.

— Ele merece, você não acha? — Shara diz, apertando o roupão em volta do corpo.

— Lógico que *eu* acho que ele merece, mas, tipo... ele é seu pai.

— Chloe, se você acha que ele é duro com *você*, deveria vir pra um jantar de família qualquer dia.

Há uma pausa enquanto Chloe assimila o que ela diz. Ela consegue ver que é mais complicado do que isso. Shara parece cansada, como se tivesse perdido o sono com tudo isso. O rosa em seu cabelo está desbotando mais rápido do que deveria. Chloe se pergunta quantas vezes os pais dela a fizeram lavá-lo.

— Foi por isso que você fez? Pra se vingar dele? — Chloe pergunta. — Ou tinha outro motivo?

— Tinha muitos motivos — Shara diz, olhando feio para o buraco da porta do quarto. — Mas acho que, se você quer *mesmo* saber, eu não tinha decidido se ia fazer alguma coisa com o que Rory me deu até ficar sabendo o que meu pai ia fazer com a Georgia. E o que fez com você.

Depois que diz isso, ela se vira para Chloe.

— É só isso?

— Sim — Chloe diz. É óbvio que não é. — Quer dizer, não, tem... por que você não foi à Belltower na sexta?

— Meus pais pegaram meu celular quando voltei — Shara responde. — Não fiquei sabendo.

— Ah — Chloe diz.

Falando assim, realmente parece óbvio.

— E, mesmo se eu *tivesse* ficado sabendo — Shara continua —, prometi que deixaria você em paz.

— *Ah*. Certo.

Shara inclina a cabeça para trás, a ficha caindo.

— Você nunca leu o cartão, leu?

— Não, eu li — Chloe responde. — Tipo, vinte minutos atrás.

Shara faz um bico.

— Então você está aqui porque...

— Porque sei o que significa — Chloe diz. — Mas acho que vale a pena comentar que você poderia ter dado o mesmo recado me beijando como falei pra você fazer.

— Desculpa, que parte de você sentada no meu peito gritando comigo era pra me fazer pensar que essa seria uma boa ideia? — Shara questiona.

— Tá, mas... a escola semana passada — Chloe diz. — Você poderia ter...,

— Eu beijei você primeiro — ela argumenta. — Duas vezes.

— Mas aquelas vezes não contaram — Chloe replica. — Não eram de verdade.

— Eram sim — Shara finalmente admite. — Eu só... não sabia na época.

— Então você estava me seguindo na semana passada porque...

— Porque eu estava tentando criar coragem pra fazer do jeito certo, mas você ficava agindo como se ainda fosse um jogo. — Sua voz está como a letra dela no postscriptum amassado: desgastada. — Então, se veio aqui pra me dar um fora, vai logo. Vai me dar algo sobre o que ruminar durante o estudo bíblico.

— Não foi pra isso que eu vim — Chloe diz.

Shara pisca.

— Não?

—Tecnicamente, foi parte do plano em algum momento — Chloe confessa, às pressas — quando pensei que você ainda estava…, mas, não, eu… vim aqui pra dizer que… que…

Ela não teve tempo para preparar o que ia dizer. Ela se sente como a lombada de um livro prestes a rasgar e despejar todas as suas entranhas de história de amor.

Como dizer essas coisas?

— Que minhas melhores manhãs são as em que chego à escola logo depois de você, porque sei que você vai ter que me ver passar pelo seu carro.

Quê.

— Quê?

— Ou, não, é… aquela vez em que eu tive que editar seu trabalho de língua inglesa e redação avançadas? — Ela não acredita que vai admitir tudo isso, mas não sabe de que outro jeito explicar. — Eu ainda lembro. Tipo, frases inteiras dele, porque ficava me esforçando muito para pensar em comentários que fossem mais inteligentes do que o que você escreveu, pra que você voltasse pra casa e pensasse no que eu escrevi. Descobri o número do seu armário na primeira semana todos os anos, pra saber exatamente quantas vezes por dia eu passava por ele.

— Chloe…

— Cala a boca, não acabei — Chloe diz, e Shara cala sua boca linda. — No segundo ano, quando fomos parceiras de laboratório, eu ia ao banheiro todo dia antes de química e arrumava o cabelo porque sabia que era o mais perto que chegaria de você, e eu… queria ser uma distração pra você tanto quanto você era pra mim. Você entende? Eu queria que você me *visse*.

Shara não diz nada, apenas assente. Chloe precisa conter um sorriso. É inebriante — a sensação de explicar algo sobre si mesma que parece insano e ser respondida com *Sim, óbvio*.

— Então, quando li seus bilhetes e percebi que você me via *sim*, que pensava tanto em mim, que me *notava*… nossa, pensei que tinha vencido. Mas não foi a sensação que eu imaginava. E isso me deixou *puta*. E eu não conseguia entender por que não era suficiente, e então li seu último cartão e entendi que eu não queria simplesmente que você me visse. Queria que *alguém* me visse, e queria que fosse *você*, porque acho que sempre soube que você era a única que poderia ser.

Depois de uma longa pausa, Shara diz:

— Posso falar agora?

— Sim.

— Então. Resumindo. Você não está me dando um fora.

— Isso — Chloe confirma. — Inclusive, se você me beijasse agora, eu provavelmente morreria.

— Pra valer dessa vez? — Shara pergunta.

— Pra valer.

— Sem joguinhos?

— Eu prometo se você prometer.

— Ok. — Shara diz.

Ela dá um passo para perto. Chloe consegue sentir o calor do corpo dela agora. Ela se pergunta se Shara consegue sentir o seu também.

— Ok, então. Uau.

As fibras do roupão de Shara roçam a pele de Chloe.

— Uau — Chloe concorda.

Quando Shara ergue a mão, Chloe a vê aberta na grama em frente à janela do seu quarto. Ela (devagar, hesitante) toca o rosto de Chloe, e Chloe sente a pressão fria da amurada de um veleiro. Ela poderia fechar os olhos e ouvir o zumbido fluorescente de luzes de elevador. Shara observa seu rosto com o interesse cauteloso e reverente de quem se depara com um poema em um livro didático de inglês que parte seu coração no meio da aula. Chloe conhece essa sensação. Ela sabe que Shara também.

Ela inclina a cabeça para a frente, e Shara a beija. Chloe coloca os braços ao redor do pescoço de Shara e retribui o beijo.

Elas estão no quarto de Shara, mas estão a dois quarteirões, na sede do clube. Ela está com a camiseta de Benjy, mas com o vestido de chiffon preto e renda, o cabelo em ondas. Shara está de roupão, mas está com uma tiara sob o lustre da pista de dança, e ali há o eco distante de uma guitarra elétrica lenta, como que saído de um sonho, e elas estão dançando a última música da noite. Shara suspira, e os balões caem.

É a noite do baile que elas nunca tiveram, e ela encontrou a única pessoa igual a ela em uma cidadezinha do tamanho do mundo, e elas estão sozinhas em um quarto silencioso se beijando na frente de Deus e de todos.

Alguém chama o nome de Shara no andar de baixo.

— Vamos! — a mãe de Shara grita. — Precisamos levar cookies! Vamos passar na loja no caminho pra igreja!

Shara recua, os olhos arregalados.

Chloe sussurra:

— Meu carro está na esquina.

Um segundo de reflexão, dois e, então, Shara grita:

— Estou quase terminando de arrumar o cabelo! Espera aí!

Ela tira o roupão e pega um par de tênis, virando para mostrar a parte de trás aberta do vestido.

— Fecha o zíper.

Quando Chloe fecha o zíper, seus dedos tocam naquela pele quente, e seu coração vira cinco milhões de partículas de purpurina no palco girando sob um holofote, e então Shara está calçando os tênis e subindo no parapeito da janela. Ela para no alto da escada e volta o olhar para Chloe.

— Você vem ou não?

— A ideia foi literalmente minha! — Chloe sussurra, mas Shara já desceu a essa altura.

DA PILHA DA FOGUEIRA

Rascunhos rejeitados do último cartão de Shara
para Chloe, feitos nas margens de suas anotações
para a prova de química II

Chloe,
Você venceu. Espero que seja isso que você queria.

Chloe,
De todas as coisas que tentei esconder embaixo do travesseiro, você deve ser a mais persistente.

Chloe,
Teve um final de semana, um milhão de verões atrás, em que me sentei na margem tomando raspadinha de limonada e percebi que a única coisa que queria olhar era a forma como o sol banhava as meninas que nadavam no lago.
O problema sempre foi este: quando olho para você, sinto gosto de limão e vejo luz refletida na água.

23

DIAS DESDE QUE CHLOE SAIU PELA JANELA DE SHARA (PELA SEGUNDA VEZ): 0

Elas pulam a cerca e saem em disparada.

Shara é rápida quando quer, o que Chloe deveria ter imaginado. Elas atravessam o quintal de Rory em questão de segundos. Assim que viram a esquina, Shara pega na mão dela, e Chloe quase solta uma risada aos berros com a sensação dos dedos de Shara entre os dela. E não é que isso está acontecendo mesmo?

A fonte de golfinho está transbordando agora, jogando espuma por todo o gramado impecável e formando poças ao redor dos pneus de Chloe.

— Aonde nós vamos? — Shara pergunta.

— Minha casa! — Chloe responde, sem fôlego. — Minhas mães têm aula de cerâmica em Birmingham segunda à noite.

— Tá — Shara diz. Ela solta a mão de Chloe, indo para o lado do motorista. — Me dá as chaves.

— O carro é meu — Chloe argumenta.

Shara joga o cabelo para trás, como se isso fosse irrelevante.

— Eu sou rápida.

Ela nunca considerou "dirigir um carro em fuga" um dos talentos de Shara, mas tem que admitir que a garota tem se mostrado boa em tudo até agora. Ela dá a volta para o lado de passageiro e joga as chaves por cima do capô.

— Não bate meu carro ou quem se ferra sou eu.

Shara pega as chaves com uma das mãos e revira os olhos.

— Sou uma ótima motorista.

E então ela está entrando no lado do motorista, roubando os óculos escuros do porta-copo de Chloe e os colocando.

Shara leva meio minuto para transformar o Camry de segunda mão de Chloe em um clipe de música. Ela abre as janelas e pega a direita para sair do condomínio em direção à casa de Chloe sem pedir instruções, e ela tem razão: é mesmo uma boa motorista. Ela se mantém perfeitamente entre as linhas. Uma mão no volante, o cabelo cor-de-rosa voando, os joelhos afastados sob o vestido de igreja. Elas passam por um carro sem um dos faróis, e Shara dá um tapa no teto.

Chloe fica se perguntando como um mês fora transformou Shara nisso, mas, quando Shara olha para ela por cima dos óculos escuros, ela se lembra que Shara sempre foi essa pessoa. *É isso que eu estava tentando falar para você*, ela escreveu em um cartão preso embaixo de um banco do auditório. Shara não é boazinha. Shara é coisas muito mais importantes do que boazinha.

Então elas chegam à casa de Chloe, e lá está Shara, na cozinha de Chloe, perto da pintura de peitos da mamã de Chloe. Titania se enrosca em seus tornozelos antes de sair da cozinha.

Elas estão sozinhas. Isso é real.

Chloe se dá conta de que nunca chegou a beijar Shara primeiro. Ela não sabe como fazer isso.

— Você… — Chloe diz. Um dos sinos dos ventos de cristal está girando na janela, e a luz ilumina o rosto de Shara em uma linha botticelliana entre a bochecha e o queixo. — Quer, hum, beber alguma coisa?

— Tem chá gelado? — Shara pergunta.

Chloe agradece mentalmente à mãe.

— Na verdade, tenho sim.

Ela serve dois copos. Até pega da gaveta de tralhas um canudo e um guardanapinho de papel para Shara.

— Olha só que boa anfitriã sulista — Shara diz, observando Chloe acrescentar cubos de gelo ao seu copo.

Chloe a encara, notando o sorriso irônico dela. Quando Shara olha para ela assim, toda descontraída e sagaz, Chloe pensa na primeira vez que sua mamã trouxe para casa uma torta de sorvete. Era de morango com creme, a favorita da sua mãe, e a coisa toda parecia uma proeza da física mecânica. A forma como os morangos equilibravam tudo sem dificuldade quando a torta era fatiada não fazia sentido, nem a tamanha leveza como a nuvem de merengue que pairava no topo. Ela se lembra de estudar as camadas de lado e de pensar, inexplicavelmente: *Essa é uma beleza tipo Shara Wheeler.*

Nossa. *Como hei de te comparar a uma torta de sorvete?* Não daria para ser mais gay nem se ela tentasse.

— Sou tão idiota — Chloe conclui em voz alta.

— Não, não é — Shara diz. — Você é muito inteligente. Esse é o nosso lance.

— Mas você… isto… argh. É tão… *óbvio*. Como não saquei isso antes?

— Também demorei um tempo — Shara diz, e Chloe tira o chá gelado da frente e arranca aquele sorriso irônico dos lábios dela com um beijo.

Elas deixam os copos suando na bancada e vão para o quarto de Chloe, onde Shara passa dez minutos tocando em tudo. Ela examina os porta-retratos na cômoda e na escrivaninha, analisa os produtos para a pele na bancada do banheiro e folheia as brochuras da Universidade de Nova York.

— Não entendo por que alguém precisa de tantas edições de *Anne de Green Gables* — Shara comenta, passando o polegar na lombada verde da edição dos anos 1990 que Chloe herdou de sua mamã, e Chloe revira os olhos e se senta na cama.

— Você é tão bisbilhoteira — ela diz, como se se importasse.

— Pelo menos não invadi sua casa pra fazer isso — Shara diz —, ao contrário de certas pessoas que eu poderia mencionar.

Ela lança aquele olhar para Chloe de novo, e Chloe resmunga.

— Rory.

— Smith, na verdade.

— Tanto faz. Pode voltar aqui?

Shara fica séria.

— Eu, hum — ela diz, olhando para Chloe na cama. — Vou precisar ir devagar.

— Tudo bem.

— Não estou me guardando pro casamento nem nada, se é o que você está pensando — Shara acrescenta, já na defensiva. — É só que não estou pronta pra outras coisas.

Chloe franze a testa.

— Eu não estava planejando fazer outras coisas?

— Você não estava, tipo… esperando por isso?

— Você achou que eu estava?

Shara desvia os olhos, dando de ombros.

— Meio que sim.

A resposta arranca uma gargalhada dela antes que ela consiga cobrir a boca, e Shara olha feio no mesmo instante.

— Desculpa, desculpa! — Chloe diz. — Mas, Shara, você me conhece há quatro anos. Quando *foi* que dei a impressão de que era transante? Nunca nem namorei ninguém.

Shara cruza os braços, descontente.

— Sim, mas você é de Los Angeles, e suas mães devem ter de fato te explicado essas coisas. E você é tão… confiante.

— Tá, bom — Chloe diz, começando a contar nos dedos. — Um, você não pode contar pra ninguém que falei isso, mas ser de Los Angeles não significa que sou descolada nem que sei nada sobre coisa nenhuma. Dois. — Ela ergue um segundo dedo. — Sim, minhas mães explicaram tipos diferentes de sexo para mim, mas foi uma conversa tão constrangedora que nem me lembro da maior parte. E três. — Um último dedo. — Se pareço confiante, é porque preciso parecer. Você, mais do que todo mundo, sabe o que eu quero dizer.

Shara pensa por um momento, depois se aproxima da cama.

— Tá — ela diz.

Seus joelhos se encostam nos de Chloe, renda branca roçando na pele. Chloe pega a mão de Shara e a coloca na lateral do seu pescoço, e a palma da mão de Shara pressiona sua pele.

— Não precisa ficar nervosa — Chloe diz. — Só, tipo, finge que sou a prova de cálculo avançado.

Shara volta a fechar a cara.

— Eu deveria ter deixado você cair da janela.

— Tenho papel de rascunho, pode olhar na minha escrivaninha...

A mão de Shara desce do pescoço para o ombro dela, e então ela empurra Chloe na cama e a beija, uma mão a prendendo no colchão e a outra na sua cintura. É a primeira vez que Shara a beija com determinação e confiança, e é tão intenso e emocionante quanto se poderia esperar de uma perfeccionista com uma veia competitiva.

Chloe nunca foi beijada em uma cama antes. É sua primeira vez sentindo o canto de uma almofada sob sua cabeça enquanto as molas do colchão a empurram para cima contra o corpo de outra pessoa. Ela nunca foi beijada dessa forma antes.

Ela está feliz que é com Shara. Ninguém mais teria parecido importante o suficiente.

— Sabe — Chloe diz —, ainda precisamos conversar sobre muita coisa.

Shara se apoia em um travesseiro.

— Como o quê?

Elas se beijaram por... bom, Chloe não sabe quanto tempo. Pareceu muito. Há uma leve marca vermelha brotando no pescoço de Shara, o que deve ser a coisa mais legal que Chloe já viu em toda a sua vida.

— Quer começar pela forma como você encenou todo um desaparecimento pra sabotar minha carreira acadêmica — Chloe diz — ou prefere discutir como pode ter acabado de mandar seu pai pra cadeia?

— Ele tem um advogado muito caro — Shara replica. — Ele vai ficar bem.

— Tá bem, então a primeira opção.

Shara suspira, escondendo a cabeça no próprio ombro de modo que seu cabelo cai sobre o rosto.

— Não sei mais o que você quer que eu diga, Chloe. Quer mesmo que eu peça desculpa?

— Eu quero mais é saber como você se sente em relação a isso agora.

— Eu me sinto... menos confusa — Shara diz devagar. — Isso tudo foi muito esclarecedor.

— Então, você não se arrepende de nada?

— Não sei. Tem uma parte de mim que ainda acha que arruinei minha vida toda. Mas tem outra parte de mim que acha que estragar minha vida é meio que bom. — Ela faz uma pausa para pensar. Agora Chloe consegue admitir: ela adora observar Shara pensando. — Eu poderia ter agido melhor com o Smith e com o Rory. Tem isso. Mas já sabia que eles mereciam coisa melhor do que eu.

— Você não é...

— Não estava querendo um elogio. Não sou ruim. Sou ruim pra *eles*.

Chloe morde o lábio.

— E pra mim?

Shara vira a cabeça de modo que elas ficam a centímetros de distância no travesseiro, nariz com nariz, os cílios quase se tocando.

— Como foi que você disse? — ela diz. — Você era a única que poderia ser.

Um calor borbulha no seu estômago. Chloe abre a boca para falar, mas nada sai.

— Por que você parece tão surpresa? — Shara diz, irritada. — Você é, tipo, *a poderosa*.

— Que poderosa?

— *A* poderosa — Shara responde. — Você sabe que todo mundo tem medo de Chloe Green, certo?

— Sim, porque eu sou um pé no saco.

— Verdade — Shara diz, sorrindo quando Chloe fecha a cara. — E também porque você apareceu da Califórnia um dia e fez tudo que queria. Ninguém em Willowgrove sabe o que fazer com isso. Eu definitivamente não sabia.

Shara pensa que ela é A Poderosa? Mas *Shara* é A Poderosa. O que você diz quando A Poderosa fala que você é A Poderosa aos olhos dela?

Antes que ela consiga descobrir, a porta da frente se abre.

— Chloe? — sua mãe chama na cozinha. — Está em casa?

Shara se levanta de supetão.

— Pensei que elas tinham aula de cerâmica?

— Elas têm!

A casa é pequena o suficiente para que, mesmo se as duas mães pararem para deixar os sapatos e as bolsas perto da porta, pelo menos uma deve estar na sala a essa altura. Shara pula da cama, e Chloe grita:

— Ei! Vocês voltaram rápido!

— Sim — diz sua mamã. — A última parte da aula era a queima. Que tipo de amadoras pensam que nós somos? Achamos melhor voltar para casa para jantar... Ah!

Sua mãe congela no batente.

A cena: Chloe, apoiada no batente, sorrindo com a maquiagem borrada. Shara, perto da escrivaninha, *Mrs. Dalloway* de ponta-cabeça nas mãos como se ela estivesse no quarto de Chloe para discutir Virginia Woolf e nada mais. Sua mamã com uma roupa de cambraia manchada de argila, sem reação.

A mãe de Chloe surge atrás da outra e diz, sem um instante de hesitação:

— Ah, oi! Você é a filha dos Wheeler, né?

— A gente estava estudando — Chloe diz.

— As provas finais foram na semana passada, Chloe — sua mãe replica.

— Preciso ir — Shara declara.

— Você está sem carro — Chloe a lembra.

— Quer saber — a mãe de Chloe anuncia naquela voz ampla que usa quando está prestes a recalibrar toda uma situação. — Tenho as coisas para fazer espaguete e dois litros de sorvete de morango da Webster's no freezer. Por que não fica para o jantar, e Chloe pode levar você para casa depois?

— *Mãe* — Chloe sussurra.

É cedo *demais* para Shara experimentar o estranho chá de cânhamo de sua mamã ou testemunhar a péssima imitação de DeNiro que sua mãe faz quando prepara comida italiana.

Mas, para a surpresa e o horror de Chloe, Shara diz:

— Tá bem.

E, antes que Chloe se dê conta, Shara está ajudando com os acompanhamentos enquanto sua mãe prepara um molho ao sugo rápido e Chloe ferve o macarrão, e todas fingem que isso é normal e não a coisa mais completamente bizarra que já aconteceu em toda a vida de Chloe.

Minhas mães me pegaram ficando com a Shara e a convenceram a jantar com a gente e agora a Shara está fazendo pão de alho e minha mãe está contando pra ela que dei um soco na cara do Papai Noel quando tinha cinco anos, ela manda para Georgia por mensagem.

— Um dos melhores momentos da Chloe — sua mãe conclui.

Georgia responde imediatamente, SLDJFASDLAFAKSAS NÃO, seguido por SHARA??? FINALMENTE????? COMO??????? em rápida sucessão. E, então, summer está pirando agr.

O que acontece em seguida é culpa dela. Enquanto está ocupada com o celular, ela perde a chance de intervir quando Shara pergunta à mãe dela:

— Como vocês se conheceram?

— Não, Shara, não... — Chloe tenta, mas sua mãe já baixou a colher de pau com um ar dramático.

— O ano era 1997 — ela diz.

— Ai, Deus — Chloe resmunga.

— Eu era uma jovem ingênua de dezenove anos com um brilho nos olhos, recém-saída do Alabama, trabalhando de bartender para bancar o ensino técnico, e lá estava essa garçonete, Jess, a menina mais bonita que eu já tinha visto em toda a minha vida. O narizinho perfeito. Um sorriso arrasador. Olhos como uma floresta à noite, algo em que você quer se perder...

— Mãe, *por favor.*

— ... e eu nunca tinha me apaixonado antes, mas a vi com aquele aventalzinho e senti o que vinha esperando sentir minha vida toda. E levei só uns seis meses para chamá-la para sair.

— E então ela tentou me beijar no fim da noite e descobriu que eu não tinha me tocado que era um encontro — sua mamã intervém.

— E daí precisamos ter um *segundo* primeiro encontro, e desde então estamos vivendo a vida como se todo dia fosse nosso primeiro encontro.

Envergonhada, Chloe vira para Shara para pedir desculpas silenciosas, mas Shara apenas sorri um pouco e volta para o pão com o rosto levemente rosado. Ela se lembra do que Shara escreveu em seu primeiro bilhete, que tinha ouvido as histórias da mãe de Chloe antes mesmo de conhecer Chloe.

Primeiro Georgia, agora Shara — venham para a casa Green, adolescentes LGBTQIAP+ de False Beach, para o primeiro vislumbre não deprimente do seu futuro.

Elas jantam e, depois, diante das tigelas de sorvete, sua mamã pergunta:

— Então, Shara, para onde você vai depois das férias?

— Na verdade, eu estava pensando em tirar um ano sabático — Shara responde, pegando Chloe de surpresa. — Por um tempo, achei que deveria ficar aqui, mas... andei pensando que talvez essa não seja mais uma boa ideia pra mim. Mas não sei mais pra onde ir. Parece que aqui é o mundo inteiro.

Sua mãe assente, pensativa, baixando a colher.

— Sabe o que é doido? — ela diz. — Quando você nasce e cresce em False Beach, pensa que o gosto do sorvete de morango da Webster's é o único certo. Pode ir à sorveteria mais chique de Los Angeles e Nova York e tomar a bola mais incrível de sorvete de morango fresco e artesanal do mundo, mas ainda vai ser decepcionante porque não é o gosto do único sorvete de morango que você tomou nos primeiros dezoito anos da sua vida, quando estava aprendendo qual era o gosto dos sorvetes.

Shara assente devagar, virando sem parar a bola de sorvete que derrete em sua tigela.

— Mas, quando fui embora — a mãe de Chloe continua —, descobri muito rápido uma coisa: aqui *não* é o mundo inteiro. Só porque todos aqui sabem quem você é, e todos falam da vida uns dos outros, não quer dizer que é impossível ser a pessoa que você sabe que é. Existem coisas por aí para você que você nem imaginou ainda, que você ainda nem sabe *como* imaginar. Quem você é aqui não precisa ser a mesma pessoa que você é lá fora. E, se você tem a impressão de que precisa ser uma pessoa aqui que não é a pessoa certa, você tem o direito de partir. Você tem o direito de *existir*. Mesmo que isso signifique existir em outro lugar.

Ninguém diz nada, mas a mamã de Chloe pousa a mão na da mãe dela.

— Enfim — sua mãe diz —, quer ouvir minha imitação do DeNiro?

— *Mãe*.

Antes de irem para a casa de Shara, ela coloca o colar no bolso. Quando chegam a um farol vermelho, ela o entrega a Shara.

— Eu pediria desculpas pela bizarrice de guardar isso esse tempo todo — Chloe diz —, mas você fez coisas mais estranhas do que isso, então estamos quites.

Shara olha para o colar até o farol ficar verde.

— Como sabia que era meu?

— Eu, hum. — Chloe mantém os olhos na pista. — Eu vi você. Você não me notou, mas eu estava na biblioteca naquele dia.

— Ah. Constrangedor isso.

— Posso te perguntar uma coisa? — Chloe espera Shara fazer que sim e continua: — O que fez você decidir se livrar dele?

Shara fica em silêncio e, quando Chloe olha de esguelha, ela está prendendo a corrente em volta do pescoço.

— Não foi nada de mais — Shara diz. — Meus pais me deram quando fiz treze anos, com toda uma carta sobre como representava que eu estava me tornando *uma mulher de Cristo*. Era como usar uma versão de bolso das expectativas deles. E todos podiam ver, e eu não tinha como controlar o que pensavam que isso significava para mim e não queria que os outros pensassem que amo Deus da mesma forma como as outras pessoas em Willowgrove amam Deus. Era só… era muita coisa. Eu sabia que meus pais notariam se eu parasse de usar, então ele tinha que desaparecer.

— Mas você voltou atrás dele — Chloe argumenta baixo.

— Pois é — Shara diz. — Às vezes volto atrás das coisas.

Elas entram na rua de Shara, e o pai dela está esperando na entrada com sua polo de Willowgrove, com o ar sério como se estivesse no altar. Até onde Chloe sabe, era para ele estar algemado. Vai ver já está livre sob fiança.

— Acho que notaram que fugi de novo — Shara diz.

— Você acha que ele sabe que foi você? — Chloe pergunta.

— Talvez — Shara responde. — Mas ele tem problemas maiores do que eu agora, então talvez eu consiga sair de False Beach antes de precisar lidar com isso.

Shara esconde o colar embaixo do decote do vestido e endireita os ombros, e Chloe entende que essa é Shara quando não tem ninguém olhando. É assim que ela começa todos os dias de sua vida. Ela enfrenta um inferno e passa esmalte cor-de-rosa por cima.

— Você até que é foda — Chloe diz.

Ela está tentando não parecer tão impressionada, mas sabe que não está funcionando, porque Shara dá um sorriso satisfeito.

— Nossa, você é obcecada por mim — Shara diz.

Chloe vira o rosto.

— Tchau.

Shara ri e dá um beijo forte na bochecha de Chloe antes de sair.

DA PILHA DA FOGUEIRA

Autoavaliação docente escrita por Jack Truman,
instrutor do coral, descartada e misturada por
acidente com um pacote de partituras que depois
foi queimado por Benjy

Penso muito no filme *O ataque dos vermes malditos*, com o Kevin Bacon. É sobre um bando de caipiras lutando contra vermes de areia gigantes no deserto. Nos primeiros vinte minutos, Kevin Bacon encontra o capacete de um cara no terreno cheio de miolos, porque o diretor precisa que o espectador veja os miolos, e Kevin Bacon precisa ser a pessoa que os vê porque ele é o astro do filme. Mas, no mundo real, se por acaso você vir os miolos de alguém por acidente, isso ferraria com a sua cabeça. O filme todo seria sobre o fato de que você viu os miolos de alguém.

Quando o estudante médio de Willowgrove chega à minha idade, essa sensação que você tinha ao ver ou ouvir algo muito ruim pode não ser mais grande coisa. É só encontrar os miolos de alguém. É a coisa ruim que precisa acontecer para fazer a trama avançar. Você está tão ocupado atirando em vermes de areia com um rifle gigante que nem pensa mais nos miolos, por mais que tenham sido a coisa que assustou você a ponto de fazê-lo arranjar um rifle gigante no começo da história. Mas, quando se está no ensino médio — quando só se está há uns vinte minutos no filme —, os miolos são tudo.

Sempre que reflito sobre qual é o plano de Deus para a minha vida, acho que é impedir que alguns alunos vejam os miolos. Ou pelo menos mostrar algo no deserto que não seja os miolos. Um cacto bonito, talvez. Sei lá. Metáforas são difíceis. Não dou aula de literatura.

24

DIAS COM SHARA (OFICIALMENTE): 5
DIAS COM SHARA (EMOCIONALMENTE): 1.363
DIAS PARA A FORMATURA: 0

— Você *não* vai usar uma camisa de flanela para a formatura — Chloe diz.

Rory faz uma cara feia para ela e para a camisa social preta que ela está estendendo, desenterrada das profundezas do guarda-roupa dele.

— É uma formatura de protesto — Rory diz. — Por que o que eu vou usar importa?

— Porque o Smith vai querer tirar fotos, e você vai ficar bravo se parecer idiota nelas.

Ele suspira, depois pega a camisa das mãos dela.

—Tá.

— Você podia usar com aquela corrente que você gosta — diz Shara.

Ela está na janela do Rory, onde a luz brilha ao seu redor através do corniso e das extremosas e, sob sua beca de formatura vinho, ela está usando o mesmo vestidinho branco simples com que estava na cama de Chloe. Chloe não consegue acreditar que está namorando alguém que vem com sua própria série de entradas cinematográficas.

(Elas *estão* namorando, certo? Elas tecnicamente não tiveram essa conversa, mas tentar destruir a vida da outra porque se sente atraída demais por ela deve valer de alguma coisa.)

— Oi — Chloe diz.

— Oi — Shara diz, e então olha para Chloe daquele jeito intenso dela, assimilando seu batom vinho e o vestido verde que ela escolheu com cuidado em um brechó em Birmingham. Suas bochechas ficam coradas.

— Nossa, para de secar a menina! — Rory diz.

Chloe fica boquiaberta.

— É *isso* que ela está fazendo?

— Cala a boca, Rory — Shara diz, fingindo resistir quando Chloe a puxa para seu lado.

Todos os seus respectivos amigos estão espalhados nessa manhã. Benjy está em casa explicando para os pais por que exatamente não vai participar da própria cerimônia de formatura, e Ash tinha que cumprir um turno de última hora no estúdio de cerâmica onde trabalha às vezes nas férias de verão. Georgia e Summer já estão na concessionária ajudando os pais de Summer, como evidenciado pelas dezessete mensagens nervosas da amiga sobre conhecer os pais que meio-que-sabem-mas-não sabem que Chloe recebeu mais cedo. April, Jake e Ace ainda devem estar dormindo, então só falta…

— Ah, uau, é uma festa — Smith diz na porta do quarto de Rory.

Talvez devesse ser estranho os quatro estarem no mesmo ambiente assim, mas não é. É só… engraçado, assim como agora é engraçado que Shara morou em um barco por um mês ou que Rory e Smith tenham pensado algum dia que estivessem competindo pela atenção de Shara e não pela atenção um do outro. O ensino médio acabou, e tudo é ridículo.

Rory entrega umas flores de corniso brancas para Smith.

— Peguei essas pra você. Achei que você ia gostar de usar uma ou algo assim.

— É por isso que você estava no telhado mais cedo? — Shara diz.
— Fiquei curiosa.

— São mais frescas se colher da árvore em vez do chão, tá? — Rory resmunga.

— Eu amei — Smith diz, sorrindo ao pegar. — Obrigado.

Ele passa um minuto se ajeitando no espelho da porta do guarda-roupa de Rory, tentando fazer a flor e o capelo funcionarem juntos na cabeça. Já faz um mês que ele está deixando o cabelo crescer, e os cachos curtos e densos tomaram forma rápido.

— Espera — Shara diz. — Tenho uma ideia.

Smith deixa que ela pegue o capelo dele, e ela tira alguns grampos do bolso do vestido. Ela dobra o elástico e vai passando os grampos para ele, apontando os lugares mais estratégicos para os prender no cabelo.

— Pronto — ela diz, pegando uma das flores da escrivaninha e a encaixando atrás da orelha dele.

Smith se vira para se examinar no espelho de novo. Ele inclina a cabeça de um lado para o outro, e então encontra os olhos de Shara no reflexo e abre um sorriso largo. Ela sorri de volta.

— Precisa de mais flores — ele conclui.

— Mais flores — Rory repete com um aceno de cabeça antes de sair pela janela obedientemente.

Ele volta com dois punhados de flores frescas de corniso e extremosa em tons de branco e rosa-claro, e Smith as enrosca com cuidado no cabelo até parecer que há um jardim crescendo no seu couro cabeludo. A pedido dele, Chloe esfuma um leve delineado dourado no canto dos olhos dele. Quando terminam, ele parece um deus da floresta usando Air Forces brancos.

Rory o contempla do outro lado do quarto com os olhos arregalados, como se nunca tivesse visto nada como ele antes. Nenhum deles viu, na verdade. Não há ninguém como Smith Parker.

Na concessionária em frente a Willowgrove, Brooklyn cai em cima deles com uma prancheta antes mesmo que Chloe feche a porta do carro de Rory.

— Todos temos capelos e becas? — ela pergunta. — Repito, *todos* temos capelos e becas? Rory?

— Nem é uma formatura de verdade, Brooklyn — Rory resmunga.

— Sem capelos e becas, não mesmo — Brooklyn diz.

Parece que vai ser um impasse entre uma força imbatível (a dedicação de Brooklyn de controlar tudo o que puder ser controlado) e um objeto inamovível (a recusa de Rory em fazer qualquer coisa que falem para ele fazer, sempre) quando Smith surge atrás do garoto.

— Ele tem — Smith diz, alegremente batendo uma beca dobrada e um capelo no peito de Rory. — Esqueceu no carro.

— Eu não vou usar — Rory diz.

— Vai, sim — Brooklyn rebate.

— Fica bonito em você — Smith comenta.

— Argh. — Rory revira tanto os olhos que toda a cabeça dele forma um círculo irritado. — *Tá.*

— Ótimo — Brooklyn diz. Ela vira, coloca as mãos ao redor da boca e grita: — Eles têm os deles!

De cima de um cooler no meio do estacionamento, Summer diz num megafone chiado:

— Valeu, Brooklyn, mas não precisa levar esse trabalho tão a sério.

— Concordo em discordar! — Brooklyn grita.

Georgia está do lado do cooler de Summer com um tanque de hélio. Summer se agacha e segura o megafone na frente da boca de Georgia.

— Oi, Chloe — ela diz no aparelho.

Brooklyn os coloca para trabalhar. Quase todos os carros foram movidos para o estacionamento dos fundos para dar espaço para um pequeno palco e um suporte de microfone, o primeiro alugado da igreja dos pais de Summer e o segundo da coleção de audiovisual de Rory. Ace, Smith e todos os outros atletas são encarregados do trabalho braçal de montar cadeiras e mesas, enquanto Ash e os alunos do clube de arte penduram cartazes e Benjy guia parte do contingente do coral para montar um arco de balões.

Do outro lado da rua de mão dupla, o resto da turma de 2022 começa a entrar no estacionamento, posando para fotos na frente do auditório com seus capelos e becas. Alguns param para olhar fixamente para a concessionária do outro lado, onde Shara, com seu cabelo cor-

-de-rosa, está em cima dos ombros de Smith, pendurando um cartaz que diz ABENÇOADOS SEJAM OS FRUTINHAS, com FRUTINHAS em cola glitter. Esse só pode ser de Benjy.

Faz parte, afinal. Sempre haverá pessoas que gostam de Willowgrove como ela é. Aqueles como Mackenzie e Emma Grace e Dixon, aqueles como Drew Taylor, mas também os adolescentes quietos que se sentem seguros lá. Alguns estão tão afundados nisso há tanto tempo que vão ser sempre mais felizes assim. Alguns têm medo demais ou não queriam ter essa conversa com os pais. Alguns vão conciliar esses dois lados da avenida em seus corações daqui a anos.

Chloe está começando a entender. Ela pode subir em um palco em um estacionamento e tentar mudar alguma coisa, mas não pode decidir o resto por mais ninguém.

Enquanto Brooklyn trata de delegar e de reunir e de apontar com veemência, Summer se coloca na frente da equipe do noticiário de TV regional assim que eles chegam. Seu pai está ao lado dela, e ela manda bem na entrevista, sorrindo seu sorriso bonito de covinhas. Quando questionado, ele explica que sua empresa tem o prazer de oferecer um espaço para todos que defendam uma causa.

— Já pensou em ser esposa de política? — Chloe sussurra para Georgia enquanto prende os balões. — Summer está arrasando nisso.

— Não — Georgia diz. — Se eu quisesse isso, sairia com a Brooklyn.

Chloe olha para o outro lado do estacionamento, onde Brooklyn está gritando com um monte de alunos da banda.

— Verdade. Aquela menina vai ser uma estagiária da Casa Branca antes mesmo de ter idade para comprar cerveja.

Georgia ri e começa a medir fitas.

— Cadê suas mães, aliás? Você não disse que elas viriam?

— Pois é — Chloe diz. Ela olha o celular. — Já era para elas terem chegado. Será que...

Antes que ela consiga terminar a frase, a caminhonete de trabalho da mãe chega com tudo no estacionamento.

Há caixas de papelão deslizando na caçamba e, quando o carro chega mais perto, Chloe consegue ver três pessoas na cabine. Sua mãe estaciona ao lado do furgão do jornal e sai com seu macacão mais bonito, seguida por sua mamã e, então...

— Aquele é o sr. Truman?

Chloe passa seu balão para Georgia e vai correndo.

— Desculpa, estamos atrasadas! — sua mãe diz, dando a volta para a traseira da caminhonete e destravando a tampa traseira. — Precisamos buscar algumas coisas de última hora.

— Mãe — Chloe diz —, *o que* você fez?

O sr. Truman dá um tapinha em uma das caixas.

— Ela conhece alguém que tem acesso à escola nos finais de semana — ele diz. — Não estou dizendo que esse alguém sou *eu*, mas, sabe. Sempre bom conhecer alguém. — Ele pega a caixa e solta um grunhido. — Jesus *Cristinho*, isso é pesado.

O sr. Truman sai andando com seu mau jeito iminente nas costas enquanto a mamã de Chloe a alcança na lateral da caminhonete.

— Fizemos uma coisa muito legal — ela diz. Ela arruma uma parte da franja de Chloe com delicadeza. Chloe franze o nariz e coloca a franja de volta no lugar. — Sua mãe é uma gata muito destemida. Quero que você saiba disso.

A mãe finalmente puxa a última caixa até a tampa traseira e a abre.

— *Mãe* — Chloe se engasga ao ver o que tem dentro.

A caixa contém duas dúzias de envelopes vinho grossos, todos gravados com o brasão branco de Willowgrove. Sua mãe tira o envelope de cima e o abre.

Ela perde o fôlego ao finalmente vê-lo na vida real. A fonte gótica chique, o selo dourado brilhante, o nome completo ridículo e lindo que suas mães escolheram para ela.

Certificamos que Chloe Andromeda Green completou a contento
o curso prescrito pelo Comitê de Educação do Estado do Alabama
para as escolas de ensino médio certificadas...

— É por isso que vocês pediram os nomes de todos que viriam hoje? — Chloe questiona. — Pensei que a mamã faria cookies personalizados de novo.

— Ah, eu fiz — ela diz, mostrando um pote de cookies com cobertura. — Os diplomas foram ideia do Jack. Mas ajudou ter uma lista.

Chloe olha para o sr. Truman, que está bufando e arfando enquanto Shara o ajuda a colocar a caixa de diplomas no chão do palco, e então de volta para as mães.

— Te amo tanto — Chloe diz, encaixando-se nos braços da mãe.

— Também te amo demais, docinho de coco — sua mãe diz com a voz embargada em seu ouvido. — Estou muito orgulhosa de você.

— Não me faz chorar. Passei uma eternidade no meu delineado.

Sua mãe funga.

— Nossa, você puxou mesmo à mãe.

— Segura mais um segundo — a mamã diz. — Quase consegui uma foto boa.

— Mamã, *paaaraaa*.

Depois que Rory dedilha a "Marcha de Pompa e Circunstância" em sua guitarra Flying V, antes de começar a distribuir os diplomas, o sr. Truman se aproxima do microfone.

— Gostaria de… — Um chiado de feedback. — Deus do céu. Gostaria de convidar alguém aqui em cima para falar algumas palavras. A oradora da turma de 2022 da Escola Cristã de Willowgrove: Chloe Green.

Ela ouve um som de repente, e leva um segundo para identificá-lo: uma salva de palmas. Ela imaginou este momento diversas vezes, mas isso não fazia parte de quase nenhum desses devaneios. Ela sempre achou que todos meio que a tolerariam no pódio. Mas, quando olha ao redor, Georgia está gritando com as mãos em forma de concha, e Smith está batendo os pés com força no chão e, em algum lugar lá atrás, suas mães estão tocando uma buzina de ar.

Ela vira para a esquerda, para Shara, que está olhando para ela como fez na proa daquele veleiro, como se a lógica do mundo todo se resumisse a Chloe estar lá e que ela ficaria desapontada em ver qualquer outra pessoa.

— Faça um bom discurso — Shara diz, e empurra Chloe para se levantar.

Do palco improvisado, Chloe consegue ver tudo. April e Jake com os pés apoiados nas cadeiras à frente deles, Brooklyn mexendo na borla de seu capelo, o capelo decorado com cola e glitter de Ash brilhando no sol, Summer se abanando com um pratinho de papel, Smith e Rory com os ombros encostados um no outro na primeira fileira, as câmeras de TV, suas mães perto do furgão do jornal junto dos pais de Summer.

Ela coloca a mão dentro da gola da beca e tira uma folha suada de papel do sutiã. Ontem à noite, por volta da meia-noite, ela finalmente soube o que queria dizer e anotou no caderno mais próximo que conseguiu encontrar.

— Oi gente — ela diz ao microfone. — Eu sou a Chloe, óbvio. Hum. Imaginei muito este momento. Quase todo dia, na verdade. Nem sei quantos rascunhos deste discurso já escrevi, mas acabei descartando todos. Nenhuma das versões antigas estava boa, porque foram escritas pra um lugar diferente com pessoas diferentes. Muitos desses rascunhos eram raivosos ou tinham muitos palavrões ou eram simplesmente maldosos, algo do que não me arrependo, porque Willowgrove pode ser bem maldosa, então acho que é justo. Mas aprendi mais sobre Willowgrove no último mês do que nos últimos quatro anos, e aquele não é mais o discurso que quero fazer. Quando me mudei para False Beach, eu tinha certeza de que era melhor e mais inteligente do que todo mundo no Alabama. Encontrei meus amigos e decidi que eles eram as únicas pessoas em Willowgrove que valiam a pena. Eu estava convencida de que sabia, com absoluta certeza, quem merecia ou não merecia uma chance. Mas então, mais ou menos um mês atrás, alguém me beijou.

Ela olha para a plateia, para onde Shara está com um leve sorriso sob o sol do Alabama. Chloe pediu para Shara revisar o discurso na noite anterior, então ela já sabe quase tudo o que vai ser dito. Ela até escreveu uma frase ou outra.

— É uma longa história, tipo, muito longa, sério, mas a versão curta é que esse beijo trouxe pra minha vida pessoas com as quais eu nunca tinha conversado, e descobri que temos mais em comum do que eu poderia ter imaginado. Descobri que existem atletas que amam teatro e maconheiros que sabem muito mais sobre o mundo do que eu. Aprendi que muitos de nós, muitos mais do que eu imaginava, estão fazendo o possível pra sobreviver num lugar que parece não nos querer. Aprendi que sobreviver é pesado pra muitos de nós. E, pessoalmente, descobri que eu tinha ficado tão acostumada com esse peso que parei de notar o quanto de mim dedicava a carregá-lo. Boa parte do ensino médio gira em torno de entender o que importa e o que não importa pra você. Para alguns de nós, a popularidade importa. Para outros, são as notas, os relacionamentos amorosos, as atividades extracurriculares ou a opinião dos pais, ou todas as opções anteriores. Às vezes, podemos questionar se tudo o que aconteceu nesses últimos anos realmente importa. A verdade é que sim, só que não da maneira como muita gente pensa. O ensino médio importa porque molda a maneira como vemos o mundo quando entramos nele. Levamos a dor, os medos confirmados, as inseguranças que as pessoas usaram contra nós. Mas também levamos o momento em que alguém nos deu uma chance, mesmo sem precisar.

Ela encara Georgia.

— O momento em que vemos um amigo fazer uma escolha que não entendemos no começo porque ele é corajoso de um jeito diferente.

Ela encontra o sr. Truman na multidão, a camisa social com duas pizzas de suor embaixo dos braços.

— O momento em que um professor nos disse que acreditava em nós.

Benjy e Ash sorriem quando ela olha para eles.

— O momento em que dizemos a alguém quem somos e essa pessoa nos aceita sem pestanejar.

Na primeira fileira, Smith e Rory são fáceis de encontrar.

— O momento em que nos apaixonamos pela primeira vez.

Ela volta a olhar para o papel.

— A maioria das coisas que estamos sentindo agora são coisas que estamos sentindo pela primeira vez. Estamos aprendendo o que significa senti-las. O que podemos significar uns para os outros. É lógico que isso importa. E isto, aqui, agora, mesmo que nada mude, mesmo que tudo que consigamos fazer hoje seja provar que existimos e que não estamos sós... acho que isso importa pra cacete.

Ela vira a página. Está quase acabando.

Ela lança mais um olhar para a plateia e reflete que — mesmo que apenas em parte — pode ser isso que significa ser do Alabama.

É sua mãe recebendo todos os seus amigos na casa delas sem hesitar, Georgia fazendo trilha até os penhascos para ler um livro da Belltower, Smith com flores no cabelo e Rory arrancando placas de rua, as estrelas sobre o lago e passeios de carro à meia-noite, cartazes pintados à mão e espaços improvisados em estacionamentos. Todas as coisas em que as pessoas podem transformar False Beach.

Nenhuma das pessoas que ela ama nesta cidade está descolada dela. Benjy cresceu ouvindo Dolly Parton. Ash escolheu seu nome em homenagem aos freixos, *ash trees*, do Alabama.

E Shara — Shara é uma garota do Alabama independentemente da cor que tingir o cabelo, e sempre foi uma garota do Alabama, em todos os segundos em que assombrou Chloe. Uma garota do Alabama sabia mais do que ela sobre Shakespeare. Uma garota do Alabama transformou sua vida em caos com um beijo.

Ela se imaginava mentindo para seus futuros colegas da Universidade de Nova York, dizendo a eles que nunca saiu da Califórnia. Agora é isso que ela se imagina contando para eles.

— Então, é basicamente isso que quero dizer — Chloe continua. — E também quero agradecer a algumas pessoas. Aos meus amigos, Georgia, Benjy, Ash, obrigada por serem meu lugar aqui quando eu não tinha mais para onde ir. A Smith e Rory: nunca vou parar de me sentir sortuda por poder ter conhecido vocês.

A última linha da página diz *A Shara*, mas só. Ela não chegou a pensar no que dizer.

— E à garota que me beijou — ela diz. — Fiz alguns dos melhores trabalhos da minha vida por sua causa. E sei que você fez alguns dos melhores trabalhos da sua por minha causa. Não sei uma maneira melhor de explicar o que o amor quer dizer para pessoas como nós.

Depois dos diplomas, enquanto todos estão se espremendo para tirar fotos e as mães de Chloe estão ocupadas reunindo os amigos dela para uma foto em grupo, depois que as equipes de reportagem terminaram de gravar, mas antes de terminarem de guardar as câmeras e os grandes microfones esponjosos, Smith chega entre Chloe e Shara.

— Tenho uma pergunta — ele diz.

— As flores ainda estão lindas — Chloe replica prontamente.

— Obrigado — ele diz. — O que exatamente a comissão da igreja está planejando fazer em relação ao seu pai, Shara?

Shara suspira e dá de ombros.

— Acho que eles estão tentando distribuir dinheiro suficiente pra abafar o assunto. Eles contrataram uma equipe de advogados pra tentar impedir qualquer um que tente publicar sobre o assunto em qualquer lugar, e o único policial que vi lá em casa foi o pai da Mackenzie Harris, então...

— Então, em outras palavras — Smith semicerra os olhos, que brilham em um tom dourado para o sol —, se for pra alguma coisa acontecer, a história precisa sair de False Beach.

— Acho que sim — Shara concorda.

— Beleza — Smith diz ao se afastar —, vou fazer alguém ganhar um prêmio de jornalismo.

Smith Parker sempre, mas sempre, é um quarterback. Ele é um estrategista. Ele planeja cinco passos à frente. Portanto, ele é discreto ao chegar perto de um câmera e apertar a mão dele como se fossem velhos amigos. Parece natural quando ele se aproxima e diz algo para o cara que Chloe não consegue ouvir, terminando com um sorriso. Ninguém nunca saberia o que ele fez. Definitivamente não a pessoa que atualiza seu perfil na ESPN.

Leva mais um minuto para o câmera dar meia-volta, pegar sua repórter e a puxar para dentro do furgão.

Eles saem em disparada da concessionária, fazendo uma curva em U no meio da avenida para entrar cantando pneu no estacionamento de Willowgrove, seguindo direto para o auditório.

O repórter mais próximo, um de Birmingham, se vira para sua equipe e diz:

— Peguem suas coisas *agora*.

Quando as portas do auditório se abrem e os formandos saem do prédio, as equipes estão aguardando. O diretor Wheeler sai do ar-condicionado e dá de cara com uma multidão de microfones.

Ao lado de Chloe, Shara protege os olhos do sol e observa.

— Bom — ela diz, os dentes brancos brilhando —, que ele vá com Deus.

DA PILHA DA FOGUEIRA

Bilhete da mãe de Chloe para ela no seu primeiro
dia de aula

Chloe,

Juro que vou deixar você ir aonde quiser, desde que isso a faça feliz. Juro que vou defender você contra todos que tentarem fazer você se sentir mal, mas apenas se me pedir. Sei que você prefere se virar sozinha, e acredito que você é capaz.

Mostre a eles como você é foda.

Com todo o meu amor,

Mãe

25

DIAS PARA O SEMESTRE DE OUTONO COMEÇAR NA UNIVERSIDADE DE NOVA YORK: 100

A fogueira vem depois.

Um dos ritos de passagem mais antigos dos veteranos de Willowgrove é fazer uma fogueira no pasto perto da escola no dia seguinte à formatura, organizada pelo presidente do corpo estudantil e alguns voluntários. Todo mundo precisa trazer todos os seus cadernos, provas e deveres antigos, guias de estudo, trabalhos em que tiraram cinco e resquícios variados do ensino médio que nunca mais querem ver de novo, e aí queimá-los.

Logicamente, a turma de 2022 — os melhores de Willowgrove — não faz as coisas como elas sempre foram feitas. (E nos últimos tempos Brooklyn andou ocupada pegando sol na área de espectadores perto da pista de skate.) Então, a fogueira finalmente acontece só quatro semanas depois da formatura.

Para Chloe, foram quatro semanas pulando a cerca de Shara quando os pais dela estavam se reunindo com advogados, entrando na piscina de Shara de lingerie e cumprimentando Smith quando eles chegavam ao condomínio ao mesmo tempo.

Ela faz companhia para Georgia nos turnos dela na Belltower e sai para pegar hera-venenosa com Ash e cai no sono no chão do quarto de Benjy, mas, no meio-tempo, é uma série de melhores momentos com Shara Wheeler. Shara se sentando no banco da janela no quarto de Chloe. Shara fazendo comentários sarcásticos sobre a colega de quarto aleatória de Chloe na universidade. Shara boiando no lago.

Shara acenando para Rory da janela do quarto. Shara, hesitante, sugerindo um encontro duplo com Georgia e Summer, *se você achar que elas vão curtir, nada muito chique, na real tanto faz, Georgia gosta de mim?, não que isso importe.* Shara fingindo não ficar brava quando fica em último na partida de minigolfe no encontro duplo com Georgia e Summer.

Shara dizendo a palavra "namorada" pela primeira vez em cima do capô do carro de Chloe, nas montanhas que dão para o lago Martin, sob um céu lindíssimo.

A fogueira é o primeiro evento delas como um casal oficial. Chloe passou setecentas das últimas quarenta e oito horas no FaceTime com Georgia, tentando encontrar o look certo de Namorada Improvável da Rainha do Baile Renegada. No fim, ela se decidiu por um vestido preto de botões com uma camiseta listrada por baixo e seus óculos escuros mais descolados.

Quando ela busca Shara, ela está com uma camiseta branca com nó e short jeans cortado, o que é um look fácil e perfeito para a Filha do Diretor Demitido com Desonra Depois de Vídeo Surtado no Jornal Local Viralizar. Ou talvez apenas um look perfeito em geral.

— Quê? — Chloe diz quando Shara lhe lança um longo olhar em um farol vermelho.

— Só isto. — Ela puxa Chloe pela nuca e a beija com força.

Ela recua assim que o farol fica verde, recostando-se no banco. Chloe tenta agir com naturalidade ao se voltar para a pista e pisa no acelerador, mas precisa apertar a mão nos lábios para parar de sorrir.

No pasto, o grupo é menor do que costuma ser para esse evento — provavelmente porque os grupos de mensagem usados para a formatura improvisada foram os mesmos utilizados para organizar isso. Há alguns rostos novos de veteranos que subiram ao palco de Willowgrove, mas mesmo assim queriam vir com seus amigos, mas é praticamente a mesma galera. Summer estacionou de ré na clareira, e tem uma playlist tocando alto nas suas caixas de som enquanto alguém começa a distribuir marshmallows e espetos.

No centro de tudo, há uma pilha de troncos mais alta do que Chloe, e, quando o sol começa a se pôr, o primeiro fósforo é atirado.

Entre rodadas de Coca, raspadinhas da Sonic e destilados leves, todos alternam em jogar coisas no fogo. Smith, que chegou com Rory com uma camisa mal abotoada e bermuda, joga um saco de supermercado cheio de provas antigas. Georgia bota fogo em seus cadernos. Jake atira sua mochila inteira. Brooklyn queima uma única folha de papel com um 5 circulado em vermelho no alto.

— Vai queimar alguma coisa? — Rory pergunta, chegando perto de Chloe.

— Sim — Chloe responde. — Tenho algumas coisas.

Ele balança o cabelo, observando Smith e Shara a uma curta distância. Shara já comprou ingressos para vê-lo jogar quando começar a temporada de futebol americano.

— Você parece feliz — Rory comenta. — Ou, tipo, a versão Chloe de feliz. Você não parece estar planejando ativamente o assassinato de ninguém.

— Valeu — Chloe diz. A essa altura, Rory sabe que ela encara esse tipo de coisa como um elogio. — Você também parece feliz.

— Pois é. — O piercing no septo de Rory cintila sob a luz da fogueira. — Pronto pra pegar a estrada.

Ela o viu junto com Smith colocando as malas na BMW ontem quando estava se esgueirando para o quintal de Shara. Smith vai para College Station para o treinamento pré-temporada em breve, mas, antes disso, eles vão viajar de carro até a costa para visitar o irmão mais velho de Rory, depois voltar ao Texas para deixar algumas de suas coisas na casa do pai dele antes de ele se mudar. Ele está pensando em se matricular numa faculdade comunitária em Dallas agora que Smith o convenceu a começar a fazer terapia ocupacional para sua dislexia, mas primeiro vai passar um ano indo a shows e investindo na música dele.

Há algo terrivelmente romântico nisso, ela pensa: Smith Parker nas telas de televisão com seu uniforme vinho e branco, batendo as mãos, beijando os dedos e os erguendo ao céu, e Rory no banheiro de alguma casa de show grunge, assistindo ao jogo no celular e escrevendo uma música sobre alguém que corre e corre e corre.

Benjy ainda vai para Tuscaloosa no outono, e Ash está fazendo as malas para Rhode Island. Na semana passada, Georgia finalmente achou um carro barato de segunda mão na internet, e Chloe a ajudou a treinar o caminho de ida e volta para Auburn. Ace vai para Ole Miss, Brooklyn vai para Yale, Jake vai para a Universidade do Alabama em Birmingham, April vai para a Universidade de Nova Orleans.

Ela dá uma volta lenta ao redor da fogueira, tentando ver todo mundo. É estranho saber que nunca mais vai ver alguns deles e alguns vão ficar na vida dela muito tempo depois que suas mães tiverem doado o último de seus uniformes para a caridade. Ela deixa Ace apertá-la em seu peito continental e promete filmar escondido a primeira peça da Broadway que vir e mandar para ele. Ela canta uma música aos berros com Smith. Entrelaça o braço no de Georgia para dançar e faz sua única oração dos últimos quatro anos: que elas sempre voltem uma para a outra.

Por fim, ela volta para Shara. Ela está sentada na grama perto da fogueira, observando Ash e Ace discutirem o ponto ideal do marshmallow enquanto assa o dela.

Chloe se sente ser puxada para outro universo, daquele jeito que já conhece bem a essa altura, para um mundo em que Shara é uma sereia atrapalhando uma longa viagem ou uma princesa com cartas secretas escondidas na camisa. Mas o que se desdobra em sua mente é Shara, exatamente assim, mas daqui a dois anos.

Shara com seu cabelo crescendo, mas ainda cor-de-rosa, dirigindo pelo deserto da Califórnia, reclamando aos gritos sobre a pressão da água no chuveiro de um hotelzinho furreca. Brigando por livros, sobre quem roubou a blusa de quem, brigando de verdade como ela sabe que vai brigar e depois se reconciliando furiosamente no banco traseiro do carro de Chloe. Pernas macias enroscadas nas suas, unhas bem lixadas arranhando seus ombros. Georgia enviando a Shara piadas que Chloe não entende, sua mãe mostrando a Shara como verificar o óleo, a vida de Chloe misturada com a de Shara até tudo ter gosto de baunilha e hortelã.

E ela se imagina do ponto de vista de Shara. Seus dedos na carteira de uma sala de aula, um cartão do metrô na carteira, seus sapatos apoiados na beira da fonte do Washington Square Park. Sua risada de perfil e uma lufada de cabelo escuro enquanto puxa Shara pela mão, guiando-a pelo alojamento da Universidade de Nova York para uma visita no fim de semana. Dormindo as duas em uma cama de solteiro e comendo batatas fritas no chão, trabalhando nesse negócio entre elas que só elas entendem de verdade.

Shara: difícil, frustrante, afiada, leve como uma pena, deixando lilases no travesseiro de manhã.

Ela não sabe ao certo se vai ter algo disso. Shara ainda não decidiu o que fazer. Ainda dá tempo de se matricular para o semestre de primavera na Universidade do Alabama, a única que seus pais vão aceitar pagar, mas isso viria com muitas regras. Shara odeia regras.

Quando estão sozinhas, ela fala sobre se candidatar para empréstimos estudantis e fugir para estudar na França, na Itália ou na China, em pegar a ferrovia Transiberiana, ou participar do *The Bachelor* para poder viver de conteúdo patrocinado no Instagram. Uma vez, ela até meio que brincou que poderia arranjar algum trabalho tosco como garçonete em Nova York e dormir no sofá de Chloe. Ela vai dar um jeito. Ela é a pessoa mais inteligente que Chloe conhece. Ela tem tempo.

E, ao menos até o fim do verão, ela tem Chloe. Disso Chloe tem certeza.

Ela se senta ao lado de Shara e coloca a bolsa no chão entre elas. Shara está concentrada em um marshmallow em brasa.

— Tenho uma pergunta pra você — ela diz.

— Não, eu não queimei de propósito — Shara diz. — Não sou perfeita.

Ela ri, colocando a mão dentro da bolsa.

— Na verdade, eu ia perguntar se você acha que devo queimar isso.

Shara olha para o lado — na mão de Chloe, estão os cartões dela.

Alguns estão desgastados nas bordas de terem sido carregados de um lado para o outro. Um tem uma mancha de matcha. Todos são artefatos cor-de-rosa com monogramas de uma Shara que preferia despedaçar a própria vida a falar a verdade, até para si mesma.

Chloe se apegou a eles, para ser sincera, mas isso não é mais um jogo. Parece estranho guardar as peças.

— Pode queimar — Shara diz.

Então Chloe queima.

Sob a onda de fumaça, Shara suja o nariz de Chloe com marshmallow derretido.

— Ah! — Chloe se assusta enquanto Shara ri. — Por quê?!

Shara abre um sorriso extremamente satisfeito, algo com que Chloe ainda está se acostumando. Shara tem muito mais expressões do que tinha antes. É como se ela tivesse destravado uma Shara Premium.

— Porque é engraçado.

— Eu te odeio!

— Não acredito que você levou quatro anos pra finalmente falar isso na minha cara — Shara diz, recostando-se nos cotovelos.

— Só consigo dizer porque não é mais sincero — Chloe replica.

Ela se vira de lado de modo a se inclinar sobre Shara e limpar o marshmallow na manga da camisa dela.

— Acho que… argh, que nojo… acho que ainda é um pouquinho sincero — Shara diz, recuando enquanto Chloe tenta prendê-la no chão. — É o que faz nossa relação dar certo.

Shara desiste de resistir e apoia a cabeça na grama. Chloe poderia jurar que o poente muda no horizonte de azul-claro para rosa-coral, a cor exata das bochechas e dos lábios e do cabelo de Shara, e de sua mão grudenta de açúcar, aberta no chão sobre a cabeça dela.

Elas nunca se odiaram, não de verdade. É mais como um reconhecimento. Shara ergue o queixo para o céu, semicerrando os olhos enquanto começa a sorrir, e Chloe vê alguém tão teimosa e intensa e estranha quanto ela, se encaixando bem ali. A coisa de que Chloe gosta mais do que tudo: uma resposta certa.

Um verão delirante parece longe de ser tempo suficiente para isso. Tecnicamente, porém, dezoito anos também não é muito tempo.

Chloe cobre a mão de Shara com a sua. Entrelaça os dedos nos dela e aperta, e então beija Shara na grama.

Agradecimentos

Eu me sinto inclinada a começar isto dizendo que não sou Chloe Green, e Chloe Green não sou eu. Eu cresci dentro e perto de ambientes muito semelhantes a False Beach e Willowgrove, o que tornou a escrita deste livro uma verdadeira montanha-russa de emoções, mas a história de Chloe não é nem um pouco autobiográfica. Para ser sincera, eu não sabia o suficiente sobre mim ou sobre o mundo aos dezoitos anos para ser uma Chloe. Acho que eu me descreveria como sol em Ace, lua em Georgia, ascendente em Chloe.

Escrevi este livro para as Chloes deste mundo, mas também para os Smiths e Rorys e Georgias e Benjys e, sim, até para as Sharas. Sei perfeitamente que o Cinturão Bíblico dos EUA, a região mais fundamentalista do país, tem alguns dos melhores, mais calorosos e estranhos jovens LGBTQIAP+ que se podem conhecer, quer eles saibam desta última parte ou não. Se você for um jovem como esses, eu queria que este livro existisse para você. Acho que, se ele tivesse existido para mim naquela época, muitas coisas na minha vida teriam sido diferentes. Eu queria escrever um livro para mostrar que você não está sozinho.

(E também que você merece comédias românticas ridículas e exageradas de ensino médio sobre adolescentes como você, assim como os héteros têm! Não deixe ninguém convencer você do contrário!)

Tenho uma lista extremamente longa de pessoas para agradecer por tornar este livro possível, mas vou tentar ser breve desta vez. Sara Megibow, minha agente superestelar, que é tão incansável e paciente quanto é boa em seu trabalho, e que trata todas as conversas com o tipo de humanidade de que tanto precisamos neste ramo. Vicki Lame, minha editora, que me permite seguir minha intuição e acabar em tantos lugares estranhos e maravilhosos. Minha assistente, Abby Rauscher, que literalmente me mantém sã. A equipe da Wednesday que se dedicou tanto a este livro, incluindo Meghan Harrington, Devan Norman, Alexis Neuville, Brant Janeway, Erica Martirano, Jeremy Haiting, Christa Désir, Melanie Sanders e Vanessa Aguirre. Christina Tucker e Matthew Broberg-Moffitt, meus leitores sensíveis. Kerri Resnick, que idealizou a capa original, e Allison Reimold, que capturou a aparência e a vibe de pesadelo da Shara.

Também tenho que agradecer a todos os meus amigos que tão gentil e generosamente leram os primeiros rascunhos ou discutiram ideias de enredo ou fizeram *sprints* de escrita ou simplesmente me falaram que achavam que o que eu estava escrevendo parecia interessante — vocês literalmente me fizeram seguir em frente. Houve momentos em que a única coisa que impulsionava minha contagem de palavras era a ideia de poder compartilhar um trecho ao fim do dia. Vocês sabem quem são. Obrigada especialmente a Anna Prendella, que deu feedbacks tão sagazes, elucidativos, extensos e francamente ferinos ao longo do processo de revisão que deve ser canonizada.

A Sasha (autora best-seller do *New York Times* Sasha Peyton Smith!!! Não, nunca vou parar de mencionar isso.), obrigada por ser um poço sem fundo de paciência, por Margaritaville e por sempre topar uma ligação de FaceTime sobre Problemas de Enredo. Mal posso esperar para fazermos isso juntas para sempre. Eu definitivamente fui seu pai em outra encarnação.

A Kris, por todos os meses de 2020 quando éramos só você, eu, os animais de estimação, este manuscrito e o terror sem fim enfurnados no quarto andar do prédio sem elevador mais xingado do Brooklyn, obrigada. Você é a pessoa que mais me apoia, e sinceramente não sei como faria isso sem você. Chega a ser idiota o quanto te amo. Não pare de deixar elásticos de cabelo por todo o meu apartamento.

À minha família, de todo o coração: obrigada, amo vocês. Eu não chegaria a lugar nenhum sem vocês.

A todos os leitores que estão comigo desde o início, e a todos os leitores que estão começando por este livro, um obrigada sem fim por me darem a oportunidade de continuar fazendo isso.

E, finalmente, mais uma salva de palmas para os adolescentes LGBTQIAP+ dos estados republicanos e das comunidades religiosas conservadoras. Amo muito vocês. Às vezes pode parecer que ninguém sabe ou se importa que vocês estão aí, dando seu melhor para passar por tudo isso, carregando todo esse peso, mas eu sei. Muitos de nós, adultos LGBTQIAP+, que chegamos ao outro lado de tudo isso, sabem. Estamos aqui por vocês sempre que precisarem. Vocês serão amados e reconhecidos e cuidados de maneiras que ainda nem conseguem imaginar. E vão ter umas histórias muito malucas para contar em festas de amigos gays no futuro. Vão se cuidando até lá.

Espera, na verdade. Mais uma.

A Chloe Green. Obrigada por tudo o que você me ensinou.

ESTA OBRA FOI COMPOSTA PELA VERBA EDITORIAL EM BEMBO E IMPRESSA
PELA GRÁFICA BARTIRA EM OFSETE SOBRE PAPEL PÓLEN SOFT DA SUZANO S.A.
PARA A EDITORA SCHWARCZ EM JUNHO DE 2022

A marca FSC® é a garantia de que a madeira utilizada na fabricação do papel deste livro provém de florestas que foram gerenciadas de maneira ambientalmente correta, socialmente justa e economicamente viável, além de outras fontes de origem controlada.